LA FILIÈRE CHINOISE

Paul Kara

LA FILIÈRE CHINOISE

Roman

RTL ÉDITION

Tous les personnages, lieux et actions de ce roman sont purement imaginaires. Toute ressemblance avec des faits ou des personnes existant ou ayant existé ne serait que pure coïncidence. D'autre part, lorsque des faits historiques ont été mentionnés, ils l'ont été uniquement dans le but de servir la fiction.

Ecclésiaste, 3-3

A Francine et à mes parents,
avant tout pour leur patience

Première partie

Au temps du malheur

Mais l'homme ne connaît pas son heure.
Comme les poissons pris au filet perfide,
comme les oiseaux pris au piège,
ainsi sont surpris les enfants
des hommes au temps du malheur,
quand il fond sur eux à l'improviste.

Ecclésiaste, 9-12

I

Toni Benedetto s'admirait dans le miroir. Il avait terminé son nœud de cravate et il se coiffait tout en jetant des regards enflammés vers sa propre image. Il avait choisi une chemise cintrée d'un rose délicat, et sa large cravate d'un jaune pâle aurait pu faire rire. Pourtant, peu de personnes confrontées à ses goûts vestimentaires auraient eu l'idée de le railler.

Toni était beau garçon. Il mesurait un mètre soixante-dix et pesait un peu moins de soixante-cinq kilos. Il était brun, mince et musclé. Il avait des yeux et un regard qui plaisaient aux femmes. Quant aux hommes, son air froid et arrogant leur flanquait la frousse.

Quand il allait déguster son expresso — piccolo — dans son café favori, ou quand il arpentait les rues de son territoire, sa démarche et son maintien sûrs, hautains détournaient les regards ou bien les attiraient comme un astre brûlant l'aurait fait d'idolâtres. De sa personne, de ses yeux, émanaient des vibrations sourdes, nocives, dangereuses. Dans la rue, il jetait une ombre malveillante sur le bonheur tranquille des passants.

Son territoire s'étendait de Canal Street à Delancey. A l'ouest, il était bordé par Broadway, à l'est par l'East River. Petit mais stratégiquement important à cause de la proximité de Chinatown au sud, ce territoire qui lui avait été assigné était la preuve de l'estime dont il jouissait au sein de la famille Dipensiero. En fait, au début du siècle, ce quartier avait fait partie du ghetto. Puis, peu à peu, il s'était métissé et il avait perdu son caractère strictement juif. D'ailleurs, pour les affaires que Toni Benedetto y traitait, l'appartenance ethnique avait fort peu d'importance.

L'extorsion, la protection, la drogue, le sexe, les participations « musclées » dans les commerces florissants et les boîtes qui marchaient bien, de même que les bookmakers[1] et les shylocks[2], formaient la trame des activités

1. « Parieurs ». Le plus souvent, aux Etats-Unis, entreprise de « façade » de la Mafia.
2. « Usuriers ». Personnages de *Merchant of Venise*. Nom propre devenu nom commun dans les pays anglo-saxons.

principales de Toni. Et cette sorte de business intéressait les gens de toutes confessions, de toutes nationalités, de toutes origines.

De l'autre côté de la barrière naturelle que formait Canal Street, régnait la terreur chinoise. Les tong et autres triades[1] y faisaient la loi.

Les rapports entre Italiens et Chinois étaient fondés sur le respect des droits acquis. Chacun était maître chez soi. Il n'était pas question d'empiéter sur le territoire d'une autre communauté. Cela aurait signifié une guerre aussi sanglante qu'inutile. Parfois, des contacts informels avaient lieu entre puissances parallèles. Une arrière-salle « neutre » était choisie. Chaque faction y venait entourée de ses gardes du corps. Quelquefois aussi, des têtes folles commettaient quelque gaffe et en subissaient les conséquences. Car les lois étaient dures de part et d'autre de la frontière ethnique. Les disparitions inexplicables étaient, souvent, le prix d'une bêtise ou d'une désobéissance, selon le principe bien connu qu'un meurtre sans corps n'était pas un meurtre. Quant aux outsiders, ceux qui étaient assez fous pour vouloir se faire leur petite place au soleil sans passer par la hiérarchie, ils disparaissaient eux aussi. Mais les heures précédant la mort auraient pu effrayer les plus endurcis et freiner toute velléité de ceux qui aspiraient à sortir du rang.

Toni Benedetto venait d'avoir vingt-deux ans. Dans la hiérarchie de la Famille, il représentait une étoile montante. Remarqué quelques années auparavant par Giuseppe Conti, capo du Village, Toni avait accompli certaines besognes de confiance. Au bout de ces années d'« essai », il était passé de simple soldato[2] à « lieutenant », et un territoire ainsi que le pouvoir de disposer de sa propre équipe lui avaient été confiés.

Toni disposait d'un superbe appartement dans Grand Street, en plein centre de Little Italy. Sa Pontiac d'un bleu éclatant avait déjà fait battre les cœurs, ceux des femmes surtout. Il était un homme heureux. Du moins, c'est ce que, à le voir, les autres auraient pu penser. Il est vrai que l'argent affluait et qu'il aurait pu se croire au pinacle. S'il n'y avait eu Angela.

Angela Cassano avait vingt ans. Elle était d'une beauté à couper le souffle. Mince, l'aspect distingué, elle avait le genre de formes qui plaisaient aux hommes. Ses cheveux amples, acajou, entouraient son visage et faisaient ressortir l'éclat intense de ses yeux, d'un vert étonnamment clair, ainsi que la pureté délicate de sa bouche et de ses dents. Angela était la fille unique du dentiste Cassano, qui exerçait et habitait dans Orchard Street, l'une des rues du territoire de Toni.

Toni avait aperçu Angela lors d'un bal populaire organisé à l'occasion d'une fête américano-italienne. Il l'avait même invitée à danser et il avait pu serrer son corps contre le sien, se gorger de la fragrance capiteuse de son parfum, et espérer qu'un jour ...

---

1. Sociétés secrètes, confréries criminelles, originaires de Chine continentale et dont les branches se sont étendues en Europe, en Amérique et au Canada. Elles fleurissent encore à Hong Kong, Taiwan et Singapour. Elles dominent les quartiers Chinatown aux Etats-Unis, principalement à New York et à San Francisco.
2. Grade le plus bas dans la hiérarchie de la Mafia.

Le seul problème était que, pour Angela Cassano, Toni Benedetto n'existait pas. Il aurait pu être un fantôme ou un ectoplasme. Dès qu'elle l'avait aperçu, elle avait deviné en lui le petit mafioso présomptueux. Si le Parrain avait pu rendre la Mafia un tant soit peu populaire, Angela, elle, n'avait nullement été touchée par l'aura que la Cosa Nostra était censée projeter. Elle trouvait les mafiosi ridicules. Ce Toni Benedetto n'était pour elle qu'un prétentieux petit crétin, et elle avait accepté de danser avec lui uniquement par pure compassion. Cet air de bovidé amoureux l'aurait plutôt portée à rire.

Toni s'était aperçu qu'il ne devait pas être le genre qu'Angela Cassano appréciait. Quand, par hasard, ils se croisaient, elle évitait son regard, détournait les yeux. Cela le faisait souffrir parce qu'il n'aimait pas être rejeté. Il en était arrivé à la détester, à souhaiter la voir souffrir, elle aussi. Dans des visions fulgurantes de folie, il imaginaît Angela nue sur un lit et il se voyait, tel un ange de fureur, planer au-dessus d'elle, un fouet à la main, lui imprimant la marque de sa supériorité sur le corps. Dans ses fantasmes, Toni finissait toujours par la sodomiser brutalement, afin de lui apprendre les bonnes manières et le respect.

Pour un homme comme lui, qui faisait et était la loi dans le quartier, c'était un sentiment particulièrement frustrant de se voir ignoré par une simple femme. Une Italienne, de surcroît ! Cependant, il avait suffisamment d'intelligence pour comprendre qu'il ne lui serait pas possible d'exercer la moindre pression, ni sur elle ni sur son père. S'il désirait conquérir Angela Cassano, il devrait le faire de façon propre, convenable. La fréquenter, la courtiser, être admis par le père.

Tout en continuant de rêver à Angela et à son corps fabuleux, Toni prenait son plaisir avec d'autres femmes. Il n'en manquait pas. Pourtant, il avait le sentiment d'avoir raté quelque chose d'essentiel dans sa vie, bien qu'il fût encore jeune.

Toni avait fini de se coiffer. Il avait déjà endossé son veston et il se regarda une dernière fois dans le miroir avant de quitter la pièce. L'image était parfaite. Il était et se sentait parfait. Avant de partir, il n'oublia pas de prendre l'indispensable outil de travail et de défense, le symbole de sa fonction, l'inévitable protecteur de sa vie et de ses amours : un revolver de calibre 38, mignon au toucher ... et létal à l'arrivée.

Le samedi était jour de détente. Toni examina l'horloge murale et gloussa en constatant qu'il avait déja vingt minutes de retard.

Dans Grand Street, il jeta un regard circonspect vers la droite et vers la gauche, une vieille habitude de travailleur consciencieux car il n'avait pas que des amis dans la vie. Avant d'entrer dans la Pontiac, il en observa l'aspect extérieur. Un spectateur attentif aurait pu croire qu'il souffrait de paranoïa ou qu'il était cinglé. Mais Toni avait acquis un certain instinct de survie dans son métier. L'expérience lui avait appris que, de plus en plus, des voitures sautaient. Par hasard, toujours par hasard ... Au moment de tourner la clé de contact, son cœur s'était emballé et il avait connu quelques moments de peur. Cette panique folle, instantanée, était également le prix qu'il avait à payer pour son métier. Mais il n'aurait pas voulu en changer.

Il avait fixé un rendez-vous dans un pub du Village, au coin de McDougal et de Bleecker Street. Quand il entra, il entendit une musique de piano : une ballade sirupeuse, l'agrément indispensable d'un samedi soir new-yorkais. Le pianiste était relativement jeune mais il avait déjà l'air blasé.

D'emblée, Toni avait aperçu Gina et fit une moue. Elle ressemblait à une putain. S'approchant d'elle, il remarqua qu'elle s'était collé une telle couche de mascara sur les paupières qu'elle en paraissait hideuse. Elle semblait sortir tout droit d'un film de Fellini. Son rouge à lèvres donnait l'impression qu'elle venait de manger un morceau de tarte aux fraises sans s'être essuyé la bouche. Toni réprima une pointe de colère. Elle le dégoûtait, et il eut envie de la gifler en public. Alors qu'elle avait un superbe corps et un visage d'une sensualité à peine voilée, elle s'habillait, se coiffait et se fardait comme un clown. Toni s'imaginait déjà après une séance d'amour avec elle, le corps barbouillé de peinture, le caleçon et la braguette tachés de couleur fraise.

Il lui colla un baiser chaste dans les cheveux et encaissa de plein fouet la décharge de son parfum. En plus, elle puait la cocotte, à croire qu'elle s'était aspergée d'un flacon entier ! Toni la salua et, en parfait homme du monde — italien avant tout ! —, il lui demanda comment elle allait et ce qu'elle désirait boire.

Brusquement, alors qu'il sirotait paisiblement son deuxième Martini et encaissait les effluves comme la conversation de Gina tout en pensant au moment où il la sauterait enfin, son attention fut attirée par un mouvement sur la droite. Tournant la tête, il vit son adjoint Luigi Mascaro qui lui faisait signe.

Luigi Mascaro avait déjà une jolie carrière derrière lui. Au sein de la Famille, il avait acquis une réputation d'homme solide et fiable. Il avait vingt-cinq ans, était assez corpulent et musclé. Dur, voire cruel dans le travail, Luigi adorait les enfants. Il leur consacrait le peu de temps libre dont il disposait, et quand on le voyait en compagnie de sa petite fille et de son garçon, il donnait l'impression d'être un Américain tranquille.

Toni s'excusa auprès de Gina et suivit Luigi vers les toilettes de l'établissement. Assez curieusement, les toilettes étaient devenues un lieu en vogue dans certains cercles, surtout depuis que le bruit avait couru que les Feds[1] semblaient vouloir enregistrer tout ce qui se disait dans le milieu. C'était un fait connu que leurs principaux efforts visaient à démanteler l'empire des cinq familles de New York.

1. Agents du FBI, dénomination commune.

Toni et Luigi s'isolèrent dans une toilette et, sur bruit de fond de chasses d'eau, ils se mirent à parler :

— Quoi de neuf, Luigi ? Pourquoi viens-tu me déranger ici ?

— Quelque chose d'important vient de se produire ...

— Et cela ne peut pas attendre ?

— Pas tellement.

— Qu'est-ce qu'il y a ?

— Au sujet de Lewis ...

— Oui ?

— On a attrapé l'un de ses pushers[1].

— Ah, ah ! fit Toni avec une lueur sadique dans les yeux.

— Oui, et j'ai la preuve que Lewis cherche à nous supplanter dans le quartier.

— Tu as la preuve ?

— Oui.

— Je peux voir le type ?

— Evidemment !

— Où est-il ?

— En lieu sûr, dans une maison du Bowery.

— O.K., on y va ! Tu as ta voiture ?

— Oui. On prend la mienne ?

— Oui.

Quand ils remontèrent, Toni dit à Gina qu'il avait une affaire importante à régler. Il la rejoindrait à son appartement à elle, plus tard dans la soirée.

La maison dont avait parlé Luigi était en fait une bicoque délabrée, en plein cœur du Bowery. Luigi montra l'une des portes au rez-de-chaussée. Toni entra. Dans la pièce se trouvaient trois types de l'équipe que dirigeait Luigi. Sur une table, un Noir était étendu, mains et pieds liés. Il avait déjà dû encaisser pas mal de coups car son visage était tuméfié et entièrement couvert de sang séché qui formait un contraste frappant avec sa peau noire. Il avait le nez de travers et un œil complètement fermé.

L'un des types, Carmelo, fit son rapport. Voilà, c'était simple : le Noir avait reçu des ordres. Il pouvait aller vendre sa camelote n'importe où, sauf plus bas que Canal Street. Oui, il était approvisionné en came par l'organisation d'Alfred Lewis.

Benedetto indiqua à Carmelo de se taire. Il regardait le Noir et sentait une fureur croître en lui à la vitesse d'un vent de tempête. Il demanda :

— Quelqu'un a-t-il un silencieux ?

1. En argot américain, trafiquant ou revendeur de drogue en petites quantités, le plus souvent dans la rue, auprès de connaissances, sur le lieu du travail, à l'école, etc.

Mario lui tendit son revolver. Toni l'arma, braqua le canon vers le visage du Noir, puis pressa la gâchette. La tête de la victime fit un bond sous l'impact de la balle, qui lui traversa le cerveau. Ensuite, elle retomba dans un bruit sec. Le corps ne bougeait plus. Toni rendit l'arme à Mario, sans rien dire.

Il en avait marre. Complètement. Ce n'était pas la première fois qu'Alfred Lewis envoyait ses pushers dans son territoire. Ils allaient devoir prendre des mesures. Mais il devrait d'abord en référer au capo, Giuseppe Conti.

Rien, au sein de la Famille, ne se faisait sans passer par la hiérarchie. Elle était sacro-sainte et plus contraignante que celle de l'armée ou des fonctionnaires. Mais l'idée d'accomplir un acte important sans en référer à l'échelon supérieur était absurde.

L'arrière-salle de restaurant, qui servait de lieu de réunion, avait un aspect insolite en ce mardi après-midi. A l'entrée, quelques gardes du corps nerveux faisaient semblant de ne pas être concernés par ce qui se déroulait dans la salle. Mais leurs vêtements et leur air de mafiosi conspirateurs ne trompaient personne.

Autour de la table oblongue en bois d'acajou, plusieurs personnes avaient déjà pris place. Giuseppe Conti avait convoqué un conseil de guerre. A sa droite, était assis Roberto Rinaldi, le consigliere[1] en titre de la famille Dipensiero. Le rôle qu'il jouait dans les affaires du clan était essentiel. Il faisait office à la fois d'éminence grise, de modérateur, de financier et de haut exécuteur, et il était souvent appelé en arbitre quand des problèmes surgissaient.

En quelques minutes, la salle s'était emplie d'une fumée bleuâtre et lourde qui se mêlait imparfaitement à l'arôme du cigare du consigliere.

Un mouvement à l'entrée annonça l'arrivée de Toni Benedetto et de deux de ses adjoints, Mario Tenebro et Luigi Mascaro. Les trois hommes s'avancèrent, s'approchèrent de la table et présentèrent leurs marques de respect au consigliere tout d'abord, au capo ensuite. Ils saluèrent également les autres hommes venus d'autres territoires. Quoique le problème qui allait être abordé ne les concernât pas directement, cette affaire touchait la Famille, donc tous ses membres. Tôt ou tard, eux aussi pouvaient se retrouver assaillis par le même genre de difficultés.

Giuseppe Conti but une gorgée de café et déposa sa tasse en la claquant légèrement sur la table, ce qui imposa le silence.

— Alors, Toni, raconte-nous ce qui est arrivé sur ton territoire.

— Voilà. Samedi dernier, les hommes de Luigi Mascaro ont attrapé un Nègre qui vendait sa came dans Clinton Street, juste au sud de Delancey Street. Mes hommes l'ont amené dans une bicoque du Bowery et ils l'ont

---

1. Dans la Mafia, grade juste en dessous du boss. Conseiller fiscal, juridique et exécuteur des décisions du boss ou du conseil de famille.

interrogé. Sur lui, ils ont trouvé dix-neuf doses d'héroïne. Il a avoué qu'il travaillait pour Alfred Lewis et que tous les pushers et les dealers qui bossent pour la Brotherhood of Blacks avaient reçu des ordres précis : descendre le plus loin possible vers le sud et même pénétrer dans les territoires qui appartiennent à notre Famille. Si ça continue ainsi, ces foutus Nègres iront bientôt vendre leur came jusque chez les Chinois ...

Cette dernière phrase provoqua l'hilarité générale car tous les hommes présents connaissaient le sérieux et l'implacable attention que les Chinois apportaient à la gestion et à la défense de leurs intérêts.

Giuseppe Conti se moucha bruyamment et se tourna vers le consigliere :

— Qu'en penses-tu ?

Roberto Rinaldi approchait la soixantaine. Il avait un visage fin, des cheveux gris, soignés et bien coiffés, et des yeux très expressifs qui dénotaient une intelligence supérieure. Il avait quarante-trois ans de carrière dans la Cosa Nostra. Produit typique des années formatives, les « Swinging 30 », de cette époque il avait gardé le souci de survivre. A n'importe quel prix. Sous un aspect débonnaire de bon père de famille, Rinaldi cachait un noyau dur. Mais aussi une tendresse. Car, au-delà des affaires de la Famille, il avait préservé un charme d'homme du monde, fin, cultivé, un rien précieux. Une musique réussie ou un bon livre parvenaient encore à l'émouvoir. Quant aux femmes, c'était son point faible. Il ne s'était jamais privé de leur compagnie du temps de son mariage, et la mort de sa femme en 1960 lui avait laissé carte blanche sur ce plan-là. Il se privait rarement de ... ce plaisir. Il regarda Conti, puis aspira une bouffée de son cigare. Son visage exprima un court instant la joie de l'intoxiqué. Il répondit :

— Alfred Lewis commence à exagérer. Ces dernières semaines, il a fait plusieurs incursions dans certains de nos territoires. S'il perd ses pushers, il s'en fout éperdument. Il a suffisamment de jeunes cons qui ne demandent qu'à devenir volontaires pour vendre sa came.

— D'où l'obtient-il ? demanda Conti.

— D'où l'obtiendrait-il ? Du Triangle d'or, comme tout le monde. Certains murmurent qu'il a un accord avec des Chinois d'une triade différente de celles qui contrôlent Chinatown et qui voudrait s'implanter, éventuellement avec l'aide de Lewis et de son organisation. Ce que nous savons de lui, c'est qu'il est intelligent et débrouillard, bien entouré et bien conseillé, et qu'il a les protections nécessaires au sein de la police et de l'administration.

— Comment pourrait-il avoir de meilleures protections que nous ? demanda Benedetto, fougueux et mâle dans sa belle ignorance des choses du monde.

Le consigliere le regarda de manière incrédule, un peu comme si ce jeune, ce morveux, sortait tout droit de sa caverne. Il réprima un sursaut de colère et faillit le remettre vertement à sa place. Mais il aspira à nouveau une bouffée capiteuse de son cigare cubain, et cela le calma. Il souffla la fumée en direction du visage de Benedetto, de l'autre côté de la table.

— Oui, il a même de meilleures protections que nous. Comment fait-il ?

Je n'en sais rien ! L'argent n'a pas d'odeur, et s'il en donne plus que nous, pourquoi nos protecteurs devraient-ils se gêner pour accepter le sien ? Qu'ont-ils comme obligation ?

Toni Benedetto s'adressa à Giuseppe Conti.

— Que peut-on faire ? Ne peut-on essayer de le buter ? S'il faut des volontaires, je veux bien constituer une équipe et m'en charger.

Roberto Rinaldi, qui avait légèrement souri quand Benedetto avait parlé, coupa toute réponse.

— Non ! S'il faut agir contre Lewis, il faudra que l'ordre émane de la Famille. Il n'est pas question d'organiser quoi que ce soit de notre propre initiative. Il y a trop d'intérêts importants en jeu. Nous devrons d'abord nous assurer que Lewis désire effectivement empiéter sur nos territoires : peut-être n'est-ce le fait que de têtes chaudes ou de dealers inexpérimentés qui se fichent pas mal des frontières ... Non, il faudra que j'en réfère au conseil de famille. S'ils décident de faire quelque chose, vous recevrez l'ordre très bientôt. O. K. ?

Plusieurs têtes opinèrent de façon servile. Toni râlait intérieurement, car sa nature l'inclinait plutôt à la violence. Si cela n'avait tenu qu'à lui, il aurait réuni quatre hommes, ils se seraient entassés dans une voiture et ils auraient pris d'assaut le quartier général d'Alfred Lewis. Toni se dit que ces vieux de l'organisation devenaient bien mous. Rien d'étonnant si les tout jeunes, les nouveaux membres parlaient de révolte contre la hiérarchie. Car, au fond, ils étaient restés des paysans asservis par simple nécessité économique. S'il n'y avait pas de latifundium à New York, par contre la simple désobéissance à un ordre ou un manquement grave pouvaient, à tout moment, leur coûter la vie.

Quand on apprenait qu'un autre type, un Noir de surcroît, s'arrogeait le droit de faire vendre de la came dans un territoire sous contrôle de la Famille, la réaction normale, viscérale, était de le buter après l'avoir fait « jouir » pendant quelques heures, afin qu'il sache au moins, le fumier, pourquoi il quittait ce monde. La loi était dure pour tous, mais elle devait être appliquée. L'ennui, avec tous ces types au pouvoir, c'est qu'ils étaient devenus de véritables hommes d'affaires. Quand un problème se posait, ils pensaient avant tout à protéger leurs intérêts financiers. Ils calculaient, ils supputaient. A l'extrême, on pouvait penser qu'ils iraient trouver ce foutu Lewis pour lui lécher les bottes et l'implorer de leur foutre la paix, en prétendant qu'ils étaient bien en droit, eux aussi, de faire du commerce sur leur propre territoire.

Ah ! si cela ne tenait qu'à eux, les jeunes ! Ils le buteraient et flanqueraient les morceaux de son corps dans l'East River. Et il n'y aurait plus de problème. R.A.S. En quittant l'arrière-salle du restaurant, après avoir remercié le capo et le consigliere, Toni Benedetto se retrouva dans la rue, de très mauvaise humeur. S'il l'avait pu, il aurait sodomisé cette chichiteuse d'Angela Cassano sur-le-champ. Mais voilà ! Rien ne marchait, ces derniers temps, dans cette putain de vie ...

II

Les haut-parleurs crachaient les décibels assourdissants de la musique de Curtis Mayfield. Sa voix emplissait la pièce de sa supplique désespérée, tandis que sur le vaste lit rectangulaire Alfred Lewis se trémoussait sur un rythme nettement moins lent. Il ramait avec toute la fougue et la vigueur de ses vingt-cinq ans, son corps musclé luisant de sueur. En dessous de lui, Marjorie arborait le visage à la fois angoissé et extatique d'une madone crucifiée. Rita, elle, titillait de sa langue câline et délicate l'anus d'Alfred, tout en se masturbant allégrement, lançant un lointain écho à la plainte acidulée de la musique funky.

Le corps d'Alfred se raidit, fut agité de soubresauts énergiques. Marjorie se cramponna à lui comme si elle eût été sur le point de faire naufrage. Ensuite, le calme. Seule la voix de Curtis Mayfield, qui invoquait un quelconque Kung Fu mythique, continuait d'emplir la pièce. Alfred se retira de Marjorie. Son sexe imposant était encore en pleine érection. Il pénétra Rita, tandis que Marjorie se mit à jouer à son tour de la langue et des mains ...

Alfred Lewis était le produit typique du ghetto noir de New York. Un de ses premiers spectacles sur Terre fut celui de son père tabassant sa mère. Régulièrement, le samedi, quand le père Lewis rentrait à la maison, le plus souvent au petit matin, il battait sa femme, ensuite il la baisait. Les gémissements de la mère, qui se répercutaient à travers le petit appartement que la famille Lewis occupait au deuxième étage d'une maison délabrée de la 173e Rue, firent comprendre très tôt au jeune Alfred que la vie était en réalité une vallée de larmes. Cependant, contrairement à ce qu'indiquaient les prêtres, il eut très vite l'idée de ne pas attendre le jour de son entrée au paradis pour connaître la félicité. Très rapidement, il renia Dieu, ses apôtres et les sornettes des prêtres, puis décida de saisir l'instant présent. Sous toutes ses formes, à pleines mains.

Encore jeune, Alfred devint rapidement débrouillard et streetwise[1]. Il eut

1. Initié aux faits de la rue et de la vie.

ses premières relations sexuelles à treize ans avec une voisine, une veuve de vingt-cinq ans. A quatorze ans, il avait tué pour la première fois, lors d'un combat de rue entre bandes rivales. Il n'avait pas conservé une idée très précise de ce premier meurtre. Il avait employé un rasoir et il se souvenait vaguement du giclement du sang quand il avait sectionné la carotide de son adversaire.

A seize ans, Alfred devint indépendant. A la fois maquereau et dealer. Trois filles travaillèrent de façon régulière pour lui, ce qui lui rapportait déjà près de mille dollars par semaine. Accessoirement, il était devenu dealer, ce qui lui rapportait encore plus. Le destin, son fatum, se manifesta sous les traits d'un autre pimp[1], plus âgé, car James Johnson avait 19 ans.

Plus expérimenté, celui-ci avait jeté son dévolu sur la petite Jane, une jeune Noire de 17 ans qui « appartenait » à Alfred. Ce fut lors de la discussion à son sujet entre Lewis et Johnson, dans les toilettes d'une boîte de la 8e Avenue à Harlem, qu'Alfred tua à nouveau, consciemment cette fois et avec une arme à feu. De cet homicide, il conserva un souvenir vivace. La déflagration, le visage de Johnson qui avait éclaté sous l'impact de la balle de calibre 38 tirée à un mètre de distance, le sang et les matières liquides, les parties du cerveau qui étaient restées collées au mur : tout cela forma une image indélébile dans la mémoire d'Alfred. « Murder », auraient dit les détectives de la police de New York. « Self-defence », aurait répondu Alfred Lewis. Car les lois du ghetto étaient dures. Pour survivre, il fallait être le plus fort et le plus rapide. Et souvent, éliminer toute forme de concurrence.

Après la mort de James Johnson, Alfred n'attendit pas d'être interrogé par les flics de New York. Il prit une décision ultra-rapide et courut au bureau de recrutement le plus proche, afin de s'engager dans le Corps des marines, mentant sur son âge. Il n'avait que dix-sept ans, or l'âge minimal d'admission était de dix-huit.

Après un boot-camp[2] aussi éprouvant que régénérescent, Alfred reçut l'ordre de partir pour le Viêt-nam. Pour lui, le boot-camp avait été l'occasion de côtoyer des Noirs et des Blancs, et il avait été surpris de découvrir de bons types parmi les Blancs et de franches crapules parmi les Noirs. Il avait réussi à se lier d'amitié et, pour la première fois de sa vie, il était véritablement sorti de son cocon. Il avait appris à la fois l'obéissance aveugle et l'amitié vraie, virile et durable.

Il s'était embarqué à destination du Viêt-nam sans beaucoup d'espoir, mais avec une expérience du combat qui faisait de lui un vétéran aguerri au sein de cette bleusaille enthousiaste et naïve qui l'accompagnait à bord du DC-8 volant vers l'aéroport de Tan Son Nhut.

Lewis était tombé ... le cul dans la merde dès son premier jour de présence dans l'unité où il avait été incorporé. A peine descendu du Huey, il fut assi-

---

1. Dans l'argot américain : maquereau, proxénète.
2. Centre d'instruction militaire. Littéralement : « camp de bottines ».

gné à la compagnie Alpha. L'après-midi même, il partait en patrouille. Vu son statut de tireur d'élite, on l'employa surtout en qualité de sniper[1]. Très rapidement, il devint indispensable car il semblait doué d'une perception extra-sensorielle. D'avance, il savait deviner une embuscade. D'avance, il évitait les trous à punjis, les mines anti-personnels et les autres snipers, ceux du Viêt-cong.

Comble de malchance, son unité, le 26ᵉ Régiment des marines, se trouvait cantonnée à Khe Sanh le 20 janvier 1968, quand les troupes de l'armée nord-vietnamienne et celles du Viêt-cong commencèrent le siège de ce camp militaire américain situé dans la province de Quang Tri, un peu au sud de la zone démilitarisée et du 17ᵉ parallèle.

Alfred Lewis vécut à Khe Sanh durant la totalité du siège. Il ne fut pas blessé et ne vit quasiment aucun ennemi. Durant ces onze semaines, il vécut tel un rat. Vie nocturne passée au sein de bunkers. Vie diurne partagée entre les bunkers et les sprints d'un endroit à l'autre, sur fond sonore d'Apocalypse. Le seul souvenir qui lui resta de cette période fut celui de la crasse et de la peur. Il y avait également eu l'amitié qui unissait les hommes de la base américaine. Même les officiers n'étaient plus des objets de haine comme auparavant, car ils partageaient les mêmes dangers, la même saleté, les mêmes privations. Le simple geste d'aller faire ses besoins exigeait une dose de courage peu commune. Quant à ceux qui étaient chargés d'aller chercher les munitions et la nourriture que quelques C-130 débarquaient tant bien que mal, c'était déjà une question d'héroïsme ou de folie. Les hommes devaient quitter l'univers « réconfortant » des bunkers ou des tranchées pour se rendre sur le tarmac ou sur les pistes d'atterrissage pour hélicoptères.

C'est à Khe Sanh qu'Alfred Lewis vit le pire. Les dizaines de corps que son cerveau enregistra tout au long du siège n'avaient même plus un aspect humain. Morceaux disparates, réduits à l'état de viande noirâtre et fumante, membres ou têtes sectionnés qui traînaient par-ci, par-là.

Après Khe Sanh, quelque chose se brisa en lui. Etait-ce dû à l'influence grandissante de ses frères de race adeptes du Black Power ? Ou à un sergent red-neck[2] qui lui en fit baver après le siège ?

Alfred, déjà titulaire de deux Purple Hearts[3] et vétéran, tireur d'élite de surcroît, n'en avait plus rien à foutre de ces Blancs. Un matin, alors que la compagnie Alpha s'apprêtait à partir en patrouille, il refusa de l'accompagner. Le sergent blanc l'avait regardé, mais il n'avait prononcé nulle parole, nul ordre complémentaire. Alfred tenait son fusil d'assaut M-16 à la main, et son air brutal ne laissait aucun doute quant à ses intentions.

Les années 67-68 furent cruciales dans la guerre du Viêt-nam. De plus en

1. Tireur embusqué. Spécialiste chargé de l'élimination physique du plus grand nombre possible d'adversaires, par tous les moyens.

2. Blanc du sud des Etats-Unis.

3. Le Purple Heart est une médaille militaire américaine, octroyée automatiquement à la suite de toute blessure ouverte.

plus souvent, des officiers et des sous-officiers jugés trop sévères étaient abattus par leurs propres hommes. Les soldats américains avaient même créé un verbe spécifique, « to frag », qui illustrait la façon idéale de tuer un officier ou un sous-officier à l'aide d'une grenade à fragmentation. Quant aux Noirs, après les émeutes de Newark et de Watts en 1967, puis l'assassinat du pasteur Martin Luther King en avril 1968, ils commencèrent à faire bande à part, à former des clans, à refuser de manière systématique d'obéir à des Blancs, même au sein de l'armée américaine. De plus, ils s'étaient peu à peu rendu compte qu'au Viêt-nam ils étaient parfois majoritaires en première ligne ou dans les patrouilles, alors que dans leur propre pays ils étaient encore un objet de haine et de discrimination.

L'armée américaine, confrontée à ce problème épineux, jugea utile d'intervenir le moins possible et de laisser une plus grande latitude aux Noirs. De même, tout refus d'obéissance d'un Noir n'était plus systématiquement puni.

Le sergent red-neck signala le refus d'Alfred Lewis à ses supérieurs et exigea qu'il fût muté dans une autre unité. Ainsi, Alfred se retrouva-t-il à l'arrière, dans une unité non combattante, pour les cinq mois qu'il avait encore à tirer au Viêt-nam. Cette occasion inespérée fut pour lui le départ d'une toute nouvelle carrière, qui allait le propulser au faîte du pouvoir en très peu de temps.

Fin juin 1968, il se retrouva à la base américaine de Danang. La corvée de chiottes lui fut assignée. Elle consistait à réunir et à faire brûler en plein air le contenu des réservoirs des latrines et des W.-C., à longueur de journée. Corvée idéale pour les emmerdeurs de tout poil et pour laquelle, en cette année clef, on retrouva pas mal de Noirs : adeptes du Black Power, junkies[1], alcooliques ou simples soldats qui en avaient eu ras-le-bol à un certain moment de leur vie.

Si le travail n'était pas enrichissant, du moins les soldats qui étaient cantonnés à Danang risquaient peu. Cette ville était un havre de paix, un îlot tranquille au sein d'une mer en furie. Principal centre d'espionnage du Viêt-cong, les affaires y étaient prospères, et une bonne partie des greenbacks[2] qui y étaient dépensés se retrouvaient tôt ou tard dans les caisses communistes. On disait même que c'était là l'une des raisons primordiales du peu d'attaques menées contre cette ville et sa gigantesque base américaine.

Au début, Alfred Lewis trouva cette vie monotone. Souvent, le soir, il se soûlait ou allait au bordel. Au bout de quelques semaines, les vieux instincts revinrent à la surface. Il se lança dans le business. Il patronna une boîte appelée en jargon franglais «The Sans-Souci» et bientôt il eut trois prostituées qui travaillaient pour son compte. Peu à peu l'argent commença d'affluer, ce qui modifia radicalement le statut social du nouveau proprié-

---

1. Drogués.
2. Dollars.

taire du Sans-Souci. Avoir du fric signifiait acquérir la possibilité d'être indépendant, mais aussi, selon le vieux principe que l'argent attirait l'argent, cela impliquait également acheter. Des hommes, de la protection et de l'influence.

Lors de l'une de ces séances mémorables de soûlographie dans une cantine de la base, Alfred avait fait la connaissance d'un sergent blanc, sympathique, qui travaillait au service de Graves Registration, service spécifique de l'armée américaine à qui incombaient la collecte, la remise en état — quand c'était possible — et le rapatriement des corps des soldats morts. De Jay Walkins, Alfred n'aurait dû garder aucun souvenir particulier, excepté qu'il semblait franchement malheureux dans son emploi, dans son mariage et dans son portefeuille. Mais, à la fin août, alors qu'il s'affairait derrière le bar du Sans-Souci, un Chinois avait attiré son attention. Il tranchait sur les autres clients par son comportement. On aurait pu croire qu'une aura diabolique l'entourait. Alfred le tenait à l'œil, se disant qu'il s'agissait là d'un mec dangereux. Il ne fut pas surpris quand, une demi-heure plus tard, l'une des filles lui apporta un message écrit lui demandant s'il était libre pour un entretien. Machinalement, Alfred avait lu le nom de Peter Chen au bas du message.

Ils s'étaient rendus dans l'arrière-salle pour discuter. Peter Chen ne se présenta pas. Il se contenta de regarder Alfred Lewis assez longuement. Alfred était sur le point de trouver ce comportement désagréable et de faire une remarque quand le Chinois parla.

— Vous avez un très beau commerce ici, monsieur Lewis, très florissant, c'est très bien!

Son anglais était correct, sans accent définissable. Alfred crut comprendre que son interlocuteur pratiquait l'extorsion ou la protection, mais il jugea préférable de ne rien dire, de laisser parler et de voir où il voulait en venir.

— Je crois que vous êtes un homme d'affaires avisé, monsieur Lewis, qu'aux Etats-Unis déjà vous connaissiez la prospérité. Vous vous débrouillez bien, vous réussissez dans la vie ...

Alfred fut subitement recouvert d'une sueur glaciale, tandis que son cœur pompait le sang à la vitesse d'un ouragan et que l'adrénaline inondait son système, le préparant déjà à la défense. Il se demanda, dans un instant de folle panique, si ce Chinois n'était pas un agent du FBI ou de la CIA et pensa au proxénète qu'il avait tué à Harlem. Il réprima une envie brusque d'agir par la force.

— Que me voulez-vous, monsieur Chen ? lança Alfred, le pastichant involontairement dans son accentuation du nom de famille.

— Je suis un businessman, monsieur Lewis. Comme vous, je cherche à faire de nouveaux profits ...

— Ah ! ...

— Oui, je sais que par le passé vous aviez de bonnes affaires en Amérique, à New York. Cela ne vous intéresserait-il pas de refaire la même chose sur une plus grande échelle ?

— Qui me dit que je peux vous faire confiance ? dit Alfred sur un ton d'insolence qui, à Harlem, aurait pu déboucher sur un meurtre.

Les traits du visage de Peter Chen se crispèrent, un peu comme s'il était sujet à des crampes ou à une crise de cholestase. Ses yeux eurent une lueur menaçante, mais bien vite un sourire forcé revint sur ses lèvres.

— Je vais être sincère avec vous, Monsieur Lewis. L'organisation que je représente ne badine pas avec les amateurs. Nous avons, pour le moment, un intérêt évident pour votre personne. Vous pouvez gagner beaucoup d'argent grâce à nous. Vous pouvez devenir notre sauf-conduit vers les Etats-Unis ...

— De quoi s'agit-il ? De drogue ? l'interrompit Alfred de manière brutale.

Il ignorait complètement les principes qui régissaient les discussions avec les Asiatiques, où de simples questions d'étiquette, de face pouvaient quelquefois être déterminantes. Et où beaucoup de choses étaient suggérées plutôt que proférées de façon choquante.

— Oui, il s'agit de drogue, de drogue dure. D'héroïne.

Lewis soupira. Son adrénaline, défléchie, se transforma en rêves de puissance et de richesse. C'était donc cela ! Il ne doutait pas que l'organisation que Chen représentait avait dû le surveiller depuis un certain temps. Ce qui l'inquiétait le plus, c'était qu'ils avaient réussi à déterrer son passé aussi facilement. S'ils avaient pu le faire, que dire du FBI ou de la DEA, l'organisme U.S. de lutte antidrogue ?

— Que voulez-vous de moi ?

— Tout d'abord, dites-moi si vous êtes d'accord sur le principe de collaborer avec nous. Je vous préviens immédiatement : si vous donnez votre accord, il ne sera pas question de faire marche arrière, du moins de façon unilatérale. Il n'est pas question non plus de faire cavalier seul. Si vous acceptez nos propositions, nous devenons des partenaires en affaires. Si vous nous trahissez, ce sera la mort pour vous. D'office. Que vous soyez à Danang, à Harlem ou au Brésil, vous ne pourrez nous échapper. Le bras de notre justice va jusque dans les sanctuaires les plus éloignés. En revanche, si vous êtes d'accord pour devenir notre partenaire privilégié, nous ferons de vous l'homme le plus puissant de Harlem ou de New York.

— Pourquoi moi ?

— Pourquoi pas vous ?

Alfred Lewis se tut et ferma les yeux. Il n'avait que dix-huit ans et le Chinois lui proposait de devenir le roi de Harlem. Une proposition pour le moins fabuleuse ! Il avait vaguement entendu parler des sociétés secrètes chinoises, et quand Chen parlait d'organisation, Alfred se doutait qu'il devait s'agir d'elles. Mais derrière ce simple mot, il devinait la puissance, les capitaux et les possibilités de terreur aveugle que cachait ce concept. Aurait-il le courage de s'y associer ? D'un autre côté, quel choix avait-il en réalité ? Retourner au ghetto, redevenir un petit maquereau et un dealer à la noix, comme des centaines d'autres ?

Deux jours plus tard, Peter Chen revint au Sans-Souci, accompagné de deux Chinois qui ressemblaient à des gardes du corps. Alfred avait demandé un délai de réflexion. Pendant quarante-huit heures, il s'était torturé le cerveau, cherchant la bonne solution. Ce que Chen n'avait pas dit, c'est ce qu'il ferait en cas de refus. Plus Alfred pensait à ce genre de réponse, plus il se disait qu'il le ferait disparaître. Alfred essaya de se mettre à la place du Chinois. Il avait pris un risque terrible en parlant de cette affaire à un simple marine. Alfred avait souri quand il avait compris qu'il n'avait, en fait, aucun choix réel. S'il refusait, il mourrait. C'était aussi simple que cela.

Il avait invité les trois hommes dans l'arrière-salle. Peter Chen arborait la même politesse glaciale, le même détachement que lors de sa première visite. Ses deux gardes du corps se tenaient près de la porte séparant l'arrière-salle du bar. Voyant ces trois hommes à l'aspect décidé, Alfred comprit qu'il avait fait le bon choix.

— Alors, monsieur Lewis, qu'avez-vous décidé ?

— Je suis d'accord pour collaborer avec vous.

— Vous ne regrettez pas ? Vous pouvez encore faire marche arrière, vous savez. Une fois engagé, il n'y aura plus moyen de le faire. Réfléchissez ...

— C'est tout réfléchi. Je suis d'accord. Que voulez-vous de moi ?

— Bien. Nous voudrions faire parvenir de l'héroïne pure aux Etats-Unis et nous pensons que vous pourriez nous y aider.

— Moi ? Vous vous faites des illusions. Je suis un simple soldat.

— Ecoutez, c'est enfantin. De source sûre, nous savons que des soldats participent au transport de l'héroïne. Nous voudrions monter le même réseau ici, à Danang, par votre intermédiaire.

Alfred éclata de rire. Il n'était pas stupide, mais l'idée que les Chinois voulaient se servir de lui pour mettre sur pied un réseau de drogue dépassait de loin ce qu'il aurait pu imaginer. Quant à Peter Chen, en voyant la réaction du Noir, il avait failli perdre son contrôle. Il parla rapidement en cantonais à l'un des gardes et lui ordonna d'apporter le sac qu'il tenait à la main. Le garde le déposa sur le bureau. Alfred observa Chen de façon énigmatique, mais s'abstint de dire quoi que ce fût.

— Ouvrez ce sac, monsieur Lewis. A l'intérieur, il y a 50 000 dollars. La moitié sera pour vous. Quant à l'autre moitié, je vais vous expliquer ce que vous devrez en faire.

— 25 000 dollars pour moi ? Vous êtes fou !

— Si vous êtes toujours d'accord pour collaborer avec nous, vous pouvez recevoir une telle somme chaque semaine et, après votre retour aux Etats-Unis, nous pourrions continuer notre collaboration sur place. Les sommes deviendraient de loin plus importantes ...

— Je suis d'accord. Pour un tel pactole, je vous suivrais même en enfer!

Peter Chen se permit un léger sourire, mais ses yeux conservèrent leur aspect glacé, détaché, supérieur.

— D'après ce que l'on dit, vous connaissez une personne au service de Graves Registration ?

Alfred ne saisit pas immédiatement où Chen voulait en venir. Chen sembla surpris par son manque de coopération, et sa bouche se fit moqueuse.

— Non, monsieur Lewis ? Même pas un certain sergent Jay Walkins ?

— Si. Je l'ai rencontré, nous avons bu quelques verres ensemble.

— Eh bien ! votre job sera de convaincre Jay Walkins qu'en échange de 25 000 dollars par semaine, il devra nous rendre un petit service ...

Alfred devenait de plus en plus perplexe. Ce qui le surprenait au premier abord, c'était la qualité des renseignements que les Chinois avaient pu amasser. De plus, il ne comprenait pas pourquoi ils lui parlaient de ce minable sergent croquemort.

— Je ne vous suis pas. Quel service Jay Walkins pourrait-il bien vous rendre ? A mon sens, il ne pourrait vous être d'aucune utilité ...

— Bien au contraire. A l'occasion, essayez de lui faire comprendre que s'il acceptait de faire transporter des petits paquets pour des amis, disons plusieurs fois par semaine dans des cercueils scellés, il n'aurait plus à se soucier de quoi que ce soit dans la vie.

Alfred comprit. Eh oui ! Transporter de la came de cette façon devait être le moyen le plus sûr. Aucun contrôle, ni au départ ni à l'arrivée, et les cercueils étaient transportés aux frais des contribuables américains. C'était la solution idéale. Alfred siffla entre ses dents pour manifester son admiration.

— Je vois, fit-il. Très ingénieux ! Oui, je crois, connaissant un peu Jay Walkins et le genre de problèmes financiers qu'il a, que je n'aurai aucune difficulté à le convaincre.

Alfred Lewis parvint effectivement à convaincre Jay Walkins. Dès le début du mois de septembre, les premiers transports avaient commencé, d'abord à la cadence d'une fois par semaine, ensuite de façon nettement plus accélérée. A la réception, aux Etats-Unis, il n'y avait pas eu de problème. Comme c'étaient les sous-officiers du service du Graves Registration de la base de Danang qui remplissaient les formalités, il était relativement aisé pour Jay Walkins d'ajouter l'adresse d'un entrepreneur de pompes funèbres, par lequel certains des cercueils scellés transiteraient obligatoirement avant d'être acheminés vers leur destination finale. En outre, chez ledit entrepreneur, il était tout aussi facile de récupérer l'héroïne avant l'acheminement définitif des cercueils.

Quand Lewis revint en Amérique à la fin de son tour de treize mois[1], il était un homme riche et heureux. Fort de la protection de Chen, il organisa à New York un réseau de distribution d'héroïne et, en quelques années, il devint l'un des rois de la pègre noire.

La porte de la chambre s'ouvrit et Robert Walker entra. Officiellement, il était le bras droit d'Alfred Lewis, son secrétaire, son trésorier, son éminence grise et son garde du corps principal.

1. Habituellement, le « tour » au Viêt-nam était de 12 mois, sauf pour les marines (13 mois).

Il mesurait 1,90 m et pesait 120 kg. Karatéka redoutable, il était l'indispensable outil d'une volonté quelquefois débridée et défaillante. Alors qu'Alfred Lewis faisait de plus en plus souvent preuve de tendances marquées à la dissipation, sa fortune et l'usage qu'il faisait de la drogue y contribuant amplement, Robert Walker, lui, jetait un regard froid et méprisant sur le monde. Pour lui, l'homme n'était ni bon ni mauvais. Il n'était qu'une simple matière, une marchandise, un outil de travail. On l'utilisait, puis on le jetait. On l'achetait, on le vendait. Les sentiments d'ordre personnel ne jouaient aucun rôle dans la vie de Robert. Ex-marine lui aussi, il avait toutefois conservé la passion du travail bien fait. Plutôt que de servir pays et drapeau, il servait Alfred Lewis et la Brotherhood of Blacks avec la même froide détermination, avec le même courage tranquille, avec le même détachement.

Alfred était affalé entre ses deux nanas. Il ouvrit péniblement les yeux, bâilla à s'en décrocher la mâchoire et, comme groggy, demanda à Robert ce qu'il voulait.

— Je pourrais te parler ? dit Robert d'un ton tranchant, un rien agressif.

Rita avait ouvert les yeux et admirait la carrure impressionnante de Walker.

— Tu ne vois pas que je dors ? répondit Alfred.

— Ça ne peut pas attendre. Habille-toi, je vais dans ton bureau.

Robert sortit de la chambre en claquant la porte. Alfred s'étira une nouvelle fois, bâilla encore. Il sourit à Rita, lui passa la main sur le sein gauche. Ses lèvres s'ornèrent d'une moue significative et il haussa les épaules. Il se leva, alla dans la salle de bains où il urina, ensuite il passa un tee-shirt et un short. Il sortit de la chambre sur un clin d'œil à Rita. Tout autre que Robert Walker qui lui aurait adressé la parole sur ce ton aurait terminé sa carrière au fond de l'Hudson. La triste réalité, c'est que Robert était devenu le personnage le plus important de l'organisation.

Alfred entra dans son bureau, qui se trouvait au même étage que la chambre à coucher. A la tête que faisait Robert, il comprit que quelque chose clochait.

— Ça ne va pas ? demanda-t-il, un rien inquiet. Dans leurs affaires, il y avait toujours l'éventualité d'un coup de la police, d'une trahison, d'une tentative de prise de pouvoir.

— J'ai eu un coup de fil d'un copain de la police. On a repêché l'un de nos dealers dans l'East River.

— Oui, et alors ? C'est pour cela que tu me déranges ? Ça arrive dans le métier, tu le sais aussi bien que moi. Il a sans doute pris une dose trop forte et raté son virage.

Alfred rit de sa blague, mais son rire se heurta aux yeux impassibles et légèrement méprisants, lui sembla-t-il, de Robert.

— On lui a coupé les testicules, dit Robert d'un ton sec.
— Lequel était-ce ?
— Roy Higgins. Tu sais bien, celui à qui on a dit qu'il pouvait vendre sa merde dans le quartier de cette tapette de la Mafia.
— Tu crois que c'est eux qui ont fait le coup ?
— T'as déjà entendu parler de requins dans l'East River ? Ou crois-tu que les mafiosi aient changé leurs goûts alimentaires, qu'ils bouffent des gonades de Nègre maintenant ?
Alfred rit de bon cœur et Robert se mit à rire lui aussi. Alfred se leva, riant toujours, et alla chercher deux verres et une bouteille de Johnnie Walker au bar. Il avala la moitié de son whisky d'un trait. Robert buvait lui aussi et le regardait attentivement. Alfred essayait de se concentrer, mais le problème était qu'il n'avait pas la tête suffisamment claire pour réfléchir. C'était évident, pourtant : ils allaient devoir prendre une décision. Bien sûr, il y avait l'appui de Chen et sa volonté de pousser le plus loin possible en direction de Chinatown afin de voir jusqu'où les Italiens laisseraient aller. Mais si ces foutus mafiosi décidaient de faire la guerre ? Et s'ils parvenaient à avoir l'appui des quatre autres familles new-yorkaises ?
Robert regardait Alfred sans pitié. Pour un ex-marine, en sept ans, celui-ci était devenu une véritable loque. Il buvait et se shootait comme un cinglé. Il passait toutes ses nuits avec ses deux nanas et il s'intéressait de moins en moins aux affaires de la Brotherhood of Blacks.
— Alfred, je peux être sincère ?
— Vas-y toujours ...
— Tu perds la main, dit Robert d'un ton sérieux et compatissant.
Alfred le regarda, interloqué par la franchise et l'agressivité soudaines.
— C'est quoi ? Je suis au show de Johnny Carson à jouer le grand jeu de la vérité ou quoi ? Que veux-tu dire par là ?
Sa voix avait pris un ton plus acerbe, plus métallique. Il n'était pas loin de l'explosion de colère.
— Regarde autour de toi ... Regarde ce que tu as bâti depuis ton retour du Viêt-nam. Regarde ton pouvoir, les flics, les juges, tous ceux que tu as dans la poche, qui bouffent à ton râtelier. Regarde ce réseau que tu as créé ...
— Oui, et alors ?
— Tu crois vraiment que d'envoyer des dealers comme cela à la mort, c'est un jeu ? Tout cela parce que le maître échiquier, monsieur Chen, a décidé cette belle stratégie ?
— Je me fiche pas mal de tous ces dealers de merde !
— Moi aussi, Alfred, j'en ai rien à foutre de ces mecs. Mais crois-tu que ces tapettes de Ritals vont rester là en simples spectateurs ? Bon Dieu, Alfred, tu n'étais pas encore né que ces gens-là gouvernaient déjà notre pays ! Tu crois sincèrement que tu pourrais réussir à les détrôner ? Même d'un seul quartier de New York ? Même avec l'aide de Chen ?
— Tu as peur, Robert ? lui dit Alfred d'un ton goguenard. Robert s'était levé immédiatement, il s'était redressé de toute sa taille et il s'était planté, les

pieds bien écartés, devant Alfred. Le voyant si près de lui, Alfred eut peur, brusquement. Cela ne lui était plus arrivé depuis le Viêt-nam.

— Excuse-moi, Robert, je déconne. Robert, dis-moi. Sincèrement, tu crois que nous faisons fausse route ?

— Je n'en sais rien, répondit Robert qui se rassit et regarda Alfred dans les yeux. Je peux te proposer quelque chose ?

— Quoi ?

— De rencontrer Chen, de rediscuter tout cela. Je sais que c'est lui qui t'a dit de le faire et qu'il t'a donné l'assurance qu'il protégera notre organisation si cela devait dégénérer. Mais je ne sais pas ... J'ai le sentiment que toute cette situation pourrait bien exploser bientôt si nous n'y prenons garde.

— Et nos hommes ? Tu ne crois pas qu'ils pourraient assurer notre protection contre ces types de la Mafia ?

— Alfred, sois raisonnable ! Nous pouvons compter sur vingt hommes hors pair. Les autres sont des amateurs, des tueurs du samedi soir. Tandis que les Italiens, ils peuvent faire venir une centaine de tueurs contre nous. Tu as déjà pensé à ce qui se passerait si les Ritals s'unissaient aux triades de Chinatown ?

— C'est impossible !

— Je ne sais pas. Les Chinois, tout comme les Italiens, cherchent à maintenir l'ordre établi, avec des zones d'influence bien déterminées. Pour ces gens-là, des Lewis et des Chen, ce sont des emmerdeurs. Tout simplement. As-tu pensé aussi à ce que le simple fait d'amener tant d'héroïne sur le marché a pu avoir comme conséquences sur les prix ?

— Les faire baisser ?

— Evidemment. C'est la loi du commerce. Plus tu inondes le marché avec un produit, plus son prix dégringole. Voilà une autre raison pour laquelle les Chinetoques de Chinatown et les Ritals auraient intérêt à nous voir éliminés.

— Peut-être que tu as raison.

— Je prends rendez-vous avec Chen ?

— O.K.

— Je vais faire en sorte qu'on le voie demain. J'ai le sentiment que nous devrions faire vite. Je ne sais pas, la mort de Roy Higgins ... Les vibrations ne sont pas bonnes en ce moment.

Il se tut, ennuyé d'avoir trop parlé. Alfred but le reste de son whisky et quitta la pièce, pensant déjà aux culs de Marjorie et de Rita. Quand il eut quitté le bureau, Robert éteignit la lumière et sortit à son tour. Mais ses yeux reflétaient un sentiment trouble, une certaine gêne, indiscernable mais vivace, comme une blessure.

III

Angela Cassano se coiffait langoureusement devant un grand miroir tout en examinant d'un œil critique les formes de son corps. Elle avait le temps de le faire, d'ailleurs, car son rendez-vous avec Jennifer Lang n'était que dans deux heures. Elle n'était pas une adepte inconditionnelle du « cent-coups-de-brosse-matin-et-soir », ni un narcisse qui provoquait des auto-frissons à la vue de sa propre nudité. Loin de là. Elle se sentait relativement bien dans sa peau et elle aimait raisonnablement son corps. Elle savait qu'elle disposait de certains atouts physiques et intellectuels qui faisaient d'elle une femme agréable à regarder et une excellente partenaire de conversation. Elle aimait coiffer ses cheveux longuement car ils étaient amples et souples, et le crissement de la brosse à cheveux aux dents métalliques dures lui apportait un monde de sensations étranges, voire féeriques.

Angela avait à la fois les pieds sur terre et la tête au ciel. Etudiante en psychologie à New York University, elle commençait à pénétrer le dédale de l'inconscient et des motivations secrètes qui guident la vie de milliards de gens. Romantique invétérée, elle était encore vierge à vingt ans. Née en mars 1955, elle perdit sa mère à deux ans. Elle fut donc élevée par son père, qui était dentiste, et par une série de femmes de maison qui firent office de gouvernantes. Mais, par respect pour sa défunte femme et par amour pour sa fille Angela, le père Cassano ne se remaria pas et ne chercha jamais à rencontrer d'autres femmes.

De souche italienne, Angela aurait pu être marquée à jamais et réduite à l'état de simple génitrice ardente qui épouserait en temps utile l'homme de son choix, le futur père de ses enfants. Elle eut la chance d'avoir un père aux idées modernes, libérales, et d'avoir également la compagnie de femmes énergiques et indépendantes. Guidée par le souvenir d'une jeunesse plutôt heureuse, même privée de sa mère, elle se sentait une femme à part entière, digne, moderne. Si elle était vierge, ce n'était pas par volonté délibérée de se réserver pour l'homme qui lui ferait ses enfants. Simplement elle n'avait pas encore rencontré l'homme suffisamment mûr et adulte avec qui elle aurait aimé faire l'amour. Certes, elle avait connu tous les préliminaires de l'acte sexuel, mais une chose l'avait dérangée de longue date : elle avait un peu l'impression que la vie de ses innombrables boy-friends était minutée, qu'ils devaient l'avoir embrassée dans la première demi-heure, baisée moins d'une heure après et plaquée en fin de soirée, sous peine d'être déchus de leur qualité de mâle. De plus, Angela était mûre et les garçons qu'elle rencontrait avaient un niveau de maturité abominablement bas. Dès qu'ils se trouvaient confrontés à une nouvelle conquête, ils devenaient des perroquets qui paraphrasaient ce que Walter Cronkite leur avait expliqué à la télévision ou ce qu'ils avaient lu dans le *New York Times* ou le *Washington Post*. Les plus hip[1] citaient des idées qu'ils avaient glanées dans *Rolling Stone* ou le *Village Voice*. Les plus bêtes parlaient de base-ball, de jogging ou de B.D.

Angela, prête pour l'amour, manquait donc de partenaires valables, mais elle s'était juré d'attendre. Non pas le prince charmant qu'avait célébré la trompette de Miles Davis[2], ni Mr. Right[3], mais un homme adulte, tendre et humain.

Elles avaient passé quelques heures parmi les rayons de Gimbels et de Macy's et en étaient ressorties avec leurs paquets d'achats. Puis elles avaient pris un taxi et porté le tout chez Jennifer. Maintenant, elles se sentaient libres de faire ce qui leur plairait.

Jennifer Lang pouvait se considérer à juste titre comme l'une des meilleures amies d'Angela. Fille d'émigrés allemands, elle avait conservé un rien de sérieux allié à un romantisme, une naïveté et un enthousiasme quelquefois débridé qui étaient quelques-uns des traits les plus apparents de son peuple d'origine. Du même âge qu'Angela, elle était un peu plus petite et nettement plus en chair, avec une tendance caractérisée à l'embonpoint. Jennifer était une âme intrépide. Egalement ordonnée, elle avait dressé un programme détaillé de la journée qu'elles passeraient ensemble. D'abord Gimbels et Macy's pour les achats. Ensuite, rafraîchissements dans un bar et dîner dans un restaurant typique de Greenwich Village. Pour couronner la soirée, cette véritable enragée de jazz irait avec son amie au Village Vanguard écouter Rufus Jones, un jeune trompettiste noir dont on parlait de plus en plus dans les milieux bien informés.

Elles étaient entrées dans un bar de la 7e Avenue, non loin de Sheridan Square, dans le Village. Mais elles n'y étaient pas restées longtemps. Bien qu'il ne fût que six heures du soir, le bar était déjà plein et elles durent rester debout, avec quelques difficultés pour se parler et se comprendre. La musique, le brouhaha des conversations, les commandes à haute voix lancées au barman composaient un fond typiquement new-yorkais. En plus, comme il s'agissait d'une espèce de singles bar[4], elles se firent inviter à plusieurs repri-

1. « Dans le vent, à la mode, à la page, in, branché, câblé ».
2. Avec le morceau « Some day, my Prince will come ».
3. Expression américaine pour l'« homme idéal ».
4. Bar pour célibataires, propice aux rencontres entre femmes et hommes.

ses durant les quarante minutes qu'elles y passèrent. Mais elles n'avaient prêté aucune attention à ce jeu. Si elles sortaient ensemble, ce n'était pas pour se faire draguer !

Quand elles avaient quitté le bar, le temps était encore superbe. Une chaude soirée avec une température quasi estivale leur souffla son air humide au visage, au milieu des nuées toxiques des échappements de voitures qui roulaient dans la 7e Avenue, pare-chocs contre pare-chocs. Sur les trottoirs, les gens se promenaient d'un air détendu. Angela s'était fait la réflexion que quelques rayons de soleil suffisaient parfois à faire du moindre New-Yorkais un optimiste invétéré.

Jennifer avait prévu qu'elles iraient manger dans un restaurant chinois de Bleecker Street. Auparavant, Angela avait souhaité se promener dans Christopher Street[1] afin d'y voir les gays, mais Jennifer avait grimacé. Bien qu'elle aussi fût étudiante en psychologie, c'est une catégorie qu'elle préférait éviter. Elle aurait pourtant milité en faveur de leurs droits, c'était évident. En tant qu'Allemande de souche, elle savait le mal que des ostracismes pouvaient déclencher, mais elle ne désirait pas être confrontée à des simagrées. Pas aujourd'hui, ou du moins pas ce soir. Il faisait trop bon. Ce temps inclinait à la paresse. Ou à la gastronomie.

Angela céda et elles se dirigèrent vers Bleecker Street et le restaurant que Jennifer avait choisi. Il n'y avait plus de place disponible, et Jennifer n'avait pas jugé utile de réserver. Devant la possibilité d'avoir une table libre après une demi-heure et d'attendre au bar du restaurant, Angela et Jennifer décidèrent de tenter leur chance ailleurs. Elles parvinrent à obtenir une table pour deux dans un restaurant italien.

Elles en étaient au milieu du repas quand Jennifer poussa un léger cri, portant la main devant la bouche. Interloquée, Angela cessa de manger et regarda son amie. Jennifer gloussa :

— Il est là !

— Qui ?

— Rufus Jones.

— Où ?

— Là-bas ... Et elle indiqua une table pour deux le long du mur opposé.

Angela examina Rufus Jones, qu'elle ne connaissait pas. Il aurait pu être un panneau publicitaire pour la campagne « Black is beautiful », tant il était fin de traits, mince, distingué, sobre, d'une beauté idéale. A côté de lui, il y avait un Blanc. Mince, lui aussi, la trentaine, les cheveux foncés. Il mangeait d'une façon automatique, comme si son esprit était ailleurs. Jennifer s'était levée et était allée parler au trompettiste. Angela sourit. « Impétueuse Jennifer », pensa-t-elle avec affection. C'était justement cela qui plaisait aux hommes. Cette spontanéité, cette bonne humeur perpétuelle. Jennifer avait un tempérament de fonceuse, elle s'était forgé un profil de vainqueur et elle

---

1. Cette rue est le lieu homosexuel stratégique de Greenwich Village.

atteindrait ses buts. Elle revint, triomphante. Ses joues avaient pris une délicieuse teinte rose, tandis que ses yeux bleus brillaient d'un étrange plaisir, accentuant le contraste avec ses cheveux blonds.

— Qu'a-t-il dit ? demanda Angela, curieuse.

— Gentil ! Et modeste avec ça ! Il nous a invitées à prendre un verre avec lui après le premier set !

— Et tu vas le faire ?

— Et comment ! Tu ne te rends pas compte ! Prendre un verre avec Rufus Jones !

— Qui est le type à côté de lui ? Un musicien aussi ?

— Je ne sais pas, je ne l'ai jamais vu.

Angela regarda une fois de plus dans leur direction. Au même instant, le compagnon de table de Rufus Jones se tourna vers elles. Leurs regards se croisèrent, l'espace d'un instant. Ensuite chacun se repencha sur son assiette.

Quelqu'un lui avait adressé la parole, mais elle n'avait rien compris. Elle leva les yeux et vit Benedetto. Comme d'habitude, il était habillé de façon complètement ridicule. Il sentait le mafioso à plein nez. Angela eut envie de rire, mais elle aperçut deux autres mafiosi qui l'accompagnaient et elle se retint.

— Mademoiselle Cassano, comment allez-vous ? Est-ce que vous venez souvent ici ? Comment trouvez-vous la nourriture ?

— Bonsoir, monsieur Benedetto. Je vais bien, merci. Non, c'est la première fois que nous venons ici. Puis-je vous présenter mon amie Jennifer Lang ? Jennifer ? continua-t-elle en se tournant vers sa compagne de table. Je te présente monsieur Benedetto, qui habite dans mon quartier et qui est un homme d'affaires influent.

Toni Benedetto salua poliment Jennifer. Ensuite, d'un signe de tête, il prit congé et sortit du restaurant, digne, mâle, accompagné de ses deux chiens dressés.

Quand il fut sorti, Angela éclata de rire. La voyant hilare à pleurer, Jennifer ne put s'empêcher de rire, elle aussi. Au bout de quelques dizaines de secondes, elles se calmèrent un peu.

— Qui est-ce ? demanda Jennifer.

— Monsieur Benedetto.

Et elles éclatèrent de rire à nouveau. A ce moment, Rufus Jones passa près de leur table et dit :

— Mademoiselle Lang, à tout à l'heure, je vous attends après le premier set.

— A tout à l'heure, monsieur Jones, et merci encore, dit Jennifer en rougissant légèrement tout en lui souriant de façon amicale et un rien aguichante.

Le compagnon de table de Rufus Jones passa devant elles et leur fit également un signe de tête.

— Crois-tu qu'il est homosexuel ? demanda Jennifer quand les deux hommes eurent quitté la salle de restaurant.
— Qui ? Benedetto ?
Elles rirent encore. Toni avait un tel profil de mâle italien que l'idée qu'il pût être un gay était irrésistiblement comique. Cela aurait pu faire un excellent sujet de film pour Woody Allen.
— Non, Rufus Jones.
— Qu'est-ce qui te fait dire cela ?
— Ils ont dîné ensemble.
— Je ne crois pas, dit Angela. Tu as vu le type qui était avec lui ?
— Oui.
— Je ne sais pas, il a quelque chose d'énigmatique. Je ne l'imaginerais pas pédé ...
— Tu serais peut-être étonnée.
— Oui, je sais.
— Qui est ce Benedetto ?
— Ah ! monsieur Benedetto est un homme d'affaires !
Elle éclata de rire, se reprit et continua :
— Il habite dans Little Italy. A vrai dire, pas vraiment dans mon quartier, mais il y a ses affaires principales et je crois qu'il en pince un peu pour moi ...
— Oui, on dirait.
— N'est-ce pas ?
— Il avait l'air tout émoustillé. Il frétillait comme un chien échaudé ou un poisson hors de l'eau. Très émouvant, je dois dire !
— Jennifer ! Tu crois sincèrement que je lui ferais un tel effet ?
— Ma chère ! Si cela ne tenait qu'à toi, il ferait de toi une mamma de première ! Tu ne l'aimes pas ? Il a l'air si distingué avec cette belle cravate délicatement verdâtre sur cette belle chemise de flanelle d'un ton mauve pâle sublime. As-tu vu ces merveilleuses chaussures blanches ? Et les types qui étaient avec lui ? Etaient-ce aussi des hommes d'affaires ?
— Ah ! quel monde, Jennifer ! Tu comprends maintenant les affres de ma vie. Partagée entre le grand loup Benedetto et les minets de l'université ...
Elles se remirent à rire. Un sentiment de femmes adultes les unissait au-delà de leur gaieté.

Le Village Vanguard était bondé et le premier set avait commencé sur un tempo d'enfer. Rufus Jones jouait avec son quartette régulier : Roland Hawkins au piano, Oliver McGiffin à la basse et Herbert Lynch à la batterie.
Max Levinski était seul à une table de quatre, devant une bouteille de Vat 69 à demi vide et un verre plein. L'ambiance était celle, typique, d'un

club de jazz américain. En Europe, les clients écoutent la musique de leurs idoles avec une ferveur quasi religieuse, mais ici les sons de la joie et de l'amusement se mêlent à ceux de la musique et forment une cacophonie étrange. Conversations à voix hautes, rires hystériques de femmes en quête d'attention, bruits de verres qui s'entrechoquent, de commandes passées à haute voix aux garçons ou au barman, sont le contrepoint de la ligne mélodique de la trompette et de son accompagnement.

Max ferma les yeux un instant, tandis que Rufus Jones entamait un nouveau chorus en triples croches, sur tempo lent, les musiciens étant passés presque sans transition d'un morceau à l'autre. Une vision lui revint brusquement. Celle d'un mouvement dans un buisson, à une vingtaine de mètres de lui. Max avait le sélecteur de tir de son fusil d'assaut M-16 réglé sur tir automatique. Il tira d'instinct, au jugé, et quand il relâcha le doigt de la gâchette, il avait vidé la moitié de son chargeur à trente coups. Au pas de course, il atteignit rapidement le buisson. Au sol, il reconnut un Noir appartenant au MPLA[1]. Il avait été touché au ventre, les balles en tir horizontal latéral — ce que les Américains qualifiaient de spray — l'ayant quasiment sectionné en deux.

Il vivait encore et geignait doucement. Max leva son M-16 et tira une très courte rafale dans la poitrine. Le corps se redressa sous l'impact des balles, ensuite se raidit. Au pas de course, Max rejoignit son peloton tout en changeant le chargeur de son fusil d'assaut. Cela faisait dix semaines que les troupes du FNLA[2] battaient en retraite. Max et quelques autres mercenaires assuraient l'arrière-garde, ce qui les entraînait dans des combats de harcèlement perpétuels sous une chaleur torride. Il y avait une autre crainte, permanente elle aussi, celle d'être blessé grièvement et de devoir être abandonné aux troupes ennemies. A moins qu'une âme compatissante, parmi les camarades de section, ne jugeât nécessaire d'abréger les souffrances de celui qui aurait eu cette suprême malchance ...

Max aperçut les deux filles du restaurant italien. Elles paraissaient être plus ou moins du même âge, jeunes et cependant fort dissemblables. L'une avait le type germanique et l'autre, celle qui était restée à table quand son amie était venue adresser la parole à Rufus, ressemblait plutôt à une Italienne. Rufus semblait les avoir remarquées aussi car il dédia le morceau suivant à une « amie très spéciale », lançant un regard discret en direction de l'Allemande, qui en rougit.

Intérieurement Max gloussa, car Rufus avait choisi de lui dédier « You go to my head », une vieille ballade du répertoire de jazz aussi connue et éculée que le monde. Du moins pour ceux ou celles qui désiraient la comprendre. Son jeu à la trompette, comme s'il le faisait exprès, s'était fait grasseyant,

1. « Mouvement populaire pour la libération de l'Angola », qui a pris le pouvoir en 1976, soutenu par l'URSS et par Cuba qui y engagea des troupes.

2. « Front national de libération de l'Angola ». Soutenu à l'origine par la Chine, ensuite par les Etats-Unis. Avait son centre au Zaïre.

rauque, vulgaire. Il donnait l'impression de vouloir se parodier.

Une autre scène lui revint en mémoire. Du Viêt-nam. Ils avaient formé une patrouille de nuit à trois, ce qu'ils appelaient un « raid de pénétration profonde ». Ils avaient trouvé un sentier fortement utilisé. Avec patience et amour — car ils aimaient leur métier —, ils avaient posé leurs mines Claymore, un dispositif ingénieux de douze mines placées de telle façon qu'en prévoyant avec minutie quelles seraient les réactions instinctives des hommes du Viêt-cong, elles sauteraient les unes à la suite des autres, une chaîne infernale uniquement activée par les corps des soldats ennemis. Vers trois heures du matin, ils avaient enfin perçu le bruit annonciateur d'une patrouille. L'homme de pointe avait activé la première mine, ensuite les détonations s'étaient succédé à une allure rapide. La nuit fut zébrée de lueurs dantesques, secouée par les cris et les hurlements des blessés et des mourants. Après la douzième détonation, Max et ses deux adjoints, Tim et Ralph, furent très rapidement parmi les corps, leur couteau K-bar à la main. En quelques dizaines de secondes, ils avaient achevé les quelques survivants, de manière silencieuse, en leur sectionnant la carotide. Ensuite, ils s'étaient évanouis dans la nuit, noyés dans la profondeur de la jungle, leur refuge ultime, leur habitat naturel. L'un des trois éléments de leur vie de soldat au Viêt-nam.

Quelquefois Max vivait de vision en vision, d'épisode en épisode, de scènes, de bruits, d'odeurs qui lui restituaient des fragments épars de son passé militaire. Quant au nombre de morts, ceux dont il était directement responsable, il en avait perdu le compte. Son métier était de tuer, le seul métier qu'il fût en mesure d'exercer avec un réel talent. Avait-il aimé un jour ? Ou cherché à vivre, à faire autre chose ? Il n'en savait rien. Qu'était-ce que vivre ? Quand il patrouillait, de nuit comme de jour, ou quand il se battait à l'arme blanche, quand il égorgeait un quelconque ennemi, n'était-ce pas là une manière de vivre ?

Max se retrouva assis en compagnie des deux filles et de Rufus. Perdu dans ses souvenirs, il n'avait même pas remarqué que Rufus avait terminé le premier set et les avait tous invités à sa propre table. La bouteille de Vat 69 avait cédé la place à une bouteille de Black & White (avait-il vidé toute la bouteille précédente ? il ne s'en souvenait pas) et à quatre verres pleins, dont le sien. L'Allemande était assise à côté de Rufus, et son visage, ses yeux reflétaient la béatitude de l'être comblé. Max ne doutait nullement qu'elle terminerait la soirée dans le lit de Rufus, s'extasiant sur ses prouesses sexuelles.

Il regarda l'Italienne. Elle semblait distante. Ou au contraire vulnérable. Il n'aurait pu dire quelle impression elle faisait exactement. Elle était très jolie, de toute façon. Une douleur à la fois connue et inconnue se manifesta en lui. La femme. Objet craint et désiré. Craint parce que mal connu. Désiré parce que femme et que souvent un corps de femme avait été la seule échappatoire à l'enfer des combats, à la douleur des disparitions, à la bêtise de certains supérieurs, au stress de la guerre. Mais, au fond, avait-il connu les femmes ? A peine. La douleur lui rappelait aussi qu'une bonne partie de ses connaissances des femmes et de l'acte sexuel reposait sur de simples transactions commerciales. La putain recevait son fric, se déshabillait, entièrement ou partiellement, se couchait sur le ventre ou sur le dos et recevait son dû, après quelques instants d'agitation intense qui étaient censés nettoyer le corps du guerrier de six ou huit semaines de combat, quand ce n'étaient pas quatre ou six mois. Asiatiques ou Africaines, Max n'avait connu d'elles que la passivité que l'argent achetait, l'amour et la douceur commensurables à la quantité de devises données. Ces femmes, omniprésentes et invisibles, tissaient en lui un mur de peur et de honte. Max s'était déjà posé la question : pourrait-il, un jour, faire l'amour sans passer à la caisse ? pourrait-il se libérer de cette servitude que l'argent créait ? de cette facilité ?

— Vous êtes un ami de Rufus ?

Max la regarda. Elle lui avait parlé. A lui. Sa voix l'avait tiré de son rêve, des ses affabulations, de sa torpeur.

— Oui, nous sommes amis. Nous nous connaissons déjà depuis quelques années.

— Vous aimez le jazz ?

— J'aime ce que fait Rufus. Mais je ne peux pas dire que je m'y connaisse. Je n'ai pas beaucoup de temps ...

— Ah ! que faites-vous comme boulot ?

Elle avait des yeux d'une sincérité effrayante. Il aurait pu s'y noyer, y mourir. De tels yeux, il aurait pu les aimer. Ils englobaient tout. Ils suçaient l'âme, la moelle. Max regretta de ne pas l'avoir rencontrée plus tôt, dans une autre vie, avant cet engrenage machiavélique.

— Je ... je ... voyage beaucoup, répondit-il plutôt mièvrement.

— Ne faites pas attention à ce qu'il dit, mademoiselle Cassano. Ce qu'il veut réellement dire, c'est qu'il est un tueur, un véritable tueur !

Rufus éclata d'un rire homérique, satisfait de la bonne blague qu'il venait de jouer à Max. Ses yeux semblaient lui dire : « Pour ta pomme, hein ?» Ils le narguaient.

Une lueur d'effroi brilla un instant dans le regard d'Angela. Ses yeux venaient de perdre de leur brillant, de leur intérêt intense pour ce Blanc énigmatique qui partageait leur table.

— Mademoiselle, ne vous en faites pas ! lui dit Max afin de la rassurer quelque peu. J'ai fait le Viêt-nam, comme tant d'autres ...

— Ah ! vous êtes allé au Viêt-nam ?

— Oui.

— Et comment était-ce ?

La question classique, imbécile. Comment décrire cette guerre folle, barnumesque, psychédélique, en quelques phrases creuses ? Jouer au macho ou viser la fibre pathétique ? Le Viêt-nam, la crasse, la fatigue, la chaleur infernale, les corps morts, gonflés ou desséchés, les blessures, le pus, les sangsues, les serpents, les moustiques, l'horrible bruit d'un couteau enfoncé dans le bas-ventre et retourné à l'intérieur du corps pour y faire le plus de dégâts possible. Il décida de la heurter. Il n'en avait rien à foutre de ces vierges folles, de ces pucelles en chaleur, de ces imbéciles qui n'avaient jamais quitté le confort et le conditionnement d'air de leurs appartements bien douillets !

— Vous savez, Rufus a raison. Mon métier est de tuer. Je suis un mercenaire. J'offre mon savoir-faire à qui paiera le plus.

Voilà. Cela s'appelait brûler les ponts, faire le vide autour de soi. Rufus se leva et regagna le podium. Il allait entamer le deuxième set. Les deux filles se tournèrent vers la scène. Max examina le profil de l'Italienne. Elle ne lui avait pas répondu. Ses yeux avaient paru surpris, sans plus. Elle avait un beau profil, un nez droit, un beau front bien dégagé, des cheveux splendides, un corps désirable.

Il ne restait plus que quelques dizaines de personnes dans le club. Les musiciens rangeaient leurs instruments. Les deux filles étaient restées jusqu'à la fin. Sans aucun doute sur l'insistance de l'Allemande, qui s'imaginait déjà entre les jambes d'un étalon noir ...

Max était de mauvaise humeur. Il n'était plus habitué à vivre à New York et s'y sentait singulièrement limité. Il y étouffait. Cette ville lui polluait les sens, les poumons, le corps, l'ankylosait, l'empêchait de penser. D'année en année, il avait vécu en symbiose avec les éléments de la nature. Il s'y mouvait avec la facilité et la grâce d'un animal de proie. De plus, il n'était plus habitué aux contacts humains. Dans son existence de soldat ou de mercenaire, seules les impulsions vitales s'extériorisaient. Les moments de détente étaient consacrés au repos, à se soûler ou à baiser. Parler, pour un soldat, n'était qu'un écran derrière lequel il se cachait dans l'attente du prochain combat, de la prochaine patrouille. Il en était arrivé à fonctionner comme une machine bien huilée.

Ses rapports étaient bien définis. Le monde se subdivisait en ennemis, en amis et en neutres. Les femmes faisaient partie des neutres. A New York, il se sentait perdu, dépassé. Il n'avait pour ainsi dire plus aucune manière. Ces gens qui l'entouraient ne lui apparaissaient pas clairement, il leur manquait une définition. Ils avaient des corps mais pas de contours nets.

Max était un homme comme les autres. Seulement il se rendait bien compte que, quelque part, en cours de route, il avait perdu le mode d'emploi et avait oublié la façon dont il était censé fonctionner. Du moins en société.

— Mademoiselle, où habitez-vous ? Puis-je vous ramener ?

Il se surprit lui-même. La phrase était sortie de sa bouche avant même qu'il ait pu la préparer. Elle leva les yeux et le regarda gentiment. Ces yeux le firent souffrir à nouveau, car ils étaient un rappel de ce qui lui manquait d'essentiel dans sa vie.

— J'habite Orchard Street, près de Canal Street. Cela ne vous dérange pas ? Mon amie m'a justement dit qu'elle ne pouvait pas me raccompagner.

— Non, pas du tout, répondit-il. J'habite à Brooklyn, ce n'est pas un grand détour pour moi.

Ils sortirent du club après avoir salué Rufus et Jennifer, qui était partis ensemble, comme il fallait s'y attendre. Ah ! l'attrait que les blondes exerçaient sur les Noirs !

Dans la voiture, ils ne se parlèrent presque pas. Quand ils arrivèrent dans sa rue, Max se gara en double file devant chez elle. Avant d'ouvrir la portière, Angela le regarda. Max crut lire un certain sentiment de désespoir dans son regard. Il se pencha vers elle, lui effleura la joue de ses lèvres, la salua et lui demanda s'il pouvait la revoir. Elle l'observa un instant sans rien dire, mais dans ses yeux il crut lire un consentement muet.

— Mardi midi, chez Applebaum's, 7e Avenue entre la 33e et la 34e Rue. C'est un Delicatessen. Cela vous convient ?

— A quelle heure ?

— Midi et demi ?

— O.K., j'y serai. Bonne nuit, et merci pour le lift.

— De rien. Bonne nuit, à mardi.

Max démarra avec dans ses pensées la vision d'Angela, de ses yeux verts, de ses beaux cheveux amples et soyeux. C'est seulement une fois rentré chez lui qu'il réalisa qu'elle avait accepté de le revoir. Il constata également qu'il n'avait pensé qu'à elle durant le trajet de retour vers Brooklyn Heights.

IV

Quand Lewis et Walker entrèrent dans la pièce, Peter Chen s'y trouvait déjà en compagnie de John Chu et Carl Yang, ses deux collaborateurs immédiats. Les deux Noirs entrèrent, saluèrent les Chinois et s'assirent, visiblement mal à l'aise, à la grande table rectangulaire.

Alfred Lewis savait que son pouvoir, sa fortune dépendaient de la bonne volonté, de la collaboration et de la protection de Chen et de sa bande. Si, un jour, ils décidaient de laisser tomber Alfred Lewis et sa Brotherhood of Blacks, il se retrouverait sans rien. Depuis que Chen était entré au Sans-Souci un soir d'août 68 et était apparu dans sa vie, Alfred avait été terrifié du pouvoir qu'il avait réussi à exercer sur lui. Il s'était laissé prendre dans l'engrenage, et ces sept années de collaboration, si elles avaient pu accroître sa richesse personnelle et son standing dans la société noire de New York, avaient également eu pour effet principal de faire de lui un esclave, un vassal à la merci de la moindre saute d'humeur d'un homme — un étranger de surcroît ! — qu'il n'était même pas parvenu à définir. Car la triste réalité, c'était que ni lui ni Walker n'en savaient beaucoup au sujet de Chen. Pourquoi était-il venu aux States ? Etait-il le chef d'une triade qui cherchait à s'implanter à Manhattan ou bien obéissait-il au véritable chef qui aurait pu se trouver à Hong Kong où à Taiwan ? Pourquoi leur avait-il donné l'instruction précise, déjà quelques mois auparavant, de lancer leurs dealers de plus en plus loin vers le sud de Manhattan, de ne plus s'en tenir aux accords ou aux situations tacites qui pouvaient exister ? Aujourd'hui comme au premier jour de sa rencontre avec Chen, Alfred avait une certaine appréhension, un peu comme une peur irréfléchie face à un avenir incertain.

— Alors, monsieur Walker, vous avez demandé à nous voir ?

— Oui, suite à la mort du dealer Roy Higgins. Je vous ai dit qu'on lui avait coupé les testicules. A notre avis, c'était un message clair. Ils désiraient nous prévenir que nous ne devions pas aller trop loin ...

Carl Yang interrompit la conversation et parla rapidement en cantonais. Chen et Chu l'écoutèrent attentivement, mais leurs traits ne reflétèrent aucune expression particulière, ce qui énerva d'autant plus les deux Noirs.

— Vous vous souvenez, Monsieur Chen, reprit Walker, que c'est vous qui avez donné l'instruction précise d'envoyer des dealers de plus en plus loin vers Chinatown. Jusqu'à présent, au-dessous de Delancey Street, plusieurs de nos pushers ont été tués par des Italiens, vraisemblablement des types de l'équipe d'un certain Toni Benedetto, qui appartient à la famille Dipensiero.

— Oui.

— Nous n'aimons pas beaucoup envoyer nos hommes à une mort certaine. Surtout s'ils doivent être torturés avant de mourir.

— Je comprends, dit Chen, impassible tout en donnant l'impression de ne pas comprendre du tout, tant son regard semblait hautain, dédaigneux.

— Que devons-nous faire ? Nous savons combien nous vous devons pour notre protection, mais nous ne pouvons pas continuer à envoyer inutilement nos dealers à la mort.

— Je comprends.

A nouveau, Yang interrompit le cours de la conversation et parla en cantonais. Cela dura quelques minutes. Alfred Lewis se gratta la tête. Il avait envie de fumer un cigare, mais Chen interdisait de fumer dans l'appartement. Le sentiment qui se dégageait de cette conversation n'était pas positif du tout. Il y avait de la tension dans l'air. Alfred se dit que chaque fois qu'il rencontrait Chen, il se sentait mal à l'aise. Un peu comme un élève devant son professeur, un soldat au rapport du commandant d'unité, un condamné devant ses juges. Il se demanda un instant s'il ne serait pas plus agréable de faire des affaires avec les types de la Mafia. Ils étaient plus directs. Et eux, au moins, étaient des citoyens américains, pas de vulgaires étrangers comme ces Chinois dont il avait l'impression d'être un simple pion sur l'échiquier de leurs desseins stratégiques internationaux.

— Vous connaissez la situation politique actuelle, messieurs, dit Chen en se tournant tour à tour vers Lewis et Walker. Au Viêt-nam, c'est terminé. Au Cambodge aussi, et nos amis nous informent que le Laos est quasiment aux mains du Pathet Lao. Cela veut dire, en termes clairs, que nos sources d'approvisionnement en héroïne et surtout nos moyens de transport vont être anéantis d'ici peu de temps. Je vais être sincère avec vous. Nous avions nos contacts au sein du Viêt-cong, du Pathet Lao et des Khmers rouges. Nous avions prévu cet effondrement de longue date et nous nous y étions préparés. Nous avons en stock, actuellement, de quoi fournir le marché de New York durant un certain temps.

Chen s'arrêta de parler car un garde du corps à l'aspect sévère venait d'entrer dans la pièce. Il apportait un plateau qu'il déposa sur la grande table. Il plaça un verre devant chaque participant à la discussion et leur servit un thé bouillant. Lewis avait horreur du thé. Pour lui, c'était une boisson d'homosexuels et de bobonnes. Walker, lui, l'aimait. En tant que karatéka, le thé représentait sans aucun doute une boisson purificatrice. De toute façon, Chen n'aimait pas l'alcool. Et, pour une réunion de dix heures du matin, l'alcool était exclu. Lewis se força à boire, imitant les Chinois qui soufflaient d'aise à chaque gorgée. Il s'en voulut de s'être laissé aller à une telle dégénérescence physique, à une telle couardise. Mais que pouvait-il faire d'autre ? Son existence, sa fortune dépendaient de ces buveurs de thé.

— Cela ne résout pas nos problèmes ! dit Lewis, un peu irrité par le ton nettement didactique de Chen.

— Non, c'est vrai, mais ce que je cherche à vous démontrer, c'est une vision globale du marché actuel de l'héroïne ...

— Nous n'avons rien à foutre d'une vision globale du marché de la came ! Nos dealers se font foutre en l'air à cause de vous ! C'est ça qui m'intéresse !

Lewis s'était levé et avait hurlé ses phrases, sans réfléchir aux conséquences possibles. Chu et Yang s'étaient également redressés et avaient pris la position de défense du karatéka, prêts au combat, le poids du corps réparti entre l'avant et l'arrière, une jambe et un pied en avant, le corps légèrement de profil, les bras pliés aux coudes en angle droit. Walker posa la main sur le bras droit de Lewis et lui murmura de se rasseoir. Lewis obtempéra, mais sa colère n'était nullement retombée.

— Continuez, monsieur Chen. Ce que vous nous dites est très intéressant, et si nous sommes venus ici, à notre demande, c'est pour discuter en détail de la situation présente, dit Walker d'un ton conciliant qui sembla amadouer Yang et Chu.

— Je parlais donc de la situation globale. D'ici peu nos amis, les mafiosi et les membres des triades qui dirigent et contrôlent Chinatown vont avoir des problèmes d'approvisionnement. Le marché va changer. De marché de vendeurs, il deviendra un marché d'acheteurs, donc les prix — et les bénéfices, dois-je le préciser ? — vont monter en flèche.

— Qu'est-ce que cela a à voir avec le problème de nos dealers ? demanda Lewis.

— On ne crée pas une filière en une semaine. Si je vous dis d'envoyer vos pushers le plus loin possible vers le sud, jusqu'à Chinatown, c'est parce que si le bruit court que de nouvelles sources sûres existent dans ces quartiers, les drogués vont y venir. Vous aurez des camés de Little Italy, de Chinatown et du Bowery qui viendront jusque-là, ajouta Chen.

— Monsieur Chen, les Italiens dans leurs quartiers et les Chinois qui ont le contrôle de Chinatown ne vont pas nous laisser jouer ce jeu impunément. Une réaction est à craindre tôt ou tard ! dit Walker d'un ton sec et néanmoins poli.

— C'est vrai, reconnut Chen.

— Que devons-nous faire ? ajouta Walker.

— Je vais être franc avec vous, messieurs, dit Chen, inclinant quelque peu le corps vers l'avant comme si par ce geste il désirait s'assurer de leur collaboration. Nous devons nous attendre à une réaction violente. Certainement contre la personne d'Alfred Lewis qu'on cherchera à éliminer. D'après les contacts que j'ai au sein de la Mafia, il semble que Rinaldi, le consigliere de la famille Dipensiero, soit sur le point d'autoriser un raid limité contre votre quartier général de Charles Street.

Walker et Lewis se regardèrent, estomaqués par cette information.

— Et alors, que devons-nous faire ? cria Lewis, soudain de nouveau en colère.

Chen se permit un sourire, ce qui était rare chez lui.

— Nous allons nous occuper de cela. A notre avis, l'équipe qu'ils enverront contre vous viendra soit d'Atlantic City, soit de Denver. De simples soldati avec très peu d'expérience. Des muscles sans intelligence. Nous saurons qui ils sont et quand ils viendront. Vous n'aurez rien à craindre.

— Oui, mais après ils recommenceront ! dit Lewis sur un ton dubitatif.

— Pas nécessairement. Si ceux qu'ils enverront sont punis de manière absolument choquante, le message sera clair : « Restez chez vous, occupez-vous de vos affaires. » Non, je ne crois pas que nous ayons quoi que ce soit à craindre de la Mafia. Pour le moment, ils ont suffisamment de problèmes avec le FBI et l'IRS[1]. Nous sommes convaincus qu'ils essaieront une seule fois de vous détruire, ensuite il n'y aura plus de problèmes. Ce que nous voulons éviter, au stade actuel, c'est une guerre ouverte. Mais la Mafia ne nous semble pas aujourd'hui outillée pour une guerre de ce genre, ou désireuse d'y participer. C'est pourquoi elle choisira le contrat classique. Le hit[2] par des tueurs professionnels. Non, vous n'avez rien à craindre de ce côté-là.

— Et de l'autre côté ? dit Walker d'un ton légèrement narquois, tout en regardant Chen droit dans les yeux.

— Que voulez-vous dire ?

— Du côté de Chinatown ?

— Pourquoi Chinatown ? Vos dealers ne sont tout de même pas allés y vendre leur drogue ?

— Non, pas du tout. Mais le territoire de Toni Benedetto est une espèce de no man's land qui protège l'accès vers Chinatown. Si nos dealers y pratiquent des incursions régulières et dégotent une partie de ce marché de la came, ne pensez-vous pas que les triades vont réagir ?

— Non, je ne le pense pas.

— Les chefs des triades doivent cependant être au courant de l'arrangement entre notre association et la vôtre, non ?

Peter Chen se permit à nouveau un sourire, tandis que Chu et Yang regardèrent Walker avec un intérêt accru.

— Non, je ne pense pas qu'ils soient au courant de notre arrangement. Sincèrement, je connais les triades de Chinatown. Si elles avaient connaissance d'un tel accord entre vous et nous, nous serions morts de longue date.

— Bien, dit Lewis en se levant. Vous nous tiendrez donc au courant de ce que vous apprendrez. Quant à nous, nous allons renforcer la sécurité de notre quartier général.

— Comme vous voulez, dit Chen en se levant lui aussi en même temps que ses adjoints. Mais nous pouvons vous garantir qu'aucun homme ne parviendra à toucher à un seul de vos cheveux. S'ils effectuent un raid contre votre

1. « Internal Revenue Service » : le fisc américain.
2. Contrat employé par la Mafia pour tuer une ou plusieurs personnes.

quartier général, ils seront interceptés bien avant d'y arriver. Et la façon dont ils mourront sera des plus désagréables ...

Ils se serrèrent la main de manière courtoise bien que forcée. Walker et Lewis sortirent de la pièce et furent raccompagnés jusqu'à l'entrée de l'immeuble par le garde du corps qui leur avait servi le thé.

Lewis claqua la portière de la voiture.

— Fucking bastards[1], dit-il tout en allumant un cigare.

Le chauffeur démarra en trombe, comme si sa vie en dépendait, quitta la 3e Avenue et s'engagea à gauche dans la 66e Rue, en direction de Central Park et de ses transversales.

— Qu'en penses-tu ? demanda Lewis à Robert.

— De quoi ?

— De ce foutu Chen et de ses élucubrations. Pour qui se prend-il ?

— Je pense que cela ne sert à rien de te mettre en colère. Tu dépends de lui à cent pour cent. Que veux-tu faire ? Lui faire la guerre ?

— Sans nous, il n'est rien, ce petit morveux, ce petit con de Chinetoque !

— Tu crois ? Détrompe-toi !

— Que veux-tu dire ?

— Les Chinois sont très fins. N'oublie pas que c'est une des races les plus intelligentes de la Terre. Tu ne t'es jamais demandé pourquoi il est venu te trouver un jour dans ta boîte à Danang ?

Alfred regarda Robert comme s'il le voyait pour la toute première fois. Il avait toujours été un collaborateur efficace, un véritable roc dans l'organisation, un exécutant parfait, implacable. Il avait toujours agi sans discuter. Depuis la mort du dealer Higgins, il faisait de plus en plus souvent part de ses objections et de ses observations. « Il prend de l'assurance », pensa Alfred. Un peu trop même. S'il n'y prenait pas garde, bientôt Walker pourrait se retrouver au sommet. Il en viendrait alors à le critiquer devant les hommes. Alfred soupira. La vie n'était pas facile. Il pensa à sa seringue et à sa dose qui l'attendaient dans la salle de bains. Il en avait besoin. Il en ressentait déjà les premiers frissons.

— Cela n'a aucune importance de se demander pourquoi il est venu un soir dans ma boîte de Danang ! dit Alfred sur un ton volontairement brutal, tandis que la limousine s'engageait dans le Coliseum et prenait la direction de Times Square.

Robert parut blessé par ce ton de remontrance à peine voilé et destiné à le remettre à sa place. Surtout que ce n'était pas nécessaire. Tout ce qu'il cherchait à faire, c'était à aider Alfred. Robert se demanda même si l'abus de drogue, d'alcool et de sexe n'avait pas déréglé le cerveau de Lewis, car il devenait de moins en moins rationnel, de moins en moins cohérent, de plus en plus coléreux.

— Que veux-tu que je fasse ? demanda Robert d'une voix neutre.

---

1. « Foutus bâtards ».

— Tout d'abord doubler le nombre des gardes qui séjournent à l'intérieur de la maison. Ensuite, je souhaite la présence de patrouilles extérieures, jour et nuit. Des patrouilles discrètes.

— O.K. ! Ce sera fait.

— Tu ne penses pas qu'on pourrait essayer de buter le chef mafioso qui a tué Roy Higgins ? Une sorte d'exemple ?

— En tant que stratège, je dis non. Eliminer un type de la Mafia équivaudrait à déclencher une guerre, et nous n'en avons pas les moyens. Le mieux, c'est de faire confiance à Chen. Il saura nous protéger. Je crois qu'il a raison sur le fond. Si la façon de punir les types est suffisamment explicite, il n'y aura pas de représailles. Le message sera clairement reçu par eux.

Alfred resta plongé dans ses pensées. Il était sceptique. Face à une telle solution, sa première réaction, viscérale et instinctive, serait de frapper fort et dur, sans réfléchir. Il était un ex-marine après tout ! Et le Corps des marines ne s'était jamais encombré de profondes réflexions philosophiques. Les hommes fonçaient et réparaient l'outrage. Dans le ghetto de Harlem, dans sa jeunesse, tout affront exigeait une punition appropriée et commensurable à l'offense commise. Mais Alfred se rendait compte que, depuis de nombreuses années, il avait délégué les pouvoirs de la gestion quotidienne des affaires à Robert ! Il n'était plus habitué à réfléchir à ce genre de problèmes. Maintenant que la question se posait, il réagissait comme il l'aurait fait quand il avait seize ans et qu'il n'était lui-même qu'un petit pimp et un dealer sans envergure. Tandis que là, il y avait tant d'intérêts en jeu, tant de choses à considérer qu'il s'y perdait un peu.

Ils arrivèrent au bâtiment de Charles Street dans Greenwich Village. Alfred monta à son bureau, au deuxième étage, et se laissa tomber dans l'un des fauteuils. Sans y être prié, Robert l'avait suivi et s'assit à son tour. Alfred pensa à sa dose. Il se leva, quitta le bureau et se rendit dans la salle de bains attenante à sa chambre à coucher personnelle, au même étage, afin de préparer son matériel. Quand il revint au bout d'un quart d'heure, il trouva Robert qui n'avait pas bougé de son fauteuil.

— Quand penses-tu qu'ils essaieront de nous attaquer ? dit Alfred pour rompre un silence qui l'énervait.

— D'ici une à deux semaines. Je crois qu'ils auront très rapidement une équipe sur place.

— Je n'aime pas cette sensation d'être une proie, de devoir attendre que les autres attaquent les premiers ...

Robert éclata de rire.

— Ce vieux complexe des marines ! Foncer, attaquer en hurlant, pour l'honneur du drapeau, du pays.

— Ce n'est pas marrant.

— Que veux-tu faire, Alfred ? T'attaquer à la Mafia, aux triades ? Nous n'en avons pas les moyens, ni en hommes ni en matériel.

— Question matériel, ne devrions-nous pas prévoir plus de fusils-mitrailleurs ou de mitraillettes ?

— J'y ai pensé. Dès demain, je donnerai des instructions précises. Je te montrerai un plan de défense. Tu me diras ce que tu en penses.
— Et s'ils attaquent aujourd'hui ?
— Tu veux que je dorme devant ta chambre à coucher ?
Alfred rit brusquement, d'un rire chaleureux et enfantin tout à la fois, ce qui détendit quelque peu l'atmosphère.
— Demain est le premier jour du reste de notre vie, dit Alfred goguenard.
— Tiens, tu écoutes AFN[1] ? dit Robert d'un ton plaisant.

1. « American Forces Network », la radio des Forces armées américaines. Allusion à une phrase favorite de l'un des présentateurs.

V

Cela faisait exactement une semaine qu'ils s'étaient revus. Après avoir dégusté leurs sandwichs géants chez Applebaum's, ils n'avaient plus très bien su quoi se dire. C'est alors que Max avait proposé une promenade à Central Park.

Aujourd'hui, il y avait déjà le souvenir mêlé à la joie. La joie de cet univers qu'ils s'étaient créé mais auquel ils avaient encore peine à croire. Comment en étaient-ils arrivés à se promener ainsi sous un soleil radieux de mai, main dans la main, en parfaite harmonie ? Comment avaient-ils pu, le mardi précédent, échanger un premier baiser ? Impossible, pour l'un comme pour l'autre, d'avancer la moindre explication rationnelle.

Trois jours plus tard, ils firent l'amour. Max n'en était pas encore revenu. Rien dans sa vie ne l'avait préparé à ce moment. Et, d'autre part, quand il y pensait, tout justement l'avait porté à cet instant de béatitude. Etait-il né uniquement pour rencontrer, connaître et aimer Angela ?

Il la regarda, admira sa coiffure, son profil, le dessin de son corps. Elle devina son regard, se tourna vers lui, lui sourit. Quand elle souriait ainsi, elle avait l'air d'une étudiante. D'une étudiante de vingt ans. Max soupira. Dix ans de différence, ce n'était pas un monde, plutôt plusieurs existences qui les séparaient.

— Max, dis-moi, où étais-tu quand tu t'es battu la dernière fois ?

— Battu ? dit-il, ne comprenant pas où elle voulait en venir. Ou plutôt le comprenant trop bien.

— Mais oui ! Au Village Vanguard, quand nous nous sommes vus pour la première fois, à table avec Rufus et Jennifer, tu as dit que tu étais un mercenaire ...

Elle l'aimait, c'était irréfutable. Ses yeux débordaient d'amour, de gratitude. A la voir ainsi, il eut envie d'elle. Il l'avait lui aussi aimée dès qu'il l'avait embrassée. Ensuite, la crainte était apparue. Déjà, il s'était plusieurs fois traité d'imbécile de s'être ainsi laissé prendre par cette petite Italienne de vingt ans. Dans son métier, les attaches sentimentales étaient néfastes, quelquefois mortelles. Un mercenaire dont le cœur était resté au pays devenait inattentif, plus lent dans ses réactions, plus économe de ses mouvements, moins enclin à prendre des risques. Quand cela arrivait, le plus souvent il était tué au combat. Mais la chance était aussi du côté des plus fous, de ceux qui n'avaient plus rien à perdre. Combien de fois avait-il jeté un regard sur des photos de fiancées, d'épouses, pour retrouver les mêmes images quelques jours plus tard, tachées de sang et à demi brûlées, au fond des poches d'un cadavre ? Déjà, Max s'était demandé s'il ne devrait pas bientôt changer de métier. Aimer quelqu'un, c'était synonyme de guigne, cela portait malheur.

— Asseyons-nous ici, dit Max.

Il l'observa un instant, gravement. Elle méritait sa confiance après ce qu'elle lui avait offert, ce don de son corps et de son âme. Elle méritait des paroles sincères. C'était la moindre des choses qu'il pouvait lui offrir en retour.

— Je vais te parler honnêtement, Angela. C'est vrai, je suis un mercenaire depuis un certain nombre d'années. Avant, j'étais au Viêt-nam. C'était et c'est toujours ma vie.

Elle resta songeuse, avec un regard vers lui qui traduisait une profusion de sentiments contradictoires mêlant l'amour et la surprise, le regret et la volonté de continuer à l'aimer. Il reprit :

— La dernière fois que je me suis battu, j'étais en Angola, avec les forces du FNLA. Nous avons reçu une fameuse raclée. La guerre n'y est pas encore terminée, mais elle le sera bientôt. Officiellement, le FNLA n'avait engagé aucun mercenaire étranger dans ses rangs.

— Pourquoi es-tu revenu ?

— Mon contrat était terminé.

— Devras-tu y retourner ?

Sa voix était devenue un souffle quand elle avait articulé ces mots tant bien que mal, les plus pénibles qu'elle ait eu à prononcer depuis qu'ils se connaissaient.

— Peut-être ...

Malgré sa promesse d'être sincère, Max resta volontairement évasif. Il était dur. Il avait la force, la certitude, le pouvoir de l'homme d'action accoutumé aux épreuves physiques violentes, habitué à côtoyer la mort. Sa réponse volontairement ambiguë témoignait également d'une certaine appréhension face à son avenir. Pour un homme comme lui, dont l'avenir professionnel dépendait d'un simple coup de fil, d'un télégramme ou d'un contact informel dans un bar fréquenté par des « soldats de fortune », le lendemain était un jour indéfinissable, qui ne recevait des traits ou des contours que dans l'hypothèse, bien aléatoire, où il se révélait le ferment d'un espoir d'emploi, d'une chance de gain. Au fond, la force de Max se trouvait sans cesse tempérée par le doute qui le rongeait. Ferait-on à nouveau appel à lui ? N'était-il pas trop vieux pour le métier des armes ? Ne désirait-il pas inconsciemment mettre un frein à cette folle spirale de sensations qui risquait de le mener tout droit au désastre ?

— Comment était-ce en Angola ?

— Chaud ! répondit-il en riant.

— Mais est-ce qu'il y avait beaucoup de combats ?

— Oh oui ! Tous les jours, plusieurs fois par jour. Nous étions en fuite, et une armée en fuite se bat constamment.

Il eut la vision d'un autre mercenaire, un Français, ex-légionnaire, qui avait été blessé au ventre. Très rapidement, il était entré en état de choc. Les mouches affluaient autour de ses intestins qui se vidaient malgré le pansement de secours. Quelques copains étaient restés près de lui, par devoir. Les Noirs, eux, étaient partis. Quand Jean mourut, ils rejoignirent l'arrière-garde. Ils avaient gardé ce spectre, cette image horrible entre toutes : mourir en terre étrangère et devoir être abandonné par les copains, devenir un repas pour les carnassiers ...

Il regarda Angela, se pencha vers elle et l'embrassa. Le contact physique, le souvenir de ce qu'ils avaient déjà vécu ensemble les transportèrent dans le lieu et le temps, leur rappelèrent qu'ils étaient une femme et un homme pas encore chassés du paradis de leur amour.

— Tu n'as pas envie de venir chez moi ?

— D'accord, dit-elle simplement, se levant déjà, l'entraînant par la main vers la sortie du parc la plus proche.

Quand il l'avait pénétrée, il avait eu l'impression de faire l'amour pour la première fois, de vivre sa première étreinte. Il en avait tremblé d'émotion. Ensuite, les convulsions passionnées de leurs corps les avaient portés vers un sommet qu'ils dépassèrent et redépassèrent. Quand ils crurent enfin être au faîte de ce que des êtres humains peuvent éprouver, ils franchirent pourtant un nouveau degré. Le temps avait fui. Au-delà de l'East River ou de Jamaica Bay, d'autres hommes pouvaient mourir de faim, se détester, se tuer, n'avoir à l'esprit que l'argent et le moyen d'en gagner plus. Tous deux avaient oublié la réalité dès qu'ils avaient commencé de s'aimer.

Ils restèrent quelques instants sans se parler. Max avait posé la tête sur la poitrine d'Angela, un geste nouveau pour lui. Leurs corps étaient inondés par la sueur de l'amour, les cheveux d'Angela s'étaient disposés en éventail sur l'oreiller. Max revint à la surface. Jamais il n'avait ainsi perdu le contrôle de ses actes. C'était un sentiment nouveau. L'abandon total, le don de soi, non pas pour tuer, mais pour aimer. Cette émotion nouvelle le réjouissait et en même temps le mettait mal à l'aise, car pour lui toute perte de force, même momentanée, était synonyme d'émasculation. Il ignorait aussi qu'il pût avoir un tel potentiel d'oubli et d'abandon. Il soupira.

— Qu'y a-t-il, mon amour ? lui demanda-t-elle avec une pointe de sollicitude maternelle dans la voix.

— Je pense au beau couple que nous aurions pu former si je t'avais rencontrée dix ans plus tôt. Si je n'étais pas ce que je suis aujourd'hui.

— Si nous nous étions rencontrés dix ans plus tôt, je n'aurais eu que dix ans. C'est un peu jeune, non ?

Il rit, mais son rire résonna durement, presque cyniquement.
— Oui, fit-il.
— Max, pourquoi dis-tu cela ? Tu ne penses pas que nous formons un beau couple ainsi ?
— Oui, sûrement. Mais où est l'avenir que nous pourrions envisager ?
— Pourquoi ?
— Je pourrais être parti demain. Il suffit d'un appel. Je signe le contrat et je pars. La valise est vite faite.
— Et alors ?
— Quoi « et alors »?
— Tu pars. Bien. Je t'attendrai. J'attendrai que tu reviennes !
— Angela, tu ne comprends pas !
Sans le vouloir, il avait haussé le ton et parlé doctement, un peu comme un vieux qui reprocherait aux jeunes de ne pas comprendre uniquement parce qu'ils sont jeunes.
Angela en eut les larmes aux yeux. Elle lutta un instant, puis se mit à pleurer. Max afficha d'abord une mine incrédule. Il voulut lui caresser le visage, mais il ne le fit pas. « Encore un sentiment nouveau pour moi », pensa-t-il. La douleur d'une femme qui aime, qui n'a pas été comprise, qui se sent rejetée. Il n'était pas fait pour la psychologie. Obéir, oui. Donner des ordres, oui. Les exécuter, oui. Mais les méandres du cerveau humain, surtout ceux d'une femme, non, cela le dépassait. Tout simplement.
— Angela ?
— Que veux-tu ?
Même en pleurant, elle était belle.
— Angela, ce n'est pas aussi simple que cela.
— Pourquoi pas?
— M'attendre ne suffit pas.
— Ce n'est pas assez ? Que devrais-je faire pour prouver que je t'aime ?
Ses sanglots redoublèrent. Elle se redressa, sa poitrine, ses seins dansèrent un ballet étrange. Max lui caressa les cheveux, attira sa tête vers son corps, la posa sur son torse tout en continuant à la caresser. Il ne savait pas très bien comment lui parler, comment se comporter. S'il avait eu affaire à un enfant ou à un chiot, il n'aurait pas agi de manière très différente.
— Angela, essaie de comprendre ! Je n'ai pas voulu dire que je doute de ton amour. Je suis persuadé que tu m'aimes, tout comme je t'aime. Non. Si je dois continuer mon métier, je dois être libre. Mentalement. C'est très important. Tu comprends ?
— Qu'est-ce que tu veux dire par « libre mentalement » ? fit-elle en levant les yeux et en le fixant à travers un brouillard de larmes.
Soudain, Max revit le visage de Clifton Bush, mercenaire britannique en Angola. Le prince des mercenaires. Rien n'était jamais parvenu à le toucher. Rien ne lui était jamais arrivé. Il avait toujours eu une veine diabolique. En mars 1975, il reçut une photo de sa fille qui venait de naître. Il l'avait placée dans son portefeuille telle une relique et, quand il en avait l'occasion,

il la regardait longuement, comme si en elle il puisait des forces de vie. Deux jours plus tard, il mourut lors d'une embuscade. Une rafale de deux secondes d'une mitrailleuse M-60 lui envoya une douzaine de balles de calibre 7,62 mm dans le corps. Il mourut debout, et quand ses camarades purent enfin s'approcher de son corps, après vingt minutes d'un combat acharné, son treillis était déjà recouvert d'un nuage de mouches.

Comme bien d'autres mercenaires, Max était superstitieux. Il savait qu'il n'y avait aucune logique à cela, mais chaque combattant avait son rituel, ses secrets, ses formules magiques qui, au fond, remplaçaient la prière, jugée trop féminine.

Il se leva, sortit de la chambre, puis revint au bout de quelques minutes avec deux verres. Il avait préparé deux gin fizz, vieille habitude d'homme, de soldat. Il préférait les discussions sérieuses une boisson à la main. Il tendit un verre à Angela. Adossée contre la tête de lit après y avoir placé un oreiller, elle remonta le drap et se couvrit pudiquement la poitrine. Elle admira le physique de Max. Il avait un corps mince mais musclé, fortement hâlé. Les muscles de ses bras et de ses cuisses étaient très développés, et sa carrure était plutôt impressionnante.

— Qu'est-ce que tu voulais dire ?

— Voilà. Angela, je ... j'ai ... je ne ... je n'ai jamais connu de véritable amour dans ma vie. Depuis l'âge de dix-huit ans, je me bats. C'est mon métier, c'est le seul que je connaisse. Je le fais bien. Je n'ai pas d'attaches, cela fait longtemps que je n'ai plus de famille. Tu sais ...

Il s'arrêta un instant et but une gorgée.

— Nous sommes très superstitieux, nous les soldats. La plupart des mercenaires n'ont pas d'attaches. Et pour ceux qui en ont, soit elles ne sont pas importantes, soit ils essaient de ne pas trop y penser. Se battre demande une attention soutenue. Rien ne peut nous détourner de notre travail. Je vais être sincère, Angela. Depuis que je t'ai rencontrée, depuis que nous ... que ... que nous nous aimons, je me suis demandé si j'aurais le courage, la force, le détachement nécessaires pour y retourner.

— Où ça ? en Angola ?

— Là ou ailleurs. Avec toi ici à New York, j'aurais trop envie de survivre, d'en réchapper. Je ne prendrais plus de risques, je deviendrais impotent. Et ça, c'est la pire des choses. Dès qu'on craint de combattre, ça tourne mal !

— Qu'est-ce qui te fait dire cela ?

— L'expérience, une sensation ...

— Alors, tu veux qu'on se sépare ?

— Je n'ai pas dit ça ! Je ne sais pas ce que je dois faire de ma vie. Tu existes, tu es là, je ne peux ni ne veux te renier. Je ne sais pas, vraiment !

— Max ?

— Oui ?

— Viens !

Il la regarda et tout ce qu'il venait de lui dire se fondit en une masse chaude et palpitante, un magma bouillonnant qui l'écrasa, le submergea.

Comme pris sous un ouragan subit, il eut l'impression de se cramponner à la vie, et Angela était devenue la vie pour lui. Mère et génitrice, elle le guidait, comme un enfant. Obnubilé par cette révélation soudaine, il prononça son prénom comme il l'aurait fait d'une idole, d'un dieu. Les trois syllabes se heurtèrent aux parois de son cerveau et éclatèrent en une hécatombe sonore, en une gerbe de couleurs au moment où Angela l'appelait en elle, de plus en plus fort, de plus en plus loin ...

Vers dix-neuf heures, ils sortirent. Brooklyn Heights retentissait des bruits familiers du soir. Max ouvrit la portière pour Angela, s'installa au volant et demanda :

— Où allons-nous ?

— Manger au Village. Ensuite tu me raccompagneras chez moi, j'ai encore un peu de travail ce soir.

— O.K. !

Il démarra et, encore empli de chaleur et de bien-être, il prit la direction de Manhattan.

VI

Roberto Rinaldi arpentait l'immense salon de sa villa, fumant nerveusement cigare sur cigare. Le souvenir de la nuit passée aurait pourtant dû le mettre d'excellente humeur car la blonde et très teutonique Heidemarie Kübler, l'une de ses maîtresses, lui avait tant sucé son sperme sexagénaire que son organisme, déjà si éprouvé par son métier, avait eu du mal à le régénérer. Mais les soupirs et les days dreams[1] qui lui restituaient la vision de ces fesses et de ces seins plantureux ne pouvaient réussir à lui faire oublier que les affaires, celles de la famille Dipensiero comme des autres familles de la Cosa Nostra, n'étaient pas des plus roses actuellement.

La vérité cruelle et impitoyable était que Dieu avait abandonné la Mafia. Sans aucun doute mécontent d'un acte quelconque — qu'avaient-ils donc pu faire pour lui déplaire à ce point ? —, il avait lâché des hordes à leurs trousses. Le FBI, les détectives, la DEA, l'IRS et le sénateur Frank Church s'évertuaient à leur rendre la vie impossible. Depuis quelques années, ils avaient trouvé le truc. De citation à comparaître en citation à comparaître, on voyait actuellement plus de personnalités de la Cosa Nostra que de sénateurs sous les cieux sacrés du Sénat. Et même la loi de l'omerta avait cessé d'exister. De plus en plus de membres trahissaient et collaboraient avec le FBI. En échange d'une réduction de peine[2], ils se mettaient à parler et à dévoiler toutes les petites combines : le linge qu'on aurait dû laver entre membres de la famille trouvait la voie des médias. On en faisait des films, des livres. On singeait la Cosa Nostra. De plus, la commission qui était censée regrouper les grandes familles avait quasiment disparu. Elle ne comprenait plus que six représentantes : cinq à New York et une à Chicago.

Rinaldi envisageait l'avenir avec une certaine dose de pessimisme. Il savait qu'un jour un des organismes officiels lui tomberait dessus. Il rejetait l'idée

1. Littéralement : « rêves de jour ». Peut être traduit par « fantasmes ».
2. Système américain du « plea bargaining ». En échange d'informations aux autorités, il donne la possibilité aux criminels d'obtenir une réduction de peine. Des membres de la Mafia ont pu ainsi complètement changer de vie, quelquefois aidés par la chirurgie esthétique et, de toute façon, financés par l'argent des contribuables américains.

de devoir passer la fin de sa vie en prison. Pendant un long et douloureux moment, il repensa à Heidi, à son corps de poule de luxe, et il ressentit une ébauche de sensation dans le fond du scrotum. « Ah ! vivre sans tout cela ! », se dit-il, triste à l'idée de devoir un jour se passer des femmes.

La porte s'ouvrit. Alberto Russo, son garde du corps, lui annonça qu'ils étaient arrivés. Rinaldi se rendit dans la salle de conférences. A peine entré, il aperçut Giuseppe Conti flanqué d'un lieutenant et de quelques gardes du corps. Toni Benedetto était là aussi, avec deux de ses soldats. Après avoir serré la main de chacun, il leur indiqua d'un signe de tête qu'ils pouvaient s'asseoir. Il s'assit à son tour. Puis, se tournant vers Giuseppe :

— Alors, Giuseppe, il y a du neuf ?

— Rien. Ils n'ont plus fait d'incursions dans le territoire de Benedetto. Le secteur est calme. Enfin, plus ou moins, parce que depuis la chute du Viêtnam et du Cambodge, il y a une certaine panique dans la rue. Les camés craignent de ne plus être approvisionnés bientôt ...

— Oui, dit Rinaldi, ça, c'est un autre problème.

Se tournant vers Benedetto :

— Toni, tu n'as rien à ajouter à ce qu'a dit le capo ?

— Non, consigliere. Ils n'ont plus osé venir chez nous !

Il avait prononcé sa phrase comme si le simple fait d'être le maître d'un territoire eût pu dissuader Lewis d'y envoyer d'autres pushers. « Arrogant fils de pute », pensa Rinaldi, examinant le visage beau mais franchement stupide de Benedetto. Intérieurement, il soupira, se disant que la relève était bien pauvre. Ils étaient ardents, empressés et naïfs à l'extrême. Si cela ne tenait qu'à eux, ils auraient refait le monde en un seul jour. Des clowns. Quand on leur demandait de faire un coup réclamant une quelconque technique ou un meilleur sens du professionnalisme, le plus souvent ils bousillaient le travail. De foutus amateurs ! Il aurait mieux valu qu'ils s'engagent dans la police ou dans l'armée. Ils n'auraient nui à personne, et s'ils l'avaient fait, cela n'aurait de toute façon pas prêté à de sérieuses conséquences. Le consigliere alluma un cigare et souffla la fumée dans la direction du petit prétentieux. Il réfléchit à la situation, absurde au fond. Aux responsabilités que Benedetto allait devoir prendre. Il eut un mauvais pressentiment. Il sut que cela tournerait mal. Mais en parfait fonctionnaire de la Cosa Nostra, il se devait d'exécuter l'ordre reçu. La famille Dipensiero avait décidé. Donc, il transmettrait. Et d'autres en subiraient les conséquences. Ce n'était pas pour rien qu'il avait vécu jusqu'à aujourd'hui sans un seul jour de prison.

— Voilà, dit-il, interrompant le cours de ses pensées, j'ai pris contact avec la Famille au sujet de ce petit dealer de chez Lewis, que vous avez capturé et tué. Ils sont d'accord sur le principe que ces incursions répétées constituent une provocation manifeste et ils ont décidé de donner une leçon à Lewis.

Rinaldi constata que les regards de Benedetto et de ses deux adjoints exprimèrent brusquement une joie animale, le genre d'exaltation mâle que l'on remarque chez les spectateurs de combats de boxe.

— Que devons-nous faire, consigliere ? demanda Benedetto, prenant ainsi les devants ... et le mors aux dents.

— Un instant, je n'ai pas fini. Etant donné les difficultés actuelles avec le Comité Frank Church au Sénat et l'intense activité du FBI, la Famille a jugé utile d'autoriser un raid contre Lewis. Mais il y a une condition essentielle : les tueurs viendront d'une autre ville.

— Mais, consigliere, s'exclama Benedetto, ne vaudrait-il pas mieux que nous soyons chargés du contrat ? Puisque c'est sur notre territoire que ces dealers sont venus, c'est à nous qu'incombe la tâche. Ce serait d'ailleurs un honneur pour nous, consigliere. ajouta-t-il sur un ton de matamore.

Giuseppe Conti fronça les sourcils, peiné de devoir constater une telle insolence chez un subalterne. Mais avant même qu'il eût pu parler et le remettre à sa juste place, le consigliere intervint :

— Non, justement ! Toni, tu dois te rendre compte qu'il y a des intérêts en jeu bien plus importants que ton simple petit territoire de merde ! Qui te dit qu'il ne s'agit pas d'une provocation de la police, hein ? Qui te dit que Lewis n'est pas surveillé et que, dès le moment où tu l'approcheras pour le buter, tu ne te retrouveras pas buté toi-même ? Non, il s'agit d'un ordre strict émanant du conseil de famille, que je représente personnellement ici.

— Bien, consigliere, que devons-nous faire ? dit Benedetto, radouci alors même que ses yeux exprimaient un sentiment de haine compréhensible. Il venait d'être blessé dans son amour-propre et il s'était senti rabaissé par cette remarque désobligeante faite devant tous les autres.

— Aujourd'hui, c'est mardi. Dans quatre jours, quatre hommes viendront d'Atlantic City. Il s'agit de Frank Pizzo, Arthur DiPalma, Roberto Pennili et Joe Marino. Ils descendront à l'Hôtel Edison, 45e Rue. Nous vous communiquerons le numéro de vol s'ils viennent en avion. De toute manière, je propose qu'ils n'occupent pas de chambres adjacentes. C'est trop dangereux. Cela pourrait attirer l'attention de la police. Toi, Toni, tu désigneras un de tes hommes, qui sera chargé de prendre contact avec eux et de les mettre au courant de ce qu'il y aura à faire.

— En quoi consiste le contrat, consigliere ? demanda Benedetto.

— Le contrat est simple : Lewis doit être tué. Uniquement lui. S'il y a du grabuge, les types d'Atlantic City peuvent se défendre, mais c'est uniquement la personne de Lewis qui est visée.

— Que devons-nous faire d'autre ?

— A part l'homme désigné pour assurer la liaison, vous devez vous maintenir à distance, sauf le jour du meurtre, où vous serez tenus de vous constituer un alibi valable et, je précise, légitime. Pas de faux témoins ou de brebis galeuses ! D'autre part, il faudra que vous fournissiez les armes sans qu'on puisse retrouver leur origine et sans qu'on puisse déterminer qu'elles émanent de vous. Enfin, vous devrez surveiller discrètement les allées et venues de Lewis dans les prochains jours, afin de donner quelques indications préalables aux types d'Atlantic City.

Rinaldi s'interrompit pour allumer un nouveau cigare. Ce rituel fut suivi avec la plus grande attention par tous.

— D'autres questions ? demanda-t-il en soufflant sa fumée vers le visage de Benedetto. Une habitude récente qui lui apportait de plus en plus de satisfactions ...

— Ne devons-nous pas nous attendre à des représailles quand ils auront tué Lewis ? demanda Benedetto.

— Je ne crois pas. Si rien n'indique que le coup émane de nous, que peuvent-ils faire ? Et puis, nous avons des informations sur Lewis. Ses hommes ne sont pas en état de soutenir une action de longue durée contre nous. Il a beaucoup de jeunes peu expérimentés et il n'a pas plus d'une dizaine d'hommes qu'on puisse qualifier de professionnels.

Le consigliere se leva, ce qui amena les autres à en faire autant.

— Giuseppe assurera la liaison entre Benedetto et moi-même. N'oubliez pas que rien ne doit être dit au téléphone sur ce sujet. Il ne faut en aucun cas qu'on puisse déterminer notre implication dans cette affaire !

Se tournant vers le capo, il lui demanda de rester encore quelques instants. Ensuite, de manière formelle, il serra la main de chacun.

Quand la porte fut refermée, le consigliere prit le temps de se diriger vers une armoire, de l'ouvrir, d'en sortir une bouteille de vodka Wyborowa, de prendre deux verres, de les remplir, d'en tendre un à Giuseppe. Il prit le sien, le leva en direction de Giuseppe Conti et but. La brûlure aigre-douce de la vodka donna un certain baume à ce qui lui paraissait essentiellement une perte de temps. Il devenait vieux. Il se rendait compte qu'il avait de moins en moins de points communs avec tous ces jeunes.

— Que penses-tu de cette histoire, Giuseppe ?

— Tu l'as bien traitée, je crois que tout ira bien.

Roberto éclata de rire. Ses yeux pétillèrent d'intelligence et d'un plaisir non dissimulé. Il aimait bien Giuseppe et il se sentait à l'aise en sa compagnie. Heureusement qu'il en restait quelques-uns comme lui !

— Dis, Giuseppe, confia-t-il en continuant d'arborer une mine hilare, laisse tomber le ton officiel, nous sommes entre amis. Je voudrais avoir ton avis personnel.

Roberto avait accentué le mot « personnel ».

— Ça pue ! dit Giuseppe de façon laconique.

— Ah ! tu le penses aussi ?

— Oui, depuis le début.

— Et pourquoi ?

— A mon avis, Lewis n'est qu'un pion dans cette histoire.

— Ah ?

— Oui, tu te souviens de notre rencontre il y a quinze jours ? Tu as dit que tu pensais que Lewis était soutenu et aidé par une triade qui chercherait à s'implanter à New York.

— Oui.

— Eh bien ! j'ai effectué certaines recherches. Et je crois que c'est le cas. Je n'ai pas encore appris le nom du boss de cette triade, ni la dénomination de celle-ci, mais je puis affirmer que Lewis reçoit sa came de Chinois de New York et que ces Chinois n'appartiennent ni à la triade Hip Sing, ni à l'autre, On Leong, les deux triades qui contrôlent Chinatown.

— Mais dis, Giuseppe, tu te rends compte des implications ? Cela change beaucoup de choses !

— Je ne te le fais pas dire !

— Je me demande si nous ne devrions pas avertir la Famille. Tu t'imagines, si nous tuons Lewis alors qu'il est protégé par une nouvelle triade ? Nous allons nous retrouver avec une guerre ouverte sur les bras. Tu peux facilement en prévoir les conséquences. Le sénateur Frank Church ne demanderait pas mieux ! Il pourrait nous boucler tous, tant qu'il y est !

— Peut-être, Roberto, mais n'oublie pas que ces Chinois ne pourront pas aller trop loin. S'ils s'attaquaient à nous, nous pourrions soumettre le cas à la commission et demander l'aide des autres familles. L'honneur de la Cosa Nostra serait en jeu, et tu sais qu'ils ne laisseraient pas la chose impunie.

— Oui, peut-être as-tu raison. Dis-moi, Giuseppe, as-tu confiance en Benedetto ?

Giuseppe éclata de rire. Il avait le physique d'un épicurien, d'un bon père de famille. Gras, suant le plaisir et la joie de la chair, il irradiait l'optimisme et la bonne humeur.

— Ah ! Toni ! dit-il tout en cessant de rire. L'une des étoiles filantes de la Famille ! Un type doué, intelligent, respectueux de l'ordre établi. Un blason de plus pour nous !

— Tu cesses de blaguer ou quoi ? Je t'ai demandé ton avis.

— Je te le donne !

— Tu te fiches de moi !

— Que veux-tu que je te dise ? Qu'il est un crétin congénital ? Qu'il ne pense qu'à s'envoyer en l'air ? Qu'il n'en fera jamais qu'à sa propre tête de merde ? Qu'on n'aurait jamais dû l'accepter dans la Famille ?

Giuseppe se moucha bruyamment, avant de continuer :

— Qu'il nous attirera les pires ennuis, car c'est un con et tout ce qu'il touche pue la merde ? La nouvelle génération !

— Pourquoi le gardes-tu ?

— Qui veux-tu mettre à sa place ? Roberto, tu sais aussi bien que moi que notre organisation n'est plus ce qu'elle était. Maintenant, quand ça ne va pas, ils vont se plaindre chez le DA[1], ils passent à table, on leur donne une nouvelle identité et une nouvelle gueule, ils vont vivre à l'étranger, ils sont bourrés de pognon et ils ne doivent même plus travailler. Ils deviennent des rentiers, payés par les contribuables américains ! Le rêve, quoi !

— Tu crois que ce serait le genre de Benedetto ?

1. District Attorney : juge d'instruction aux Etats-Unis.

— Tu crois que ce serait le genre de Benedetto ? répéta Giuseppe en éclatant de rire.

Son corps fut pris de secousses qui lui pliaient et dépliaient les bourrelets de graisse du menton qu'il portait en triple exemplaire, hommage tenace à une vie bien remplie et riche en rebondissements.

— Qu'as-tu à rire ?

— Tu n'as rien compris, Roberto ! Benedetto, c'est la nouvelle vague. C'est le nouveau John Wayne de la Cosa Nostra. Il n'a pas pu aller au Viêtnam. Si je lui donnais l'ordre d'aller tuer Lewis, lui tout seul contre tous, il prendrait son calibre 38, gros format, et il partirait à l'assaut de la forteresse. Si je lui donnais l'ordre de s'attaquer à cette bande de jeunes Chinois de Chinatown, les Ghost Shadows, il irait les détruire à lui tout seul ! Notre Toni, ce n'est pas du Ford[1], plutôt du Goldwater. Il ira loin, tu verras ...

Rinaldi devint mélancolique. Il se leva, tendit la main à Giuseppe et le raccompagna jusqu'à la porte d'entrée. Après son départ, il regarda par la fenêtre, pensivement. Il était découragé. Au début, la Cosa Nostra avait été une bonne chose, une véritable vocation, une cause sacrée, l'amour de sa vie. Maintenant, il ne lui restait plus que l'amertume. Les cendres et les souvenirs des bons jours, des années 30 et 50. Il venait de transmettre un ordre, mais il savait que cela tournerait mal. Si les quatre hommes d'Atlantic City étaient du même acabit que Benedetto, ou possédaient le même quotient intellectuel, cela n'augurerait rien de bon. Rinaldi se demanda s'il ne ferait pas mieux d'en référer à la Famille, d'exprimer ses doutes sur la réussite de l'opération. Non, si ça foirait, il avait un autre atout dans son jeu. Mais il n'en parlerait à personne dans son entourage. Pas même à Giuseppe, et surtout pas à ce morveux de Benedetto. Evidemment, il devrait en référer aux Dipensiero, leur exposer son plan. Mais ce serait simple de le faire entériner.

Il continua de regarder par la fenêtre. Le ciel s'était chargé de nuages, et il allait sans doute pleuvoir. L'image de Heidemarie lui revint en tête. N'allait-il pas lui téléphoner ? Passer la nuit avec elle ? Que lui restait-il d'autre dans cette putain de vie, quand tout se déglinguait ainsi autour de lui ?

---

1. Allusion à Gerald Ford, ancien président des Etats-Unis, bien connu pour ses nombreuses gaffes.

VII

Pour Max, le temps s'était figé ou plutôt avait pris la forme éclatante d'Angela Cassano. Il déroulait ses méandres nacrés à travers les fibres de son corps, dispersait en lui ses minces particules, éphémérides d'un bonheur auquel il n'osait croire. Peu à peu, il souriait à la vie, fort de cet antidote puissant. Les contrats tant attendus ne s'étaient nullement concrétisés. Après la débâcle du Viêt-nam et du Cambodge, et alors que le Laos lui aussi prenait le chemin d'une défaite cuisante pour les Etats-Unis, le pays tout entier avait dû être peuplé d'anciens marines, Bérets verts, Rangers et SEALs qui, du jour au lendemain, se demandaient ce qu'ils allaient bien pouvoir faire de leur vie. Pour de tels hommes, ne plus se battre, c'était ne plus exister. De là à devenir mercenaire, il n'y avait qu'un léger pas à franchir.

Max avait déclenché la grande offensive, prenant contact avec tous ceux qui auraient pu lui apporter un nouveau contrat, une nouvelle destination, car l'inactivité commençait à lui peser. Mais les réponses n'arrivaient pas. Comme si le secteur des soldats de fortune avait soudain pris un long repos. Ce n'est pas qu'il s'ennuyât vraiment ou qu'il en eût déjà assez d'Angela. Au contraire. Mais il avait le sentiment que, s'il ne décrochait pas un contrat très rapidement, il ne quitterait plus jamais le confort, ni le genre de vie qu'il menait avec une petite étudiante en psychologie. D'un autre côté, il craignait sincèrement de devoir partir, de la laisser derrière lui. Elle devrait alors l'attendre durant de longs mois, sans nouvelles, sans aucune possibilité d'écrire. Car il le lui avait déjà dit : s'il partait, il n'écrirait pas et ne voudrait pas recevoir de courrier. Laisser un être aimé derrière soi était déjà terrifiant. Entretenir une correspondance, c'était la mort, à plus ou moins longue échéance.

Ils étaient chez Gino's, une espèce de trattoria non loin d'Orchard Street, et ils en avaient terminé avec les hors-d'œuvre. Seule la carafe de chianti maison et les verres étaient restés sur la table. Angela était vêtue d'une blouse rouge plutôt classique et d'une jupe blanche, tandis que Max portait un pantalon de type Navy et une chemise d'un bleu très pâle. Ils ne se parlaient pas, mais leurs yeux entretenaient une conversation secrète dictée par la mémoire de ces heures d'amour qui formaient déjà le tissu de leur histoire. La salle était pleine et, comme dans beaucoup de restaurants italiens, particulièrement bruyante. Brusquement, un vacarme domina les conversations et les souffla par son impact sur la conscience des personnes attablées. Un peu comme si une vague profonde avait renversé les châteaux de sable laissés sur la plage par des enfants. Certains, surtout des Italiens, devaient avoir compris car leur nez plongea dans les assiettes et ils se mirent à manger frénétiquement, sans relever la tête, comme si leur vie en dépendait.

Soudain jaillit un hurlement, bref mais puissant. Plusieurs personnes se hâtèrent de quitter la salle. Les yeux d'Angela s'étaient écarquillés d'horreur et elle fit un mouvement brusque pour se lever. Mais Max lui posa la main sur le bras, lui intimant de rester assise. Derrière Angela, il y avait un miroir et il pouvait surveiller la salle. Dès le hurlement, ses pupilles s'étaient rétrécies et ses muscles s'étaient tendus sous l'effet d'un réflexe inconscient, le fruit d'années d'entraînement et de combat. Dans le miroir, il vit trois hommes qui sortaient d'une arrière-salle et il se détourna légèrement pour mieux les suivre. Ils avaient l'air de mafiosi, comme sortis en droite ligne d'un film de série B. Max avait deviné qu'il devait s'agir d'extorsion. Le patron n'avait certainement pas payé, ou pas suffisamment, et ils étaient venus pour encaisser. Le genre de hurlement entendu était associé, dans son esprit, à une douleur physique intense mais non mortelle. Une jambe ou un bras cassé, vraisemblablement. S'ils l'avaient tué ou assommé, il n'aurait pas hurlé comme cela, à moins d'avoir été blessé au ventre ou aux poumons. « Non, se dit-il, les poumons, ce n'est pas possible, sa voix aurait été voilée. »

— Ce n'est rien, dit l'un des hommes dans un anglais fortement teinté d'accent italien. Un accident dans la cuisine. Continuez à manger, ce n'est rien.

Brusquement, le meneur, un type d'une vingtaine d'années, s'arrêta et observa leur table. Max s'était déjà préparé mentalement, choisissant la méthode la plus expéditive pour les mettre hors d'état de nuire, quand il s'aperçut que c'est Angela que l'homme regardait. Le visage du mafioso exprima tout d'abord une certaine joie. Ensuite, un voile sembla le noyer sous une lave de colère quand il vit qu'elle était accompagnée. Leurs regards se croisèrent par le biais du miroir, témoin placide d'une haine instantanée qui naquit chez ces deux hommes totalement différents.

Le meneur fit un signe aux deux autres et ils sortirent du restaurant. Après leur départ, la moitié des clients partirent rapidement, comme s'ils avaient été coupables d'un délit. Max détourna son regard et le reporta sur le visage blême d'Angela.

— Qu'as-tu ? dit-il.

— Partons d'ici !

— Pourquoi ? Le danger est passé. Il n'y a plus rien à craindre. Ils ont sans doute cassé un bras ou une jambe au patron. Angela, je te dis qu'il n'y a plus rien à craindre !

Angela tremblait.

— Partons, Max, je t'en prie, je ne pourrai rester une minute de plus.

Ils se levèrent. Max s'apprêtait à payer, mais le caissier, livide lui aussi, lui fit un signe indiquant que tout avait été réglé. Ils sortirent du restaurant et marchèrent jusqu'à la voiture de Max.

— Où veux-tu aller, Angela ?

— N'importe où, dans un bar. J'ai envie de boire quelque chose de fort.

— O.K. !

Ils se garèrent dans Grove Street, près de Sheridan Square. Ils entrèrent dans un bar de la 7e Avenue et trouvèrent une table de coin isolée. Max alla au comptoir et revint avec un Bloody Mary et un rye whiskey[1]. Ils burent en silence.

Une musique de fond berçait les oreilles de sons commerciaux, une sorte de divertissement musical à la Muzak. Elle était censée calmer les esprits, apporter l'indispensable baume à la vie hectique qu'ils menaient. Dans le bar, se trouvaient pas mal de filles seules qui buvaient solidement, comme des hommes.

Au bout de dix minutes pendant lesquelles ils n'avaient pas échangé un seul mot, Max se pencha vers Angela. Elle semblait s'être calmée.

— Que s'est-il passé, Angela ? demanda-t-il de manière fort délicate.

— Ce type, dans le restaurant, qui nous a regardés ...

— Oui ?

— Je le connais.

Max eut une sensation de froid. Et si Angela avait été mêlée à la Mafia d'une façon ou d'une autre ?

— Que veux-tu dire ?

— Son nom est Toni Benedetto. Dans le quartier, on pense que c'est un mafioso. Voilà plusieurs mois qu'il me poursuit de ses assiduités.

— Ah bon !

La voix de Max avait résonné sèchement, quasiment dénuée de timbre.

— Max, je crois qu'il est amoureux de moi. Tu as remarqué son regard quand il nous a vus ensemble ?

— Oui.

— J'ai peur, Max ...

— Pourquoi avoir peur ? As-tu quelque chose à te reprocher ?

— Non, je n'ai jamais rien fait qui puisse suggérer quoi que ce soit. Pour moi, il n'existe pas. Mais son regard ... Tu as vu ? Ces types sont capables de tout !

— Tu n'as rien à craindre !

Il lui entoura la taille et l'attira vers lui.

— Tu n'as rien à craindre. Que veux-tu qu'il fasse ? Il ne va quand même pas nous tuer parce qu'il nous a vus ensemble !

---

1. Whisky de seigle.

— Mais Max, tu ne comprends pas ! Ces types sont extrêmement dangereux !

— Angela, si tu avais vu certains des cinglés que nous avions avec nous au Viêt-nam, ce petit mafioso t'apparaîtrait bien inoffensif !

— Oui, mais cela ne résout pas nos problèmes !

— Quels problèmes ?

— Ses yeux ! Max, tu as vu ses yeux, sa colère !

Max rit.

— Angela, toi qui fais de la psychologie, tu devrais savoir que, quand un homme montre sa colère, l'exprime avec tant de chaleur, il n'y a rien à craindre. Celui qui est à craindre, c'est celui qui l'a intériorisée, qui en fait un instrument de vengeance. De celui-là, tu dois te méfier. Ce petit mafioso, retire-lui son outil de travail, son calibre 38, et il n'est plus rien.

— Cela ne me rassure pas.

— Ne crains rien. Tu es en de bonnes mains.

— Je n'en doute pas, mais la Mafia ...

— Angela, la Mafia, les mafiosi, ce sont des hommes comme les autres, de simples hommes. Ils naissent, ils vivent, ils meurent. Ce ne sont pas des supermen. Parmi les soldats du Viêt-cong ou de l'armée nord-vietnamienne, il y avait pas mal de bons combattants. A côté d'eux, ces petites fripouilles feraient bien piètre figure. Je crois qu'il ne faut pas les idéaliser, les mettre sur un piédestal, leur donner plus de pouvoir ou de force qu'ils n'en possèdent. Sincèrement, Angela, ce n'est pas pour me vanter, mais des petits cons comme ceux-là ne me font pas peur, pas du tout !

Angela plongea ses yeux dans les siens, se noya dans la force qui émanait de ce regard. Elle se blottit contre lui et, intérieurement, elle bénit le jour où elle l'avait rencontré.

VIII

Ils étaient attablés dans l'arrière-salle du restaurant italien de Carmine Street, qui servait de point de ralliement et de quartier général à Conti et ses hommes. Benedetto était assis en face de Giuseppe et transpirait déjà abondamment. Le dernier week-end de mai approchait. Dans moins de vingt-quatre heures, le team d'Atlantic City débarquerait à New York. Quand il avait discuté avec le consigliere dans sa villa du New Jersey, tout avait paru beaucoup plus facile à Toni. Mais maintenant que l'heure approchait, il se rendait compte de la masse de petits détails auxquels il devrait encore penser. Ce contrat pour tuer Lewis paraissait insignifiant à première vue. Un parmi tant d'autres que la Cosa Nostra ordonnait chaque année. Mais trouver des armes intraçables et des munitions, et assurer la protection, cela exigeait de la maîtrise de soi, du savoir-faire, du professionnalisme. Le genre d'opération qui pouvait faire ou défaire un homme. Et Toni était fermement décidé à ne pas perdre son prestige à cause d'un Noir.

— Alors, Toni ?

Giuseppe prit son verre de vin rouge, le porta à ses lèvres et, après avoir bu et poussé un soupir de soulagement, il ajouta :

— Quoi de neuf ?

— Tout est en ordre. Ils arriveront demain. Des chambres ont déjà été réservées à l'hôtel Edison, à des étages différents et sous des noms d'emprunt.

— Bien, bien.

Giuseppe but une nouvelle gorgée, ses yeux vitreux attestant que ce n'était pas là son premier verre de la journée.

— Les armes ? ajouta-t-il.

— J'ai dégoté trois pistolets-mitrailleurs KG-9 qui ont été convertis en tir automatique. J'ai un P.-M. Uzi, également automatique, et chacun des hommes aura aussi un S. & W. stainless, calibre 38. Je crois qu'avec un tel armement, s'ils ratent Lewis, ils n'auront plus qu'à se recycler et vendre des bonbons. Ah ! j'oubliais ! Les cartouches sont toutes à tête de plomb, metal piercing[1]. Aucun danger qu'ils ratent leur objectif.

— Toni, j'espère que toutes ces armes et ces munitions sont intraçables ?

— Sûr. Les KG-9 ont été achetés par personne interposée à des trafiquants de drogue cubains, qui ne sont pas du tout reliés à notre organisation. L'Uzi et les calibres 38 ont été achetés dans des magasins d'armes de Philadelphie sous de faux noms, par des personnes différentes. Les munitions ont été achetées à des trafiquants d'armes de Chinatown, également par personnes interposées.

— O.K. ! Et Lewis ? Du neuf à son sujet ?

— Oui, on a pratiqué une surveillance discrète. On dirait qu'il se méfie. Partout où il va, il a au moins quatre gardes du corps, qui semblent solidement armés car ils se trimbalent avec de longs imperméables, même quand il fait très chaud. On a pu repérer deux ou trois boîtes où il se pointe habituellement.

— Où ça ?

— Il y a en une dans un bloc de la 62e Rue, entre la 1re et la 2e Avenue. Mais beaucoup de Nègres la fréquentent. Il y a une ou deux autres boîtes à Harlem, mais là ce serait trop difficile.

— Et son quartier général de Charles Street ?

— Ce n'est pas possible. Il y a des gardes fixes en permanence dans la rue. Au moins trois, jour et nuit.

— Rien de précis dans ses déplacements ?

— On n'a pas encore pu établir une régularité ni un horaire précis. Il a l'air de venir et de partir sans programme bien défini.

— Et du côté des nanas, rien de spécial, pas d'endroit particulier où il trempe habituellement son biscuit ? demanda Giuseppe avec un pétillement macho dans les yeux, indiquant une certaine communion d'esprit au-delà des races et des conflits idéologiques.

Toni s'esclaffa.

— Ah ! ça, les bonnes femmes, ça ne manque pas chez lui ! Mais elles viennent toutes à Charles Street. Pas le style à les sauter ailleurs.

— Et si on en kidnappait une pour la faire parler ? demanda Giuseppe.

Les yeux de Benedetto brillèrent d'une lueur sadique.

— Ce serait une bonne idée. Je m'en chargerais volontiers.

— Non, au fond, ce serait trop dangereux. Si elle disparaissait trop tôt, cela pourrait mettre la puce à l'oreille aux hommes de Lewis.

— Giuseppe, si tu le permets, je pourrais m'occuper des quatre types qui viendront. A ce qu'il me semble, je suis le mieux qualifié pour leur apporter toute l'aide et les informations nécessaires.

Giuseppe ferma les yeux un instant. Il comprenait parfaitement le dilemme de Toni. Peut-être qu'à sa place, dans une situation semblable, il se

1. Capables de percer le métal.

serait aussi élevé contre la décision du consigliere. Mais, d'un autre côté, si l'organisation voulait assurer sa pérennité, il fallait de la discipline. Toni était un brave type, travailleur, dévoué, mais tête folle. Il valait mieux laisser faire cette sale besogne par l'un des hommes de l'équipe. Pas par son chef, ce n'était pas un travail pour lui. Et puis, si ce qu'on disait sur la triade qui cherchait à s'implanter à New York était exact, cela risquait de barder. Si, a posteriori, on arrivait à remonter la filière ? A vrai dire, Giuseppe pensait que Toni et son équipe ne comptaient pas. Quelle importance pouvaient-ils avoir ? Ils étaient remplaçables, comme tant d'autres despotes locaux. Le plus important était ailleurs. Si le meurtre de Lewis venait à être imputé à l'équipe de Toni et s'il était vrai que la Brotherhood of Blacks était protégée par des Chinois, alors tôt ou tard ils chercheraient à se venger et ils risqueraient de remonter jusqu'à Carmine Street.

Giuseppe reprit du vin. Non, il ne se sentait pas encore prêt à mourir. Pas pour des Noirs ou des Chinois, ou pour un imbécile comme Benedetto.

— Ecoute, Toni, dit-il en posant la main sur celle de son lieutenant. Il vaudrait mieux pour nous tous que tu ne trempes pas directement là-dedans. N'as-tu pas plutôt pensé à l'un de tes hommes qui pourrait accompagner les types, du moins au début ? De façon discrète, jusqu'à ce qu'ils sachent se débrouiller seuls ?

— Si je ne peux pas le faire, je crois que Mario Tenebro serait le mieux qualifié. J'ai besoin de Luigi Mascaro ces temps-ci. Oui, je crois que Mario fera l'affaire.

— O. K. ! A propos, j'ai entendu dire que vous aviez fait de la casse récemment, à Grand Street, je crois. Que s'est-il passé ?

— Oh ! le patron d'un restaurant italien, « Chez Gino's ». Il ne voulait plus payer sa quote-part, il disait que ses affaires ne marchaient plus très bien. On lui a cassé une jambe. Il a eu de la chance qu'on ne lui casse pas les bras. Tu t'imagines, quel toupet !

— Oui, c'est un signe des temps, Toni. Le respect, ça se perd, et quand les gens commencent à le perdre, c'est la fin de tout. Si nous voulons survivre, il faut qu'ils continuent de nous respecter. C'est essentiel, tu ne crois pas ?

— C'est sûr ! Si ça n'avait tenu qu'à moi, je l'aurais volontiers tué, mais un commerçant mort, ça ne rapporte plus rien, hélas ! Et puis, avec le FBI au cul, certaines choses que nous pouvions nous permettre auparavant ne sont plus possibles aujourd'hui, philosopha Toni en parfait stratège.

Son visage se figea. Pas à cause de ce stupide commerçant italien. Non, il revit Angela avec un WASP[1] de la plus belle espèce. Quelle sale tête avait ce type ! Il l'aurait bien buté. Et de quelle façon arrogante il l'avait regardé dans la glace ! Toni en avait le sang qui bouillait. Ce soir-là, d'ailleurs, pour se venger, il avait sodomisé une de ces petites garces de manière si brutale qu'il en avait eu mal à la verge pendant trois jours. « Putain d'Angela Cas-

---

1. « White Anglo-Saxon Protestant »: Anglo-Saxon protestant blanc. Prototype et fondement de la société américaine, il appartient à la classe dominante, haïe par les minorités ethniques.

sano », pensa-t-il, regrettant le jour où il avait posé les yeux sur elle pour la première fois.

— O.K. ! Toni, tout est en ordre. Alors, ce sera Tenebro ?

— Oui.

— Encore une chose. Il vaudrait mieux que cette affaire ne traîne pas trop. Quatre types d'Atlantic City qui débarquent tout à coup à l'Edison, le FBI pourrait se pencher sur le problème et les faire suivre ...

— Oui, j'y ai pensé. Ils doivent agir au maximum dans les quatre ou cinq jours suivant leur arrivée.

— Exact. Bon, Toni, je te fais confiance. N'oublie pas que si ça foire, c'est ta tête qui est en jeu !

— Je sais. Mais ça ne foirera pas. Tu peux compter sur moi, tu ne le regretteras pas.

— Au revoir, Toni ! Bonne chance !

— Merci. Au revoir !

Giuseppe le regarda partir. Il ne savait pas ce qui se passait, mais depuis le début de cette affaire, il avait eu un pressentiment. Il ne parvenait pas à mettre le doigt sur ce qui clochait. « Trop sûr de lui », se dit-il. Il était convaincu que cela ne pouvait pas rater, donc cela ne raterait pas. Giuseppe s'en voulait d'avoir à traiter avec de tels cons, arrogants, imbus de leur petite puissance. Typiquement machos, ils avaient le zizi à la place du cerveau. Il se reversa du vin. « La vraie vie, pensa-t-il, la voilà, la véritable vie ! » Le reste, cela comptait à peine.

Ses yeux se perdirent dans le reflet d'un mur qui ne révélait qu'un pauvre décor miteux d'arrière-salle de restaurant italien. Déjà, il avait oublié Toni, le contrat et les soucis du moment. Une femme, bon Dieu ! Ce qu'il aurait donné pour en posséder une à ce moment précis !

IX

Le téléphone sonna. Robert Walker décrocha, puis tendit le combiné à Alfred Lewis.

— Allô ?

— M. Lewis ?

— Oui.

— Chen, ici.

— Oui.

— Dans une demi-heure, Washington Square.

— Mais ...

— Pas de mais, M. Lewis. Il y va de votre peau. Pas plus de deux gardes du corps avec vous.

— O. K. ! J'y serai.

Le pouvoir rendait mou. Quand il était marine, Lewis ne craignait ni Dieu ni diable. Mais depuis qu'il avait bâti son empire, le fait de ne pouvoir sortir qu'avec deux gardes du corps le rendait nerveux. Au fond, il haïssait Chen et ce qu'il représentait, l'emprise qu'il exerçait sur lui. De plus, il n'avait absolument aucune confiance en ce Chinois. Avant de quitter le quartier général de Charles Street, il ordonna à Robert de disséminer une dizaine d'hommes dans Washington Square.

Lewis vit Chen arriver vers lui, suivi à distance respectable par deux autres Chinois qui passaient leur temps à surveiller les alentours, la main droite négligemment posée dans la poche de leur veston. Chen et Lewis ne se serrèrent pas la main, mais ils marchèrent de concert, suivis à distance par les gardes du corps chinois et noirs.

— M. Lewis, j'ai du nouveau pour vous.

— Oui ?

— Quatre hommes sont arrivés d'Atlantic City dans la matinée. Ils sont descendus à l'hôtel Edison, près de Times Square. Voici leurs photos.

Chen sortit quelques photos de sa poche, qu'il tendit de manière nonchalante à Lewis. Celui-ci s'arrêta de marcher et les regarda attentivement. Elles avaient été prises au téléobjectif et les visages étaient parfaitement identifiables. « Des gueules de mafiosi », pensa-t-il. Evidemment, ils n'avaient pas posé. Les photos avaient été prises à l'improviste, mais Lewis admira le savoir-faire de l'équipe de Chen qui avait dû être chargée de la surveillance. Un instant, il se demanda même comment Chen avait pu savoir exactement le jour et l'heure de l'arrivée. Il était indéniable que ces photos avaient été prises à la sortie d'un terminal d'aéroport, mais Lewis ne parvint pas à déterminer s'il s'agissait de Newark ou de La Guardia. L'arrière-plan était un peu flou, mais les visages étaient nets. Il éprouva une sincère admiration pour Chen et sa bande. Il devait vraiment disposer d'une armée de coolies travaillant jour et nuit pour lui permettre d'obtenir de telles informations aussi rapidement !

— Monsieur Chen, je suis très impressionné par le professionnalisme de vos hommes. C'est remarquable. Quand je pense au travail exigé et au nombre de personnes impliquées !

Chen se permit un petit sourire modeste.

— Oui, je dois dire que mon équipe a accompli un très bon travail.

— Que faisons-nous maintenant ?

— Vous, monsieur Lewis, vous ne faites rien. Vous ne bougez plus à partir de maintenant. Vous restez dans votre quartier général et vous n'en sortirez que quand je vous appellerai au téléphone pour un nouveau rendez-vous, ici. Quant à nous, aucun problème. Dès que ces hommes ont posé le pied à New York, ils ont été filés. Ils seront surveillés vingt-quatre heures sur vingt-quatre. Quand le moment sera propice, nous frapperons.

— Que ferez-vous des corps ?

— Cela, c'est notre affaire. Mais nous laisserons un message qui sera clair pour les gens de la Mafia. Après cela, ils n'essaieront plus rien. J'en suis absolument convaincu et je m'en porte garant.

— Je l'espère, pour vous comme pour moi ...

— Monsieur Lewis, je vais vous dire quelque chose.

Chen se pencha vers lui, comme s'il désirait s'alléger d'un gros secret. Puis il reprit :

— Il ne suffit pas de tuer l'adversaire. Il y a la manière, la méthode employée, ce que l'on fait des corps. Il y a un langage de la mort comme un autre de la vie. Les interprétations en sont parfois ardues, mais dans le cas qui nous concerne, le message sera net et parfaitement saisi par la Mafia !

Lewis frémit. Il n'aimerait pas se retrouver livré à ce Chinois. Il ne put s'empêcher de se remémorer certaines des scènes atroces qu'il avait vues au Viêt-nam.

— O. K. ! Merci, monsieur Chen, pour tout ce que vous avez fait pour moi ...

— Il faut s'entraider entre amis ! répondit Chen d'un ton volontairement énigmatique. Mais ses yeux étaient restés froids, distants, supérieurs.

Ils se serrèrent la main et se séparèrent. Chen partit le premier. Bientôt, accompagné de ses deux gardes du corps, Lewis regagna la limousine, où Walker l'attendait.

X

Mario Tenebro n'avait pas un quotient intellectuel très élevé. Il était le symbole même de celui que les intellectuels de la côte est auraient qualifié de « plodder », c'est-à-dire un piocheur. Par nature, et surtout par la grâce d'un mystère génétique, il était un suiveur, un impérissable « yes-man », un exécutant.

Il était né en Calabre en 1953. Mais grâce à un cousin éloigné qui avait vécu et travaillé un certain temps aux Etats-Unis, la famille Tenebro s'était retrouvée à Long Island par un matin glacial de février 1957. Une simple famille d'immigrants composée de huit membres, à la recherche d'une vie meilleure. Quelques gouttes insignifiantes de la vague de fond qui déferla alors sur la côte est des Etats-Unis, conséquence directe d'une guerre qui avait ravagé l'Europe, détruit ses industries et ses perspectives d'avenir.

Quand l'heure sonna, Mario choisit de devenir citoyen américain. Il prononça les paroles du serment : « Je jure par la présente que je renonce à et que j'abjure de façon absolue et complète toute allégeance à n'importe quel prince, potentat, Etat ou souveraineté étrangers, que je défendrai et supporterai la Constitution et les lois des Etats-Unis d'Amérique ... »

De cette époque, d'ailleurs, datait la dualité qui existait en Mario. S'il était devenu citoyen des Etats-Unis, sa véritable allégeance provenait d'un serment qu'il avait prêté bien avant celui qui était requis de toute personne désirant la naturalisation. Car un jour Mario était devenu membre à part entière de la Cosa Nostra. Il avait juré de respecter l'honneur et le code de l'organisation, de se plier à la dure loi de l'omerta. Dans sa jeunesse, il avait pu voir agir ces princes de la cité. Leur pouvoir, leur arrogance, leurs voitures, leurs femmes, leur richesse avaient exercé une véritable fascination sur lui et étaient devenus un pôle d'attraction pour ce petit Calabrais fraîchement immigré. Il s'était arrangé pour être pris en charge par un lieutenant de la Mafia, qui le présenta et lui apporta son soutien pour sa candidature. Mario fut initié peu après, à dix-sept ans. A la suite de quelques besognes musclées, il fut affecté à l'équipe de Toni Benedetto.

Aujourd'hui, à vingt-deux ans, Mario Tenebro avait atteint le sommet de sa carrière. Quand Toni lui avait appris qu'il avait été désigné pour accueillir les quatre soldati d'Atlantic City, qu'il serait chargé de les accompagner et de les aider au début de leur séjour à New York, Mario avait été affolé. Jamais il n'avait eu une telle responsabilité ! Il s'était demandé s'il parviendrait à s'acquitter convenablement de cette tâche. Il y avait tant de choses auxquelles il devrait penser ! Les armes, les rendez-vous, la surveillance, les voitures, les filatures. Les alibis si ça tournait mal. Les témoins pour les faux alibis. La police, le FBI.

Pourtant, Toni l'avait rassuré en lui disant que le consigliere en tiendrait sûrement compte si tout se déroulait parfaitement ... « Et si ça tourne mal ? », avait-il demandé à Toni Benedetto, un peu craintivement. Le lieutenant n'avait rien dit. Ça retomberait sur sa pomme. Evidemment ...

Au volant de la GM, Mario transpirait déjà. C'était l'affluence du dimanche soir et la 7e Avenue était bondée, comme si tous les New-Yorkais de sortie avaient décidé d'aller en même temps à Greenwich Village ou, comme eux, à Chinatown. Cela faisait vingt-six heures que l'équipe d'Atlantic City avait entamé la surveillance du quartier général de Lewis à Charles Street et ce foutu Noir n'était pas sorti une seule fois de sa bicoque !

Derrière lui, dans la spacieuse voiture, un modèle de 1974, Pennili, DiPalma et Marino étaient assis, un peu à l'étroit tout de même. A côté de lui se trouvait Pizzo.

Sans en référer à personne, Mario Tenebro avait jugé que les hit-men[1] avaient besoin d'un peu de détente avant de remplir leur contrat. Il avait donc décidé qu'ils iraient manger ensemble. Pour ne pas éveiller les soupçons, Mario avait choisi un restaurant cantonais de la Mulberry Street, près du Parc Columbus, à Chinatown. Il s'était dit que, s'ils étaient eux-mêmes surveillés par des hommes de Lewis, cela se remarquerait rapidement dans Chinatown. Une gueule de Noir s'y verrait aussi facilement qu'une gueule de Blanc à Harlem ! Il avait ri à l'idée d'une bande de Noirs dans Mulberry Street ! Quant au restaurant, il y était déjà allé à plusieurs reprises.

Paradoxalement, malgré l'heure tardive et la foule qui se pressait dans les rues de Chinatown, ils trouvèrent assez rapidement un endroit où garer la voiture. Mario vérifia personnellement si toutes les portières avaient été verrouillées. Il prit les devants pour les emmener jusqu'au local, car aucun des quatre types n'était jamais venu dans ce quartier. Ils marchaient derrière Mario Tenebro, un peu mal à l'aise. D'habitude, de simples mafiosi comme eux n'aimaient pas beaucoup évoluer dans un environnement étranger. De plus, leur « leader », Frank Pizzo, rageait car cet imbécile de Tenebro leur avait interdit de prendre une arme ce soir. Frank avait failli s'opposer à ce choix, comme au choix de Tenebro d'aller manger dans un restaurant chi-

1. Tueurs à gages.

nois de Chinatown. Il avait reçu des instructions précises de son capo d'Atlantic City : faire le job proprement et rapidement, se faire voir le moins possible à New York et repartir illico une fois le hit accompli. Mais chez les trois autres, il avait deviné l'envie d'aller bouffer dans ce fichu restaurant chinois. Le plus acharné avait été Marino, qui était également le plus jeune, le plus inexpérimenté et ... le plus con de la bande. Il aurait pu leur ordonner de ne pas y aller, mais il avait fini par céder. Pour leur faire plaisir. Egalement parce qu'ils devaient encore travailler ensemble et qu'il était inutile de semer la discorde dans l'équipe. Mais cette décision le tourmentait.

Frank avait compris la nécessité de ne pas prendre d'armes. Ce serait bête de se faire pincer par les policiers de New York pour port d'arme sans permis. Ce qui le dérangeait vraiment, c'est que seul Mario Tenebro en avait pris une. Mario Tenebro la lumière. Il ne lui avait pas fallu longtemps pour conclure que Mario était encore plus stupide que Marino.

Sans être particulièrement raciste, Frank n'aimait pas beaucoup les Chinois. Ils ne lui inspiraient aucune confiance. Et ici, à Chinatown, il se sentait inquiet ce soir, sans pouvoir avancer une raison précise. Un pressentiment, tout simplement.

Les places qui leur avaient été allouées se trouvaient dans la salle du premier étage. Dès l'entrée, dès le moment où les odeurs de cuisine avaient assailli ses narines, Frank Pizzo s'était senti quelque peu rasséréné. Il avait jeté un coup d'œil de professionnel autour de lui, évaluant les risques que pouvaient faire courir à son équipe les autres clients. Il y avait peu de Blancs non accompagnés — à cause de cette peur éternelle du FBI et des agents « branchés » — et aucun Noir. La salle de l'étage était presque pleine, et Frank constata qu'une table contre un mur semblait leur être promise. Il eut envie de demander à Mario s'il l'avait réservée. Mais il se retint, se faisant la réflexion qu'il devenait franchement paranoïaque sur ses vieux jours.

Ils s'assirent. Frank s'arrangea pour obtenir une place avec le dos au mur. Il examina attentivement la clientèle mais fut vite rassuré quand il constata que la majorité des clients étaient asiatiques, sans qu'il eût pu dire s'ils étaient Chinois ou originaires d'autres pays.

Mario Tenebro commanda un apéritif maison pour tout le monde, ensuite chacun se plongea dans la lecture du menu. Après quelques minutes d'hésitation, de fous rires et de réflexions teintées d'un racisme exacerbé — « pourquoi tous les Chinois doivent-ils numéroter tous leurs plats ? parce qu'ils ne savent pas lire, hi, hi, hi !» —, ils firent leur choix.

Ils avaient terminé leur potage et déjà certains allumaient une cigarette lorsque leur attention fut attirée par des bruits de voix. Bien que les propos fussent en chinois, leur dureté aurait pu faire penser à une altercation. Ils regardèrent tous vers la porte.

Des Chinois accoutrés de façon bizarre entrèrent en gesticulant et en parlant très fort. Frank Pizzo devina un danger et ses muscles se raidirent, prêts à la bagarre. Du coin de l'œil, il aperçut un mouvement sur la droite, mais avant même qu'il eût pu se détourner, il vit la tête d'Arthur DiPalma se désintégrer sous le coup d'une explosion soudaine qui éparpilla du sang sur la nappe, tandis qu'il sentait l'impact de plusieurs balles lui pénétrer le corps. Avant d'avoir pu comprendre, il mourut, son visage percutant le bol de soupe chinoise et le brisant.

John Chu fit signe à ses hommes d'arrêter de tirer. Quelques pistolets-mitrailleurs Uzi et MAC-10, 9 mm, automatiques et équipés de silencieux, avaient réglé le problème en moins de cinq secondes. John Chu s'approcha de l'un des mafiosi, qui agonisait. Il lui colla le canon du revolver de calibre 38 sur la tempe et appuya sur la gâchette. La tête de Mario Tenebro cracha son sang et ses matières grises, qui rejoignirent la fange de meurtre qui avait envahi la table des cinq Italiens.

Une dizaine de Chinois se mirent à travailler rapidement sous la surveillance de John Chu. Certains étaient descendus en vitesse puis remontés avec des body bags[1] réglementaires de l'armée américaine. Ils placèrent les cadavres dans les sacs verts et descendirent au rez-de-chaussée. En moins de deux minutes, la salle de l'étage avait été vidée des corps. Il ne restait plus que des débris et des traces de sang. En bas, cinq hommes de Chu tenaient en joue les clients, le patron et les serveurs à l'aide de fusils d'assaut automatiques Armalite AR-18, à crosse repliée, également équipés de silencieux.

Devant la porte d'entrée, une camionnette d'un vert criard, garée en double file et sur laquelle étaient inscrits en lettres blanches les mots LAUNDRY - FAST SERVICE[2] , démarra dès que le dernier sac eut été placé à l'intérieur. Les hommes de Chu restèrent encore dans la salle du rez-de chaussée après le départ du véhicule, l'un d'eux surveillant attentivement la rue. Sur un signal « bipé », quatre hommes sortirent du restaurant l'un à la suite de l'autre, le cinquième les couvrant et sortant ensuite lui-même en marche arrière, tout en gardant son AR-18 braqué vers les clients.

A peine le dernier tueur parti, le patron du restaurant aboya des ordres en cantonais. En deux minutes, quelques serveurs avaient fait disparaître toute trace du massacre. Quant aux clients, le patron n'y attacha pas tellement d'importance. Comme lui, la grande majorité d'entre eux étaient Chinois, ils ne parleraient pas. Les rares Blancs, eux, croiraient à un hold-up particulièrement spectaculaire.

Un moment, le patron se demanda qui avait bien pu ordonner une telle tuerie dans son restaurant et quelle avait pu en être la raison. Il ne connaissait aucun des hommes. S'agissait-il de l'une des triades qui contrôlaient Chinatown ? Mais pourquoi se serait-elle attaquée à des Blancs ? Les tueurs étaient de toute façon bien trop âgés pour faire partie des Ghost Shadows, qui terrorisaient Chinatown.

---

1. Sacs en matière plastique dans lesquels on place les corps de personnes décédées. En usage dans l'armée américaine et dans certains services civils.
2. Blanchisserie — Service rapide.

Brusquement, Ko Fuk-li eut des sueurs froides. En tant que propriétaire d'un restaurant, il souhaita qu'il ne s'agît pas là d'une nouvelle triade cherchant à s'implanter à Chinatown. Car cela pourrait déboucher sur une guerre ouverte entre les tong. Et, tôt ou tard, le commerce en pâtirait.

Dix minutes après, la salle de l'étage ne laissait plus rien transparaître du meurtre. La seule note discordante, c'est que le restaurant était presque vide ...

Deuxième partie

Un temps pour tuer

Il y a un moment pour tout et un temps
pour toute chose sous le ciel.

Ecclésiaste, 3-1

Un temps pour tuer,
et un temps pour guérir,
un temps pour détruire,
et un temps pour bâtir.

Ecclésiaste, 3-3

XI

Toni Benedetto enfila sa chemise puis son pantalon, noua sa cravate et mit son veston. Avant de sortir, il se peigna, retourna dans la chambre à coucher, se pencha au-dessus du lit et planta un bisou sonore sur la joue de Lucy.

La fille ouvrit un œil, sourit béatement, puis retomba dans sa léthargie post-coïtale. Toni lui caressa les cheveux avant de la quitter. Les premiers rayons de soleil commençaient à atteindre Manhattan et à illuminer la pièce.

Lucy était blonde, vaporeuse et pulpeuse. Une usine à plaisir. Toni l'avait baisée sept fois au cours de la nuit. Son scrotum lui donnait l'impression d'avoir été vidé de toute substance et sa verge semblait avoir été passée au bain-marie. Il n'aurait jamais cru cela possible. Sept fois en une nuit ! Ces WASPs étaient drôlement plus percutantes que les Italiennes ! Pas étonnant que leurs maris fassent de la politique ou travaillent pour le FBI, la CIA, la police ou la NASA ! A rester sagement à la maison, ils mourraient d'infarctus à trente ans avec des épouses pareilles !

A regret, il quitta le sanctuaire du plaisir, abandonna le superbe corps et sortit de l'appartement. En attendant l'ascenseur et en tapotant le mur d'impatience et de gaieté, il pensa à la semaine qui s'annonçait. Dure ! Bientôt Lewis aurait disparu de la circulation, et c'est alors que le cirque commencerait. Tous les hommes de son équipe devraient porter une arme en permanence et éviter de se pointer seuls dans la rue. Un fameux casse-tête en perspective !

Toni parcourut les quelques centaines de mètres qui le séparaient de sa Pontiac, savourant la tiédeur de ce matin de juin qui s'annonçait radieux. La 2e Avenue était presque déserte à cette heure-ci. Quand il arriva à sa voiture, il en fit le tour. Tout paraissait normal. Il ouvrit la portière et s'installa au volant. Plutôt que de faire demi-tour, il tourna à gauche, emprunta la 49e Rue et descendit Lexington Avenue. Il arriva rapidement à Grand Street.

Il se gara à quelques dizaines de mètres de la maison. Il verrouilla la portière côté conducteur et, sifflotant un air de Stevie Wonder, il marcha rapidement vers la porte, entra, puis gagna le troisième étage. Il entra dans l'appartement, passa au salon et jeta négligemment son veston sur le rebord d'un fauteuil.

Il regarda l'heure : cinq heures vingt-cinq. Cela ne valait presque plus la peine de se coucher. D'autant plus qu'il devait prendre contact avec Mario Tenebro. Les quatre types avaient-ils déjà réussi à tuer Lewis ?

Le poids de sa vessie l'indisposa. Il se rendit à la salle de bains, alluma et se dirigea vers la cuvette tout en ouvrant sa braguette.

Il était prêt à libérer le flot d'urine quand, tout à coup, sa vision périphérique lui apporta une image insolite. Il tourna la tête vers la gauche et, devant le spectacle, un jet de bile brûlant et acide lui emplit la bouche. Il tomba à genoux et vomit sur le carrelage. Des spasmes secouèrent son corps à tel point que les yeux lui piquèrent et qu'il en eut les narines en feu. Il se redressa, observa la baignoire, et eut un nouvel accès de vomissements. Enfin, il sortit de la pièce, comme fou. Il prit ses clés et courut jusqu'à la cabine téléphonique la plus proche pour composer le numéro de Giuseppe.

La voix endormie d'une femme répondit. Elle lui passa Giuseppe.

— Giuseppe ! C'est Toni. Prends ta voiture et viens chez moi ! C'est urgent !

— Toni, quelle heure est-il ? Cinq heures et demie. Bordel de merde, tu déconnes ou quoi ?

— Ne perds pas une seconde ! C'est de la plus haute importance !

— Tu es sûr ? Tu es soûl ou quoi ?

— Non, je te dis de venir immédiatement !

— O. K. ! J'arrive.

Toni reposa le combiné et sortit de la cabine. Il regagna son appartement, toute idée de siffloter oubliée à jamais. Même Lucy avait disparu de ses pensées, remplacée par la vision de cauchemar de la salle de bains. De retour dans le salon, il alluma la radio et se servit une dose de scotch à réveiller un jeune marié après sa nuit de noces — avec une WASPs. D'une main tremblante, il prit une Camel, l'alluma, aspira la fumée, la retenant dans les poumons, comme si cet acte pouvait soulager la douleur mêlée de colère et de haine, la touffe de sentiments épars, contradictoires et parallèles qui le submergeait. Jamais jusqu'à ce matin, il ne s'était senti aussi petit, aussi faible, aussi vulnérable. Et seul dans cet appartement, il avait peur.

Au bout de vingt-cinq minutes, la sonnerie retentit. Toni se leva et actionna la commande automatique d'ouverture de la porte. Giuseppe entra, salué par un Toni encore blême. Deux gardes du corps, Max DiMaggio et Gino Vitali, suivaient. A la mine interloquée de Giuseppe et à sa question muette, Toni répondit en indiquant la porte de la salle de bains. Giuseppe fit signe à Gino qui entra dans la pièce et en ressortit moins de cinq secondes plus tard, le visage blafard, les yeux exprimant une frayeur contagieuse. Il voulut parler, il ouvrait déjà la bouche pour le faire, mais un jet de liquide jaunâtre en sortit brusquement, éclaboussant le tapis et ses chaussures.

Giuseppe jura et, en quelques pas, fut à son tour dans la salle de bains. Il y resta infiniment plus longtemps. Toni s'était levé et, dans un sursaut de courage, décida de revenir examiner la baignoire. Giuseppe était au milieu de la salle de bains, livide mais maître de lui. Toni scruta les têtes. Il reconnut celles de Frank Pizzo et de Joe Marino d'après les photos qu'il avait reçues auparavant. Les autres étaient méconnaissables. Dans chaque bouche, une espèce de saucisse gluante avait été enfoncée. Toni compta cinq têtes mais il ne parvint pas à identifier celle de Mario Tenebro. Mario qu'il avait envoyé à la mort ! Il réprima bruyamment un sanglot. Giuseppe se tourna vers lui et le regarda d'un air perplexe.

Toni s'en voulut d'avoir embarqué Mario dans cette affaire. Sa peur, peu à peu, se métamorphosait en une colère folle mais impuissante. Il réalisait que les types de Lewis avaient non seulement tué cinq hommes de la Cosa Nostra, mais avaient aussi eu le culot de venir dans son appartement déposer les cinq têtes. Dans l'appartement de Toni Benedetto, lieutenant de Giuseppe Conti, membre de la famille Dipensiero ! Un outrage qui ne pourrait être lavé que par le sang !

Giuseppe et Toni retournèrent dans le salon. Gino était assis dans un fauteuil. Son visage était blanc et il transpirait abondamment. Il avait un regard fixe, hébété, en état de choc. Giuseppe se laissa tomber dans un fauteuil, fit comprendre à Toni qu'il désirait boire quelque chose. Toni apporta la bouteille de Johnnie Walker et trois verres, les remplit et les distribua. Il remplit également le sien.

— Holy shit[1] ! tonna Giuseppe. De toute ma carrière, je n'ai vu une chose pareille !

— Giuseppe, qu'allons-nous faire ? demanda Toni d'une voix sous laquelle sourdait la colère.

— Nous allons nous rendre chez le consigliere, Toni. D'abord je donne un coup de fil.

Giuseppe se leva, forma rapidement le numéro et attendit. Quand on décrocha, il dit simplement :

— Roberto ? Giuseppe, ici. Dans deux heures chez toi, c'est urgent !

— O.K. !

Il raccrocha et se tourna vers les trois hommes.

— Bon, préparez-vous, les gars. Toi aussi, dit-il, s'adressant directement à Toni. Tu n'aurais pas un grand sac en plastique pour qu'on prenne les ... les ... les têtes avec nous ? Cela ne sert à rien de les laisser traîner ici, et je suppose que nous n'allons pas déposer plainte à la police, non ?

Toni chercha vainement dans l'appartement mais il ne trouva rien dans le genre. Il dénicha seulement des sacs de free shop. Giuseppe donna l'ordre à Max, qui semblait avoir le mieux résisté au choc de l'atroce découverte, de ramasser les têtes et de les placer dans les sacs. Toni trouva quelques essuie-mains qu'il tendit à Max afin qu'il puisse y emballer les têtes. C'était d'autant plus nécessaire que certains sacs étaient presque transparents ...

1. « Sainte merde ! »

Ils sortirent de l'appartement. Quatre hommes à la mine figée, chacun tenant un sac de free shop, à l'exception du dernier à sortir qui, lui, en avait un dans chaque main ...

L'atmosphère de la salle de conférences était empuantie d'odeurs de tabac. Roberto Rinaldi s'était placé devant la grande baie vitrée et il en avait oublié l'existence des autres. Au-delà, il apercevait le jeu des vagues, le tourbillon de l'eau et les fines particules de sable qui virevoltaient dans l'air. Il aurait préféré ne pas devoir réfléchir en ce beau jour de juin. Il s'imaginait prenant sa pension et abandonnant les affaires de la Famille alors qu'il était encore temps. Avec l'argent qu'il avait placé aux Etats-Unis et dans différentes banques à l'étranger, il pourrait mener une vie agréable de rentier à Miami, aux Bahamas, voire à Monte-Carlo. Il aurait aussi préféré pouvoir baiser les nanas à son aise, sans être réveillé à six heures du matin, un lundi de surcroît ! Et maintenant ça !

Les cinq têtes avaient été retirées des sacs en polyéthylène et placées sur une couverture dans l'un des garages de la villa. Roberto s'était forcé à les regarder. Il s'était accroupi devant chacune d'elles et avait pris le temps nécessaire pour les examiner, car il allait devoir rendre des comptes tout à l'heure, au boss tout d'abord, à la famille d'Atlantic City ensuite.

Quand il avait regardé les têtes et les pénis qui ornaient les bouches, il n'en avait pas été malade. Il était au-dessus de ces simples faits matériels. Immédiatement, son cerveau s'était activé, et il avait pensé aux implications et aux représailles possibles. L'idée d'une guerre ouverte le terrorisait, comme elle terroriserait certainement la famille Dipensiero et la commission des six familles si ce problème devait être soulevé.

Tout à l'heure, quand Benedetto serait parti, il devrait parler à Giuseppe. Il n'y avait pas à s'y tromper. Cette façon de tuer et de laisser un message dans l'appartement même d'un lieutenant de la Cosa Nostra, ce n'était pas une façon de travailler des Noirs. La bande à Lewis aurait tué les cinq hommes et les aurait abandonnés sur place. Non, ce quintuple meurtre portait une signature : les Chinois. C'était certainement l'œuvre de la triade qui soutenait Lewis et qui cherchait à s'implanter sur le territoire de Benedetto. Son but ultime ne serait-il pas la prise de pouvoir de Chinatown ? Ces têtes coupées et ces pénis, cela ne sentait-il pas l'Asie à plein nez ?

Roberto soupira. La Famille n'était pas en état de soutenir une guerre, et certainement pas contre une triade chinoise. De Lewis, il ne tenait pas compte. Il n'était pas dangereux. Un simple pion, facile à éliminer. De plus, la Brotherhood of Blacks ne disposait pas de beaucoup d'hommes. Une autre pensée lui était venue en examinant les têtes : il devait y avoir un espion dans l'équipe de Benedetto. Plus il y pensait, plus il en était convaincu. Les Chinois avaient dû être prévenus de l'arrivée du team d'Atlantic City et les hommes avaient été suivis pas à pas. Qu'ils aient été tués tous les cinq prouvait qu'il y avait eu une erreur dans la façon d'aborder le problème. Mais, sans les corps, il serait difficile de déterminer dans quel laps de temps ils avaient été exécutés. Etaient-ils ensemble au moment du meurtre ? Et où celui-ci avait-il été commis ?

Roberto alluma un nouveau cigare, tout en se faisant la réflexion que ce devait bien être le cinquième depuis le matin. A travers le jeu des vagues, il cherchait la solution. Car c'était l'évidence même : dans la Famille, c'est à lui qu'incomberaient les remèdes et leur application. Les autres ne se mouilleraient pas. Ils le laisseraient macérer dans la mélasse jusqu'à ce qu'il s'y noie ! Roberto ne se faisait pas d'illusions. Gino Dipensiero, le boss de la Famille du même nom, était trop vieux et désormais inefficace.

Tout comme les Chinois, les membres de la Famille n'aimaient pas perdre la face. La question de l'honneur restait l'une des pierres angulaires de la doctrine et des affaires de la Cosa Nostra. De plus, vis-à-vis de la famille d'Atlantic City, il faudrait payer, de toute manière, et pas seulement avec de l'argent. Il faudrait que la famille Dipensiero fournisse les auteurs du meurtre. Ce qui posait un problème. Si Rinaldi mettait en cause les Chinois, on lui demanderait la tête du responsable. Cela voulait dire qu'il faudrait s'attaquer à une triade tout entière ! Hors de question, surtout actuellement ! S'il présentait la chose comme étant l'œuvre d'Alfred Lewis, peut-être que seule sa sale face de Noir suffirait. Quant aux conséquences du meurtre de Lewis, Roberto préférait ne pas y penser. Qui pourrait s'attaquer à Lewis ? Il était absolument exclu qu'un membre de la Famille ou l'un des soldati s'attelât à la tâche.

L'idée d'un outsider germa en Roberto et s'y installa de manière durable. Un sourire orna ses lèvres. Pour la première fois depuis qu'ils étaient arrivés ce matin avec leurs fichus sacs de free shop, il se sentit un peu mieux. Se tournant vers les hommes attablés à la grande table de la salle de conférences, il décida de ne pas faire un aparté avec Giuseppe. Avec le temps, il devenait méfiant ! Il avait le sentiment que la fuite provenait de l'équipe de Benedetto, mais au fond il n'en était pas sûr. Elle aurait pu provenir de l'équipe du capo. On voyait de tout actuellement. Pourquoi pas des mafiosi à la solde des Chinois ?

— Giuseppe et toi, Toni, dit Roberto, vous pouvez rentrer chez vous. Je vais me rendre chez les Dipensiero et j'y ferai rapport. Je vous rappellerai quand il y aura du neuf.

— En attendant, consigliere, que devons-nous faire ?

— Que veux-tu dire, Toni ?

— S'il y a encore des pushers de Lewis qui viennent dans mon territoire ...

— Ne fais rien, ni contre Lewis ni contre quiconque, avant que j'aie parlé avec le conseil de famille. D'accord ?

Giuseppe et Toni accusèrent le coup mais inclinèrent légèrement la tête en signe d'assentiment. A tour de rôle, ils saluèrent le consigliere, ensuite ils remontèrent dans leurs voitures et prirent la direction de Manhattan.

Roberto appela Russo et lui demanda de prendre des photos des têtes, ensuite de s'en débarrasser afin qu'elles demeurent à jamais introuvables.

Faire un enterrement avec uniquement la tête dans le cercueil était impensable, surtout dans une famille italienne. De plus, quel était le médecin, même à la solde de la Famille, qui aurait établi un certificat de décès sur la base d'une tête sans corps ?

En soupirant, le consigliere se dirigea vers le téléphone afin de prendre rendez-vous avec le boss.

Pour le week-end, la famille Dipensiero s'était retrouvée dans la spacieuse villa d'été située à Staten Island, entre Tomkinsville et Stapleton. Cette imposante demeure se trouvait dans un parc de près de trois hectares, et la propriété avait vue sur l'extrémité sud de Brooklyn, tandis que sur la gauche, on pouvait apercevoir Manhattan. Famille italienne typique, les Dipensiero voyageaient en bloc, la tribu tout entière séjournant soit à Brooklyn, soit à Staten Island. Comme le temps clément incitait déjà au farniente et aux week-ends prolongés, les Dipensiero passaient de plus en plus de temps aux abords de la plage.

Ce lundi, alerté par l'appel téléphonique du consigliere, le patriarche, Gino Dipensiero, avait ordonné à ses hommes de rester à Staten Island en attendant que Roberto Rinaldi vienne, probablement en début d'après-midi. Aussi les trois fils Dipensiero, Alex, Frank et Robert, ainsi que les deux beaux-fils, Felice Caro et Johnny Pizzula, s'étaient morfondus. Mais aucun d'eux n'avait élevé la voix ni proposé de rejoindre Manhattan ou Brooklyn par ses propres moyens.

De plus en plus souvent, Gino déléguait les questions de gestion quotidienne à Frank, qui semblait bien placé pour lui succéder. Gino pouvait se targuer d'avoir un casier judiciaire vierge. L'IRS n'avait pas encore réussi à l'inculper pour la moindre évasion fiscale. Ce n'était pas faute d'avoir essayé. Le FBI n'avait pas fait mieux. Les membres de la famille Dipensiero entretenaient d'ailleurs les meilleurs rapports avec ses agents chargés de les filer ou de les surveiller. Que ces agents, discrets et raffinés, fussent « en civil » ou habillés en employés du téléphone, on avait toujours un geste ou un mot gentil à leur égard, et on allait même parfois jusqu'à leur offrir un repas. Ils faisaient leur travail honnêtement et les membres de la Famille Dipensiero faisaient le leur, tout aussi honnêtement ... Et puis, il fallait admettre que parfois ce n'était pas facile de faire le guet douze heures d'affilée par moins vingt degrés ou par plus trente-cinq !

Tous, pourtant, n'étaient pas aussi heureux que Gino. L'un de ses fils, Alex, et plusieurs capi avaient déjà fait de la prison. Ils avaient purgé leur peine en silence, inculpés le plus souvent d'évasion fiscale ou de port d'arme prohibé. Ensuite, ils s'étaient réinsérés dans le circuit aussi silencieusement qu'ils l'avaient quitté. La prison était l'un des risques du métier. Le danger ne résidait pas tellement dans des actes de haute criminalité, mais provenait plutôt du simple fait de devoir blanchir à longueur d'année des sommes faramineuses.

Cela exigeait un travail comptable de haute volée, des personnes très qualifiées et un combat contre une peur continuelle. D'ailleurs, s'ils avaient voulu s'assurer contre l'éventualité de mourir de mort violente, les membres mâles de la famille Dipensiero auraient certainement obtenu des tarifs préférentiels de la part des compagnies d'assurances. Sur le plan de la science de l'actuariat, leurs chances d'être abattus dans le cadre de leurs actions criminelles étaient inexistantes. Mais s'ils avaient dû parier sur leurs chances d'être épinglés par le fisc, ils auraient eu quelques difficultés à trouver un bookmaker pour accepter leur pari.

Cinq ans auparavant, en 1970, Gino avait perdu l'un de ses fils, Joe. Celui qu'il considérait comme le plus brillant, le plus intelligent, était mort lors d'une rixe, pour une simple bousculade. Avant même que ses gardes du corps aient pu intervenir, Joe Dipensiero avait été poignardé et mourut sur le sol d'un bar de la 1re Avenue, perdant son sang tandis qu'autour de lui on se pressait afin de ne pas manquer le spectacle. A quelques mètres de lui, le type au poignard se retrouva avec une partie du cerveau plaquée contre le mur, résultat d'une balle de calibre 38 à tête de plomb qui était rentrée par la bouche et ressortie juste à la base de l'occiput.

Pour un père, perdre un enfant est un événement traumatisant, car ce drame annonce une rupture, une dysharmonie fondamentale. Gino souffrit de la mort de Joe. Mais sa femme, Maria, celle qui fut de tout temps la compagne parfaite, douce, attentionnée, en fut taraudée bien davantage. Elle ne survécut d'ailleurs que deux ans à la disparition de son fils.

Après cette catastrophe, Gino devint différent, acariâtre. Certains n'hésitaient pas à dire qu'il était devenu gaga. Plutôt que de s'occuper activement des affaires de la Famille, on le voyait le plus souvent jouer avec ses arrière-petits-enfants. Ce qui était assez insolite, car personne n'imaginait un Don de la Cosa Nostra à quatre pattes en train de japper en compagnie de trois joyeux moutards, le tout sous la surveillance attentive de quatre gardes du corps et de deux agents du FBI.

Un peu après quinze heures, le consigliere fut annoncé. Le conseil de famille se réunit dans la salle de conférences. Bientôt, Roberto Rinaldi fit son entrée dans la pièce, présenta tout d'abord ses hommages au patriarche, serra la main des fils, puis celle des beaux-fils.

Ils s'assirent. Six paires d'yeux se braquèrent sur Rinaldi. Au téléphone, il n'avait rien dit de l'objet de sa visite à Staten Island. Roberto était certes conscient de l'aspect théâtral de son entrée, mais ce qu'il avait à communiquer devait l'être sans plus tarder. Ensuite viendraient les discussions. Il ressentait une certaine angoisse, un creux au fond de l'estomac. Car au-delà de l'agitation bien naturelle due au fait qu'il était le messager des mauvaises nouvelles, il redoutait de se voir imputer la responsabilité de l'échec de l'opération contre Lewis.

En outre, il y avait l'honneur. La famille Dipensiero avait perdu la face vis-à-vis de celle du New Jersey, qui avait prêté ses quatre soldati pour ce contrat. Et nul ne pouvait prévoir la réaction de Gino. C'était de plus en plus difficile de traiter avec lui. Ses réponses, ses affirmations quelquefois gratuites étaient franchement déconcertantes. S'il se mettait en tête que son consigliere était responsable du fiasco, Rinaldi n'en aurait plus pour longtemps à tringler ses nanas. « Douce Heidemarie, que deviendrais-tu sans moi ? » songea-t-il. Il pouvait déjà s'imaginer, au choix : réduit en un bloc de béton au fond de l'Hudson River, concassé dans une Buick standard, désintégré à l'acide sulfurique, dépecé, emmuré vivant.

D'un geste décidé, Rinaldi ouvrit son attaché-case. D'une enveloppe de papier kraft il retira les photos que Russo avait prises le matin et les plaça délicatement devant Gino Dipensiero, qui les examina une à une. Ses traits s'étaient durcis. Frank et Robert examinaient les photos en même temps que leur père. Une colère froide, meurtrière s'était manifestée dans leur regard. Les photos firent le tour de la table et provoquèrent le même type de réaction chex Alex et chez les beaux-fils. Brusquement, une odeur de mort apparut dans la pièce, pour ne plus la quitter.

Gino fixa le consigliere droit dans les yeux. Plus aucune trace d'hésitation, il semblait même avoir rajeuni de quelques années. La colère avait donné quelques couleurs à ses joues, d'ordinaire plutôt blêmes.

— Roberto, comment est-ce arrivé ?

— Ce matin, Toni Benedetto, le lieutenant de Giuseppe, est entré dans son appartement un peu après cinq heures et il a découvert les têtes dans sa baignoire.

— Dans sa baignoire, chez lui ? s'exclama Gino d'un air incrédule..

— Oui, dans sa baignoire, dans son appartement.

— Je ne comprends pas !

— Moi non plus ! rétorqua Roberto. Nous ne savons pas au juste ce qui s'est passé. C'est Mario Tenebro, le bras droit de Toni Benedetto, qui avait été chargé d'accueillir les hommes et de les guider, de leur fournir des informations, des voitures et des armes. Nous ne savons strictement rien sur le lieu de ce meurtre, ni sur la manière dont il a été commis. N'oubliez pas, messieurs, que c'est là tout ce qui reste d'eux !

Le consigliere se tut. Les autres ne bronchèrent pas. Tous, sans doute, pensaient aux conséquences de la tuerie.

— Quelles conclusions en tires-tu, Roberto ? demanda Gino.

— Ma conclusion première, c'est que Lewis a un espion chez nous !

Les visages se crispèrent et un vent de rage souffla sur les six hommes qui lui faisaient face.

— Consigliere, dit Johnny Pizzula, pensez-vous qu'Alfred Lewis soit capable de faire tuer des soldati d'une telle façon et d'introduire les têtes dans l'appartement d'un responsable ? Cela ne semble pas être une méthode de travail des Nègres. C'est bien trop sophistiqué pour eux !

Johnny Pizzula, qui avait épousé Teresa Dipensiero, la fille cadette, n'était pas un homme à dédaigner. Diplômé de l'Université de Notre-Dame en Indiana et de l'US Naval Academy d'Annapolis dans le Maryland, il avait été nommé lieutenant et avait combattu au Viêt-nam. Il portait encore avec fierté sa bague de diplômé d'Annapolis. Esprit brillant, il avait peu à peu guidé la famille Dipensiero vers des entreprises légitimes, qui fonctionnaient selon les lois du marché, distribuaient des dividendes intéressants aux actionnaires et subissaient sans aucun dommage les audits de l'IRS. Si, intellectuellement, il y avait un candidat valable pour remplacer Gino Dipensiero, c'était Johnny Pizzula. Mais il était impensable que les intérêts de la Famille passent aux mains d'un beau-fils, aussi brillant fût-il. Le plus crétin des Dipensiero était de loin préférable au plus brillant des beaux-fils ...

— J'en conviens, répondit Rinaldi. Il s'agit là d'une méthode inhabituelle et qui a exigé un professionnalisme très rare chez des Noirs. Pourtant, j'ai la conviction qu'il s'agit bien du travail de Lewis.

— Consigliere, ne dit-on pas que Lewis reçoit son héroïne d'un Chinois de New York ?

C'est encore Pizzula qui venait de le relancer.

— Je sais, Johnny, Conti m'en a parlé. Le problème, c'est que nous n'avons pas de preuves. Ce sont des bruits qui courent. Ce qui est clair, c'est que cet acte est une provocation. Lewis ou ceux qui le soutiennent nous ont lancé un défi. Si nous ne bougeons pas, nous perdons la face. Cela se saura, même parmi les autres familles de New York, et c'en sera fini de nous, de notre honneur ...

Les hommes restèrent silencieux. L'impact des paroles du consigliere était d'autant plus énervant que son approche avait été brutale et franche.

— Que proposes-tu, Roberto ?

Le patriarche avait parlé, reprenant la direction du conseil, réinstallant son autorité, faisant comprendre à Johnny que lui, Gino, à 72 ans, était encore le chef de la famille.

— Voilà ce que j'ai à proposer. Dans un premier temps, nous louons les services d'un tueur, d'un outsider, quelqu'un de qualifié, afin qu'il élimine Lewis. Si, comme le dit Johnny, Lewis est soutenu par des Chinois, sa mort sera un message clair : « Bas les pattes ! » Dans un second temps, je me charge de retrouver l'espion. A mon avis, il doit être dans l'équipe de Benedetto, bien que Conti et ses hommes fussent également au courant.

— Tu ne vas quand même pas soupçonner Giuseppe ?

La voix de Gino s'était emportée et son visage avait rougi sous le coup de la surprise et de l'émotion.

— Gino, au stade actuel, il n'y a que moi-même que je ne soupçonne pas. La mort de cinq hommes doit être vengée, et s'il y a un traitre parmi nous, je ferai en sorte que son exécution soit spectaculaire. Je n'ai pas dit que je soupçonnais Giuseppe. Simplement, je ferai mon enquête, et Giuseppe n'en sera pas exclu. Avant d'agir, je viendrai exposer le cas au conseil de famille et je vous présenterai les preuves.

— En ce qui concerne le tueur, consigliere, à qui pensez-vous ? demanda la voix calme de Johnny Pizzula.

— Je crois qu'il est essentiel de choisir quelqu'un qui n'ait aucune attache avec l'organisation. De plus, je pense qu'il vaudrait mieux louer les services d'une personne au casier judiciaire vierge. Je pense à un ancien Béret vert, à un mercenaire. De toute façon, il nous faudra un type valable pour s'attaquer seul à la Brotherhood of Blacks. Qu'en pensez-vous ?

— Quel montant faudrait-il prévoir pour payer ce type ? dit le patriarche.

— J'ai pensé à 200 000 dollars. Il faut que le montant soit très attrayant pour qu'un ancien Béret vert ou un type sans casier judiciaire accepte de faire ce sale boulot pour nous. C'est votre avis ?

— 200 000 dollars ! s'exclama Alex Dipensiero, éclatant de rire. A ce tarif-là, je suis volontaire pour tuer Lewis moi-même !

— Et si tu te retrouves en tôle ?

Son père lui avait répondu sans rire. Il ajouta en se tournant vers Roberto :

— Combien devrons-nous payer pour les quatre hommes d'Atlantic City ?

— Je pense qu'une somme forfaitaire de 50 000 dollars par famille et une pension de 1 500 dollars par mois suffiraient.

— Encore un quart de million de dollars, bordel de merde !

En bon catholique pratiquant, Dipensiero jurait rarement. Ses paroles n'en eurent que plus de poids. Le consigliere se permit un sourire et il le maintint, même quand il vit les visages se renfrogner à la vue de ce plaisir subit.

— Messieurs, il y a moins cher ! Il suffirait que vous demandiez à Toni Benedetto d'aller tuer Lewis en personne. Cela ne vous coûtera pas un cent. Il prendra son calibre 38 avec une réserve de six cartouches ou, mieux, un Beretta 9 mm avec un chargeur à 15 coups, et il s'attaquera tout seul au quartier général de la Brotherhood of Blacks. Par la même occasion, il se fera sauter la cervelle et on aura un autre problème sur les bras. On économisera les 1 500 dollars mensuels car il n'a pas d'ayants droit. Cela ne résoudra rien, et nous resterons là avec notre honneur bafoué une fois de plus ! Deux échecs d'affilée, cela se saura parmi les autres familles, et certains commenceront à se demander si la famille Dipensiero est encore capable de gérer ses affaires à elle seule !

Un épais silence suivit les dernières paroles du consigliere. Si l'humour était une denrée plutôt répandue en Amérique, en faire sur des sujets aussi sérieux, et en telle compagnie, pouvait amener de lourdes conséquences.

— Roberto, dit Gino, veux-tu sortir ? Nous allons décider en conseil de famille.

Roberto Rinaldi se leva et sortit. Il se demanda s'il n'était pas tombé en disgrâce. C'était la toute première fois qu'ils l'excluaient d'une discussion importante. Mais ne lui imputaient-ils pas l'échec de la tentative contre Lewis ? Au fond, c'est lui qui avait présenté l'idée du team d'une autre ville pour le contrat.

Machinalement, il alluma un cigare. Au-dehors, le temps était superbe, le ciel était sans nuages. Que n'aurait-il pas donné pour disparaître, pour quitter ce pays, cette famille, ces affaires sordides ! Il marcha jusqu'au bord de la mer. Par moments, le poids de ce qu'il savait, de ce qu'il avait vécu et ordonné, menaçait de l'engloutir sous les tonnes de cendres qui l'auraient étouffé mieux que les murs d'une prison. Quand il y pensait, sincèrement il haïssait cette famille, ses mœurs féodales, ses rituels à la con. Elle était faite de gens sans humour, sans esprit, à l'exception peut-être du beau-fils Pizzula. De nouveaux seigneurs, de nouveaux riches, qui avaient gardé la mentalité moyenâgeuse de petits suzerains. Et tous ces jeunes, ces Benedetto, Russo, Mascaro et consorts, ces idolâtres qui aspiraient à devenir des esclaves, à lécher les bottes du moindre lieutenant, capo ou caporegime, sans oublier les conseillers, les parrains, les patriarches et les autres pères de famille. D'Italie, ils avaient amené une structure encore plus lourde et encombrante que celle du Vatican ...

Il était encore perdu dans ses pensées morbides quand une voix le héla. Il était temps pour lui de retourner dans la cage aux lions. Temps d'assumer sa vieille identité, d'oublier l'homme fin, distingué qu'il était, de se rabaisser au niveau des égouts qui abondaient à New York.

Il se rassit et regarda les visages. Il était calme, maître de lui. Il attendait le verdict, tel un vassal. Mais il leur était supérieur. En tout.

— Voilà, Roberto, commença Gino. Le conseil de famille a décidé ceci : nous sommes d'accord pour que tu loues les services d'un tueur. Le contrat sera de 175 000 dollars. En plus, nous fournirons l'équipement demandé. En aucun cas, le meurtre de Lewis ne doit pouvoir nous être imputé. Il ne faut aucune trace, aucun lien, rien qui puisse aider la police ou le FBI. Toi seul, Roberto, tu t'occuperas de tous les détails. La filière stoppera à ton niveau. Nous te donnons carte blanche pour le choix du tueur. Tâche de ne pas te tromper, cette fois ! En ce qui concerne les hommes d'Atlantic City, j'enverrai Frank présenter nos excuses et nos condoléances, et il réglera les problèmes pécuniaires. Voilà, c'est tout. Ah oui ! en ce qui concerne l'espion, tu te charges de l'identifier. Avant de faire quoi que ce soit, tu prendras contact avec nous et tu nous présenteras les preuves. Ensuite, nous déciderons de ce qu'il conviendra de faire.

Dans la voiture que conduisait vers Manhattan son garde du corps, Roberto Rinaldi était songeur. Il était désormais clair qu'il était en défaveur. Qu'il n'ait pas été désigné pour se rendre à Atlantic City était un affront. D'autre part, s'ils lui avaient donné carte blanche, ce n'était peut-être qu'un répit. Ou bien une manière efficace pour eux de se débarrasser de lui. Et s'il ratait ? Qu'avait dit Gino ? « Essaie de ne pas te tromper cette fois », ou quelque chose dans ce genre. Là-dessus aussi, tout était clair.

Roberto récapitula les tâches qui l'attendaient. Informer Giuseppe qu'on ne ferait rien en ce qui concernait Lewis. Ce qui serait assez dur à avaler pour un vieux de la vieille comme Conti. Dégoter un type valable pour éliminer Lewis. Trouver le type qui avait trahi le team d'Atlantic City et surtout le faire parler avant sa mort.

Roberto soupira. Ce soir, en rentrant, il appellerait Heidemarie et il passerait la nuit avec elle. Rien qu'à cette idée, il eut un début d'érection, ce qui lui fit oublier ses soucis du moment. Son visage s'orna d'un léger sourire, ses traits se détendirent quelque peu et ce fut, malgré tout, un homme relativement heureux qu'Alberto Russo conduisit à Greenwich Village, en cet après-midi ensoleillé de juin 1975.

XII

Walker avait tenu à rencontrer Chen en l'absence de Lewis. Il était assis à la même place que lors de leur dernière rencontre, dans la salle de réunion de leur appartement situé sur la 3e Avenue. Comme à l'accoutumée, Chen était flanqué de ses adjoints, Carl Yang et John Chu.

Le thé avait déjà été servi dans des verres brûlants, et des gloussements indiquaient que les Chinois avaient commencé à consommer leur boisson préférée.

— Où est monsieur Lewis ? questionna Chen avec un fin sourire au coin des lèvres.

— A San Francisco. Il a dû partir hier soir d'urgence.

Chen fronça les sourcils, mais Walker n'ajouta rien au sujet de ce départ subit. Qu'aurait-il pu dire d'ailleurs ? Dès dimanche matin, Robert s'était aperçu de la surveillance exercée autour de leur quartier général par plusieurs types qui se relayaient et qui auraient pu être des Italiens. Il en avait parlé à Alfred, qui avait paniqué et pris la fuite. Chen pourrait-il comprendre cet acte de lâcheté ? Robert en doutait. Mais était-il dupe ? De cela il en doutait également. L'idée vint en lui et fut abandonnée aussi rapidement : ne pourrait-il pas, un jour, s'allier à Chen et à sa bande ? En laissant Alfred à ses femmes, ses drogues et ses alcools ? De plus en plus, Robert en venait à détester Alfred. Pour lui, karatéka accompli, un homme ne devait jamais abdiquer, devenir une chiffe molle, un zombie. Certainement pas un ex-marine. Certainement pas, non plus, un Noir qui avait survécu à l'enfer du ghetto et qui avait réussi à en sortir pour devenir riche et puissant. Tout en abhorrant leurs manières brutales et leur manque de chaleur, Robert admirait les Chinois de la trempe de Chen, Chu et Yang. Ils ne buvaient pas, ils ne fumaient pas, ils étaient en bonne condition physique et, du point de vue mental, ils étaient fins et précis.

— Monsieur Walker, vous savez sans aucun doute que, le week-end dernier, des hommes d'Atlantic City sont arrivés à New York pour heu ! ... éliminer monsieur Lewis ?

— Oui, nos gardes se sont aperçus dimanche matin qu'une surveillance discrète se faisait dans les environs de notre quartier général.

— A votre avis, cette surveillance continue ?
— Non. Nous ne les avons plus vus.
— Et quelle conclusion en avez-vous tirée ?
Chen s'était permis l'un de ses rares sourires spontanés. « Un chacal juste avant l'attaque », pensa Walker qui répondit :
— Qu'ils ont peut-être eu un empêchement ?
Brusquement, la salle résonna du rire des trois Chinois. Ils rirent à en avoir les larmes aux yeux. A les entendre et à les voir aussi joyeux, Walker se mit à rire, lui aussi. D'un signe de tête de Chen, Chu prit une enveloppe dans la poche intérieure gauche de son veston et la déposa sur la grande table, juste devant Walker. Il lui indiqua qu'il pouvait l'ouvrir.
Walker avait eu l'habitude de côtoyer la mort. Après treize mois de Viêt-nam, l'hideuse réalité d'un corps, d'une tête coupée, aplatie ou touchée par des balles, ne parvenait plus à l'émouvoir. Ce fut donc sans aucune réaction qu'il regarda les photos des têtes tranchées. Ces documents le touchèrent. Il se rappela la première tête coupée qu'il avait vue au Viêt-nam. Celle d'un frère de race, un *soul brother.* Une tête sans corps. La bouche englobait un pénis rendu ridiculement petit par la chaleur et l'humidité. Il s'agissait d'un Noir, un type de sa compagnie. Ils avaient dû l'abandonner la veille, blessé ou tué lors d'une embuscade. Les marines n'abandonnaient jamais un des leurs sur le terrain. Mais, ce jour-là, l'ennemi avait été plus fort qu'eux. Quand ils étaient revenus en force, le lendemain, ils avaient vu sa tête à même le sol. Par la suite, le corpsman[1] lui avait dit que, quand il avait voulu saisir la tête pour la placer dans le sac en plastique, il avait vomi son petit déjeuner. Au moment de la prendre, il avait remarqué des vers qui sortaient du nez, du cou, des oreilles, des orbites ...
Walker leva les yeux, étonné du silence, sans réaliser que c'était lui-même qui l'avait créé. Il rendit les photos à Chu, tout en se disant qu'au fond, dans les méthodes, il y avait peu de différences entre Chinois et Vietnamiens. Aussi cruels les uns que les autres.
— Du bon travail ! se força-t-il à dire, les méprisant toutefois pour cette façon abjecte de désacraliser le corps.
— Vous voyez bien que monsieur Lewis n'avait aucune raison de fuir. Nous avions donné notre parole que nous réglerions ce problème. Et nous l'avons tenue ! Nous tenons toujours parole !
Chen le fixa droit dans les yeux, comme si sa vie en dépendait. La porte s'ouvrit et un Chinois apporta une nouvelle théière, remplissant chaque verre. Walker attendit que le Chinois eût quitté la pièce avant de parler à nouveau.
— Monsieur Chen, nous n'avons jamais douté un seul instant de votre parole et de votre ... pouvoir. Si Lewis est parti à San Francisco, c'est pour résoudre des problèmes que nous avons actuellement au sein de notre organisation.

1. Infirmier dans les divisions de marines.

Il se heurta à l'équivalent humain de la Grande Muraille de Chine. Impénétrable, sous toutes les coutures. Les visages de cette troïka mandarinale suaient la méfiance, l'arrogance, le mépris. Il se demanda s'ils n'étaient pas sur le point de remettre leur collaboration en question. De toute façon, il ne fallait se faire aucune illusion : Chinatown était sous la coupe des triades, la Mafia était un peu partout dans New York, quant à Harlem et aux ghettos noirs de Bedford-Stuyvesant et du Bronx, les dealers noirs y régnaient en maîtres. S'il désirait s'immiscer dans le trafic de drogue à New York et gagner sa part du gâteau, Chen était obligé de conclure un pacte avec l'une des organisations déjà existantes. Stratégiquement, les Noirs étaient ses meilleurs alliés. A l'inverse, les Chinois de Chinatown ou les Italiens de la Cosa Nostra l'auraient plutôt chassé de l'île, sinon réduit en bloc de ciment. Dans le milieu des trafiquants de drogue, l'enfer, c'étaient les nouveaux venus.

— Monsieur Chen, continua Walker, vraiment vous devez me croire. Nous n'avons pas douté un seul instant de votre capacité à assurer la défense de notre quartier général. Nous sommes reconnaissants de ce que vous avez fait pour nous.

Chen parut prendre une décision, car ses traits se relâchèrent quelque peu.

— O. K. ! Je vous crois, monsieur Walker. J'ai confiance en vous.

Walker se demanda s'il s'était fait un nouvel allié ou bien un nouvel ennemi, et quel prix il devrait payer le jour où on lui demanderait de rendre la pareille. Une faveur pour une faveur. N'était-ce pas là une manière de procéder des Chinois ?

— Nous avons aussi appris quelque chose de très intéressant pour vous, ajouta Chen.

— Ah oui ? fit Walker d'un ton faussement détaché.

— Oui, continua Chen. Après ce regrettable incident au cours duquel cinq jeunes gens ont malheureusement trouvé la mort, les hauts responsables de la famille Dipensiero ont décidé de ne rien faire. Il faut dire que le message que nous leur avions transmis ne prêtait pas à équivoque. Je crois qu'ils l'ont parfaitement compris. Dans quelque temps, certaines choses intéressantes se produiront. D'après nos informations, la famille Dipensiero est en mauvaise posture et, si les choses continuent ainsi, il est possible qu'elle disparaisse. Aussi, avant que leurs territoires ne soient accaparés par les quatre autres familles de New York puis répartis entre elles, nous serons prêts, notre organisation et la vôtre, à les reprendre et à les garder.

— Très bien, monsieur Chen. Je vois où vous voulez en venir. Je dois dire que c'est très brillamment pensé. Mais êtes-vous sûr que la famille Dipensiero ne réagira pas ?

Chu interrompit toute possibilité de répondre en s'adressant à Walker dans un très mauvais anglais :

— Nos hommes ont une information directe. Pas de revanche ! Plus jamais !

— Comme le dit monsieur Chu, reprit Chen, nous avons une information de source sûre. La famille Dipensiero a décidé de ne rien faire contre vous.

Ce qui est la preuve de son impuissance, de sa faiblesse. En Chine, nous n'aurions aucun respect pour ces gens-là !

Si Chen avait eu un crachoir, il aurait déversé son mépris. Il le déversa plutôt par l'intermédiaire de son regard qui indiquait sa supériorité et l'arrogance née de son pouvoir.

Robert Walker se leva, serra les mains, remercia encore les Chinois pour leurs services et quitta la salle de réunion.

Malgré son poids et sa taille, il se sentait toujours petit en face d'eux. Chaque acte, chaque parole, chaque fait : tout semblait calculé, y compris les conséquences. Leurs réactions étaient dignes de machines. Si, un jour, ils devaient décider d'éliminer un Lewis, un Walker, sans aucun doute présenteraient-ils les photos de leurs têtes à d'autres futurs associés. Ils avaient le beau rôle, après tout ! Eminences grises, ils se contentaient de fournir la came comme s'ils livraient du café, du beurre ou du ciment. Ils s'arrangeaient également pour manipuler les gens en les tenant à distance respectable. Quant à ce qui se tramait dans leurs cerveaux, c'était aussi insondable que la mer de Chine !

Walker se dit qu'ils avaient des années-lumière d'avance sur des zombies comme Alfred. Ils travaillaient selon des concepts précis, ils avaient des plans. Tout chez eux était programmé. Déjà, ils envisageaient de remplacer la famille Dipensiero. Ensuite, quand ils seraient plus puissants et auraient amassé plus d'armes, plus de capitaux, plus d'hommes et plus de protection, ils s'attaqueraient à Chinatown. Pour un Chinois, diriger Chinatown à New York, cela devait représenter l'aboutissement de toute une vie. Que ne donneraient-ils pas pour y arriver ? « Mais voilà, se dit Walker tout en marchant vers sa voiture garée dans la 3e Avenue, combien d'hommes devraient-ils éliminer en chemin ? »

XIII

Tony Camero attendait son « contact » dans un immeuble désaffecté du Bronx, 149e Rue Est, non loin de Hunts Point. Il était onze heures du soir. Autour de lui, il entendait les bruits de la vie nocturne de l'un des quartiers de New York au taux de criminalité le plus élevé. Dans l'immeuble même, retentissaient des cris d'animaux, des galopades effrénées qui auraient mis mal à l'aise le mafioso le plus chevronné. S'il était membre actif de la Cosa Nostra, Tony Camero n'était pas le plus endurci des êtres humains. Il travaillait, tout simplement. Mais actuellement son boulot avait très peu de choses en commun avec la Mafia. De ce fait, seul, en ce soir humide de juin, dans cet immeuble lugubre, il avait la trouille. Pour tout Italien qui outrepassait la dure loi de l'omerta, il n'y avait pas d'issue. Pour celui qui avait trahi les siens et causé la mort de cinq compatriotes, il n'y avait pas au monde une imagination suffisamment fertile pour concevoir les tortures qui pourraient lui être infligées. Et sur ce chapitre les mafiosi n'avaient de leçons à recevoir de personne, ni des nazis, ni du Ku Klux Klan.

Tony Camero avait vingt-quatre ans et il était l'adjoint attitré de Mario Tenebro. Etre l'adjoint d'un sous-sous-fifre n'était pas, en soi, le signe d'une carrière éminemment brillante. D'un autre côté, une fois devenu membre actif de l'organisation, l'avenir, même celui de l'adjoint d'un sous-sous-fifre, était assuré. C'était même presque mieux que de devenir fonctionnaire ou curé. Et on gagnait nettement plus. Car l'organisation pourvoyait à la subsistance de ses membres. Elle était bonne, magnanime, miséricordieuse. Elle octroyait les faveurs à chacun et les retirait à ceux qui tombaient en disgrâce. Elle faisait naître et elle faisait mourir. Le chômage y était inconnu. La démission n'y existait pas. Une fois membre, on l'était à vie. Mieux que l'emploi au Japon. On y entrait la tête haute, le cœur battant, avec fierté. Quand on en sortait, c'était au choix : gaga, encadré d'agents de police ou du FBI, en petits morceaux, en cendres, en particules infimes, en nourriture pour poissons. L'organisation était la plus belle des choses sur Terre tant qu'on lui obéissait. Ceux qui, par malheur, la trahissaient n'auraient jamais de repaire suffisamment éloigné pour se réfugier.

Tony était né en juillet 1950 à Buffalo, dans une famille de moutards braillards et turbulents. Il fut très rapidement la risée de tout le bloc car il bégayait atrocement. En italien et en anglais. Il fut considéré comme le type même du sissy[1] jusqu'à l'âge de quatorze ans et au jour merveilleux de son premier coït. Il s'était laissé entraîner dans une maison délabrée du quartier par une fille de dix-sept ans, une blondasse anglo-saxonne aux formes abondantes et à la libido chauffée à blanc. Ils s'étaient tout d'abord bien pelotés, ensuite elle lui avait sucé la verge, le transportant dans un paradis de délices avant de le guider vers l'antre secret. Quand Tony se retira d'elle, Geraldine n'en crut pas ses yeux. La verge restait raide, tendue à la verticale et atteignait presque le nombril ! Bien vite, elle le guida à nouveau en elle, et elle connut quatre orgasmes avant que le pénis de Tony daignât s'incliner ...

Peu à peu, sa réputation de mollasson céda le pas à celle de bagarreur. Si son intelligence et son niveau d'éducation n'allèrent pas de pair avec l'essor de sa vie sexuelle, du moins il conserva de cette époque scolaire quelques notions essentielles. Il savait lire, écrire, compter. De plus, sa force physique était devenue appréciable, de même que son expérience des combats de rue. Bientôt, il attira l'attention d'un mafioso de Buffalo qui le recommanda chaleureusement à Giuseppe Conti, capo de la famille Dipensiero de New York. Après un stage normal où on l'« essaya » à toutes sortes de corvées musclées, il fut accepté en tant que membre de la famille Dipensiero et adjoint à l'équipe de Toni Benedetto.

A vingt-deux ans, il rencontra la femme de sa vie. Cheveux noirs, beaux yeux, petite, mignonne. En bons Italiens pratiquants, ils n'eurent pas de rapports sexuels avant le mariage. Maria arriva donc vierge au mariage et entra dans le lit nuptial, hymen et honneur intacts. Elle en sortit tout aussi rapidement quand elle sentit cette chose gigantesque et immonde qui cherchait à s'introduire en elle. Tony la rattrapa, la battit et essaya de la pénétrer de force, mais il n'y parvint pas. Il y avait incompatibilité de dimensions ... Le mari outragé quitta donc la maison et passa sa nuit de noces avec une putain d'un bar de la 42e Rue Ouest. Il lui fit l'amour cinq fois et claqua 450 dollars par la même occasion.

Quand il daigna reparler à sa femme, ils eurent une discussion sérieuse. Ils décidèrent de ne pas divorcer. Même si le mariage n'avait pas été consommé et si, du point de vue religieux, il était nul par la même occasion, ils seraient obligés d'en donner la raison et ils se voyaient très mal introduire un recours auprès des autorités ecclésiastiques pour un motif aussi extravagant !

Ils vécurent donc en frère et sœur, chastement. Pour Tony, se masturber ne suffisait plus et les rares fois où il avait demandé à Maria de le prendre en bouche, cela avait complètement foiré. Il en vint de plus en plus à rechercher

1. Mollasson.

la compagnie de prostituées ou de femmes faciles. Et il claquait de plus en plus de fric. Parvenu à un découvert de 47 000 dollars, il dut avoir recours à différentes sortes d'emprunts et à des prêteurs. Des prêteurs ordinaires tout d'abord, ensuite des prêteurs sur gages, et des shylocks pour terminer.

Etant donné que le prêt usurier était l'une des activités les plus lucratives de la Cosa Nostra, Tony dut éviter d'aller emprunter des sommes d'argent auprès de prêteurs associés à la Mafia. Il jugea plus intelligent de se rendre à Chinatown. Parallèlement, afin d'augmenter ses revenus, il s'était mis à pratiquer le skim[1]. Il « écrémait » une partie des revenus d'extorsion qu'il était censé encaisser pour le compte de Benedetto. Evidemment, auparavant, il avait annoncé des augmentations de contributions aux personnes dont l'équipe de Benedetto assurait la « protection ». Il avait cependant pris des précautions. Il ne pratiquait ce petit jeu qu'avec des types qu'il avait jugés peu à même de se plaindre en haut lieu.

Un jour de décembre 1974, Tony reçut la visite d'un jeune Chinois énigmatique qui joua cartes sur table. Il savait à peu près tout de lui. Combien il devait, à qui, combien il gagnait sur le côté ... Un mot de ce Chinois à Benedetto, et Camero pouvait déjà rendre grâce à Dieu de lui avoir accordé vingt-quatre années sur Terre. Pourtant il lui laissa entrevoir une possibilité de rédemption. Magnanime, après lui avoir exposé les raisons de sa visite, il lui accorda un délai de réflexion raisonnable : quinze jours. Tony Camero passa les fêtes de Noël et du Nouvel An à transpirer abondamment. Sa situation était claire. S'il parlait à Benedetto, il devrait tout dire, y compris mentionner les sommes écrémées. Passer à table. Promettre de ne plus le faire, pleurer, implorer. Pourtant, Tony savait qu'il n'en serait rien, que c'était là chose impossible au sein de la Cosa Nostra. Il était pris au piège. Il ne pouvait avouer, sous peine de se retrouver au fond de l'East River ou de finir ses jours dans une entreprise de broyage de voitures usagées. Donc, il revit le Chinois et accepta ses conditions. Il obtint d'autres sources de revenus en échange d'informations sur Benedetto, sur son territoire, sur son organisation, sur ses rackets. Le stress aidant, il eut de plus en plus recours aux bars et aux putains de la 42e Rue. De plus en plus également, il s'enfonça dans une vie de mensonges, d'échappatoires et de dénonciations.

Le mystérieux Chinois lui avait promis 50 000 dollars s'il communiquait d'autres renseignements sur les hommes d'Atlantic City : date et heure d'arrivée, adresse de leur hôtel à New York, nom et adresse de l'homme de l'équipe de Benedetto qui avait été chargé d'assurer la liaison.

50 000 dollars représentaient une somme qui avait fait rêver Tony. Le moyen pour lui de s'évader, de quitter le pays, de sortir de cette ornière infer-

1. Système par lequel, en cas d'extorsion ou de revenus illicites, une partie de ces revenus est retenue de façon arbitraire par celui qui encaisse l'argent, au détriment de l'organisation à qui les revenus « appartiennent » de fait.

nale, de ce puits sans fond. Il n'avait pas hésité très longtemps. Il avait craché tout ce qu'on lui avait demandé, et même bien plus. Il avait été le seul de l'équipe à savoir dans quel restaurant de Mulberry Street à Chinatown Tenebro avait décidé d'emmener les quatre types d'Atlantic City. Le jour même, il avait téléphoné cette information à son « contact », sachant très bien qu'il ne reverrait jamais Mario.

Hier, il avait appelé le Chinois, lui annonçant que la famille Dipensiero avait décidé de ne plus rien tenter contre l'organisation de Lewis. Il venait d'apprendre la nouvelle par Benedetto quelques heures auparavant. Par la même occasion, le Chinois lui avait fixé rendez-vous dans un immeuble désaffecté de la 149e Rue Est. Tony y recevrait ses 50 000 dollars. Après, bonsoir la compagnie ! Il avait déjà effectué une réservation sur un vol à destination des Bahamas.

Tony entendit un bruit de pas à l'entrée de l'immeuble et tendit l'oreille. L'heure du rendez-vous était déjà dépassée de quarante-cinq minutes.

Brusquement, il se retourna car il lui sembla percevoir une présence dans la pièce. Instinctivement, il chercha son pistolet Smith & Wesson M 59, calibre 9 mm parabellum, calqué sur le modèle du colt mais contenant un chargeur à 15 coups. Mais soudain une brûlure lui déchira le bas du ventre. La lame du couteau était entrée juste au-dessus du pubis. Elle fut retournée à l'intérieur de la plaie, ensuite d'un coup sec vers le bas elle déchira le sac testiculaire et sectionna le pénis. Une main sur la bouche de Tony l'empêchait de respirer et de hurler. Le couteau fut retiré du ventre et plongé dans le cou. La carotide, sectionnée, versa le sang et éclaboussa les vêtements. Tony se débattit, en proie aux derniers spasmes.

Quand le silence fut revenu dans la pièce, deux Chinois traînèrent le corps vers le rez-de-chaussée, le placèrent dans un sac en plastique et le portèrent rapidement vers une camionnette d'un vert criard, sur les côtés de laquelle était indiqué en lettres majuscules LAUNDRY - FAST SERVICE ...

XIV

Il était neuf heures du soir en ce troisième mardi du mois de juin 1975. Angela et Max étaient dans la cuisine et se préparaient un petit repas. Max faisait cuire les steaks et Angela préparait une salade simple, ultravitaminée. Le téléphone sonna. Max jura, sortit de la cuisine et plaça le combiné contre l'oreille droite.

— Allô !

— Monsieur Levinski ?

— Lui-même.

— Pourrait-on se voir le plus rapidement possible ? Je crois que j'ai un travail intéressant pour vous.

— Comment avez-vous obtenu mon numéro de téléphone ? Avez-vous une recommandation ?

— Non, mais nous avons de très bonnes informations au sujet de la qualité et du haut niveau de votre travail ...

— Je vois ... Attendez, je consulte mon agenda.

— La tactique dilatoire par excellence, car celui-ci était vierge de tout rendez-vous. Il plaça le combiné contre l'oreille gauche et prit un stylo à bille.

— Allô !

— Oui, je vous écoute.

— Je vois que quelqu'un a annulé son rendez-vous de demain matin. Je pourrais vous voir à ce moment-là.

— O.K. ! Dix heures ?

— Dix heures du matin, O.K. !

— Mon chauffeur viendra vous chercher chez vous.

— Vous avez mon adresse ?

— Evidemment !

— A demain.

— A demain, monsieur Levinski.

Max raccrocha et demeura songeur. Au cours de la conversation, quelque chose l'avait fait tiquer, qu'il n'aurait pas pu décrire. Son instinct de survie, fort développé, et son intuition lui conseillaient de se méfier. Il resta quelques minutes dans le salon, défaisant dans sa tête l'écheveau de la conversation. Ni l'intonation ni le vocabulaire, ni surtout la construction des phrases n'étaient habituels. Ce type était sûr de lui. Trop sûr de lui. Habitué à commander, à faire exécuter des ordres. Tous deux, cependant, avaient été fidèles à la règle non écrite, au principe reconnu dans la profession qui voulait qu'aucune information capitale ne soit jamais échangée par téléphone. Aux Etats-Unis, les mercenaires étaient des hors-la-loi. Si certains pays d'Europe ou d'Afrique fermaient les yeux et ne cherchaient pas à nuire à leurs activités, ici on les recherchait activement. Les seuls mercenaires ou tueurs qui jouissaient des faveurs des autorités étaient les hommes qui travaillaient hors cadre pour la CIA. Celle-ci employait effectivement quantité d'hommes de main pour un tas de sales besognes. Sur eux, on fermait les yeux, tout leur était permis. Quant aux soldats de fortune ordinaires, leur activité devait se faire dans la clandestinité la plus sinistre, comme s'ils étaient de vulgaires criminels.

Max en avait oublié ses steaks, mais Angela s'en était occupée. Il l'embrassa dans le cou et la serra contre lui. Ensuite, il mit la table et sortit une bouteille de chablis californien.

Angela servit les steaks et s'assit à son tour. Elle évitait de le regarder dans les yeux. Max versa le vin, puis commença son repas, perdu dans ses pensées. Plus de deux mois s'étaient écoulés depuis qu'il était revenu d'Angola, et c'était la première fois qu'on l'appelait pour un nouveau travail. Il regarda Angela, qui mangeait à peine. Son cœur se serra. Dieu qu'il l'aimait ! Voilà déjà près d'un mois qu'ils s'étaient rencontrés ... Il rompit le silence :

— Angela, tu ne manges pas ?

— Si, Max, je vais manger, tout de suite ...

— Qu'as-tu ?

Il se pencha en avant et lui caressa les cheveux. Elle tourna la tête, et ses grands yeux expressifs reflétèrent son amour comme sa douleur. Max s'agenouilla près d'elle, lui entourant la taille et dit :

— C'est à cause du coup de téléphone ?

— Oui.

— Pourquoi ?

— Tu vas partir, je le sens. Tu vas me laisser seule !

Max l'embrassa et il sentit qu'elle se détendait. Sa langue se fit câline, leur baiser devint plus passionné et fut bientôt remplacé par des caresses. Les respirations se changèrent en halètements. Max se leva, prit Angela dans ses bras, l'emmena dans la chambre à coucher et la déposa tendrement sur le lit. Il la déshabilla lentement tout en continuant à la caresser de ses mains et de sa langue. Quand elle fut entièrement nue, elle le déshabilla et à son tour le caressa. Enfin, elle se plaça sur lui et, prenant son pénis, l'introduisit en elle. Se levant et s'abaissant au rythme de l'amour, elle le guida de plus en plus loin. Cramponné à Angela, dont les seins fermes se balançaient devant son visage à un rythme de plus en plus fort, Max oublia tout. Sa vie n'était plus concentrée que sur une seule partie de son corps, un microcosme merveilleux.

Quand il éjacula, il eut l'impression de naître et de mourir à la fois. Il sut alors qu'il ne la quitterait jamais.

Ils n'avaient toujours pas mangé et avaient refait l'amour. Après, Max était allé chercher le vin californien et les verres. Ils avaient terminé la bouteille sur un fond de musique de jazz d'une radio locale.

Angela s'était endormie et sa tête reposait sur l'épaule de Max. Ses cheveux, légèrement moites, ouverts en éventail, lui apportaient une délicieuse sensation. Il continuait à boire avec l'intensité et la ferveur d'un guerrier permissionnaire dans la ville après trois mois passés dans la jungle. De sa fenêtre du premier étage, il pouvait distinguer le port de New York, et les lumières de la Grosse Pomme formaient un tremplin idéal pour ses pensées.

Il était infiniment patient. Au contact de l'Asie et avec son expérience du combat, il avait appris la dure loi de l'attente. Ceux qui parvenaient à se dominer, ceux qui dispensaient une aura de calme, de maturité, ceux qui se résignaient à rester telles des larves toute une nuit, voire plusieurs jours, ceux-là étaient les gagnants, les survivants. En tant que SEAL[1] et expert en démolition sous-marine, Max aurait pu donner des cours à des prêtres bouddhistes quant aux vertus du silence, de l'isolement et de la patience. Au Viêtnam, il avait appris que la qualité primordiale d'un bon soldat, c'était la volonté de survivre et la patience nécessaire pour y arriver.

Placée, certes, dans des conditions bien différentes, Angela, elle, s'était énervée, avait paniqué car elle était impatiente de nature. Max connaissait le danger de la séparation et savait ce qu'un appel téléphonique pouvait signifier dans sa vie. Mais à quoi bon faire des supputations gratuites avant d'avoir vu le type qui avait téléphoné ? Quand il aurait en main tous les éléments, il prendrait une décision. Entre-temps, il fallait attendre, tout simplement. Jusqu'à demain. Pleurer ou se désespérer ne changerait rien à la situation.

Max dut reconnaître que ses réserves financières disparaissaient rapidement. Bientôt, il aurait besoin d'un job ! Evidemment, sa vie serait mise en danger. L'alternative serait de se faire engager par une compagnie de sécurité, comme la Wells Fargo ou Brink's. Ainsi, il ne perdrait pas entièrement la main et pourrait même donner des cours. Mais donner des cours de survie en brousse ou dans la jungle à des directeurs, des P.-D.G. ou des businessmen ne lui conviendrait certainement pas longtemps ...

Bref, il verrait demain. Si rien ne s'était présenté avant début juillet, peut-être prendrait-il contact avec l'une ou l'autre de ses connaissances à la police

---

1. « Sea-Air-Land »: forces spéciales de l'US Navy et corps d'élite. L'équivalent, pour la marine américaine, des Bérets verts.

ou au FBI. Peut-être y aurait-il une place pour lui quelque part, qui lui permettrait d'employer ses dons de patience, sinon de tueur ...

Quand Max aperçut le chauffeur, devina l'être taciturne derrière le teint olivâtre, détailla le costume sombre, les chaussures pointues, la Jaguar, il sut de façon instinctive et définitive qu'il n'y aurait pas de contrat. Mais il était curieux d'apprendre pourquoi la Mafia, puisqu'il s'agissait d'elle, avait soudain recours à ses services.

Il se cala confortablement à l'arrière de la voiture et choisit d'écouter la musique. Le chauffeur eut le bon goût de ne pas mettre des cassettes de complaintes siciliennes ou napolitaines. Assez banalement, il avait choisi Sinatra. Max savait de la Mafia ce qu'en savait l'Américain moyen. Il avait raté le film « Le Parrain » et n'avait pas lu le roman de Puzo. D'une manière générale, les livres et les films qui exhibaient une violence malsaine ne l'intéressaient guère. Peu d'auteurs ou de metteurs en scène parvenaient à rendre en mots ou en images la réalité de la guerre, des combats, de la peur, de la mort violente.

Il commençait à en avoir sérieusement assez de la voix de Sinatra quand, enfin, le chauffeur lui indiqua, dans un grognement d'homme des cavernes, qu'ils étaient arrivés. Max avait surveillé et enregistré la route qu'ils avaient prise. Maintenant, il savait exactement où, dans le New Jersey, se trouvait la propriété de son interlocuteur.

Un peu avant midi, un homme élégant, aux cheveux blancs, vêtu d'un costume venu en droite ligne de la 5e Avenue, se présenta à lui sous le nom de Rinaldi. Ils se serrèrent la main, puis Rinaldi le pria d'entrer et de le suivre au salon. Dès qu'il l'avait aperçu, Max avait été frappé par le raffinement, la gentillesse et les bonnes manières qu'avait laissé entrevoir cet être assurément peu ordinaire. Les lieux communs et les idées préconçues avaient préparé Max à rencontrer un véritable mafioso, un physique aux antipodes de ce sexagénaire de bon ton.

Ils s'assirent face à face dans des fauteuils moelleux. Une table de salon en fer forgé, recouverte d'une plaque de marbre blanc, les séparait. Max examina la pièce. Hormis des tableaux qui lui semblèrent de prix, il remarqua des poteries, des vases et de la porcelaine qui dénotaient l'homme de goût. Il fut impressionné et se rendit compte de la différence de niveau social entre ce Rinaldi et lui-même.

Une théière, deux tasses et plusieurs sandwichs avaient été placés sur la table. Les sandwichs avaient été finement préparés, comme s'ils venaient d'être achetés chez le traiteur du coin.

— Servez-vous, monsieur Levinski. Je suppose que vous n'avez pas encore mangé ? dit Rinaldi, interrompant le long silence qui avait succédé à leur entrée.

Max se servit une tasse de thé et se décida à prendre un sandwich au fromage, histoire de s'occuper les mains et de retarder le moment de vérité.

— Monsieur Levinski, vous voudrez bien m'excuser de vous avoir imposé ce trajet assez long. J'ai une proposition à vous faire et j'aimerais que nous en discutions à l'aise. Le thé et le sandwich vous conviennent-ils ?

— Merci, c'est très bon. De qui avez-vous obtenu mon nom et mon adresse ?

— Le nom de James Smith vous dit-il quelque chose, monsieur Levinski ?

Max sourit. Si ce nom ne rappelait en lui aucun souvenir précis, du moins, tel un mot de passe, cela signifiait que Rinaldi avait pris contact avec quelqu'un de sérieux et que son crédit avait été jugé suffisamment bon pour qu'on lui donne ses coordonnées.

— Oui, c'est exact, ce nom me dit quelque chose ...

— Bien. Si nous en venions au fait ?

— Je vous écoute.

— Si je suis bien informé à votre sujet, vous êtes un ex-SEAL. Vous avez combattu comme mercenaire dans plusieurs pays africains et vous avez accompli, je crois, trois tours de service au Viêt-nam. Prodigieux ! Mes renseignements sont-ils exacts ?

— C'est exact. Oui, j'ai eu trois tours de service au Viêt-nam. Ce n'est ni prodigieux, ni plus difficile qu'autre chose, du moins pour des professionnels ...

— En parlant de professionnalisme, justement, nous aurions un petit travail qui requiert du courage, de l'audace, du sang-froid et une expertise certaine dans le maniement des armes et des explosifs. Excusez-moi, désireriez-vous un martini ?

— Très volontiers, merci.

Rinaldi pressa un bouton au sol, près de son fauteuil, et au bout de vingt secondes, la porte du salon s'ouvrit. Alberto Russo entra. Le consigliere lui demanda d'apporter deux martinis. Entre-temps, Max avait entamé un deuxième sandwich, aussi délicieux que le premier.

Bientôt, ils arriveraient au but de leur rencontre. Et il lui faudrait refuser. Refuser à la Mafia, n'était-ce pas dangereux ? De toute façon, ce Rinaldi inspirait plus la dolce vita que le meurtre ou l'extorsion. Il décida de se jeter à l'eau.

— Dites-moi, monsieur Rinaldi, ce petit travail que vous auriez pour moi, devrait-il se faire à l'étranger ou sur territoire américain ?

Le consigliere fut pris de court. Mais il avait jugé ce Max Levinski dès qu'ils s'étaient serré la main. Un homme intègre, sans détours. Il aurait aimé avoir un fils comme lui. Il décida de jouer cartes sur table, lui aussi.

— Sur territoire américain, j'en ai bien peur ...

— Monsieur Rinaldi, cela ne sert à rien, dès lors, de continuer la conversation. Je ne travaille pas en Amérique. Je ne ferai rien d'illégal.

Après un moment de réflexion, il ajouta :

— Je ne suis pas fou ...

— Monsieur Levinski, quand vous tuiez des Angolais, était-ce légal ? Parce que vous portiez un uniforme et que vous étiez sous le commandement d'un officier responsable ? Et parce que les Noirs que vous supprimiez étaient communistes, peut-être ?

— Ce n'est pas du tout la même chose que de tuer ici !

— Pourquoi ? Parce que les lois américaines sont plus dures et que la police ici est meilleure ? Permettez-moi de vous montrer quelque chose ...

Rinaldi se leva. Il sortit de la pièce et revint au bout d'une minute. Il tendit quelques photos à Max.

Max termina son second sandwich avant de regarder les photos. Bien lui en prit car, quand il les examina, il se sentit transporté dans un monde totalement et absolument familier. Des têtes coupées, un attribut viril dans chaque bouche, voilà qui ne lui était pas étranger...

Max rendit les photos à Rinaldi sans prononcer un seul mot. Le consigliere les prit, se leva à nouveau, les déposa sur un meuble et revint s'asseoir.

— Alors, monsieur Levinski ?

Cela ne me dit pas ce que vous attendez de moi. D'autre part, je ne travaille pas aux Etats-Unis, c'est trop risqué. En troisième lieu, je ne suis pas un tueur à gages. Enfin, monsieur Rinaldi, vous « en » faites partie, n'est-ce pas ?

La phrase était lâchée, dangereuse, chargée de dynamite.

Le consigliere soupira. Il saisit le verre de martini, le porta à ses lèvres et d'un trait en but la moitié. Il fixa les yeux bleus, étonnamment froids et lucides de ce mercenaire. Sans pouvoir préciser pourquoi, Robertò savait qu'il avait trouvé l'homme qui convenait, celui qui réussirait à s'attaquer à Lewis et à le tuer. Le tout était de le lui faire comprendre.

— Je vais être franc avec vous, monsieur Levinski. Je réponds oui à votre dernière question. Et si je vous ai appelé pour discuter d'un travail, c'est que nous avons vraiment besoin de vos qualités. Ce que je vais vous dire restera entre nous, je l'espère.

— Je connais les règles, monsieur Rinaldi. Toute discussion qui n'aboutit pas à un contrat est censée n'avoir jamais eu lieu.

— Vous comprenez très bien que nous avons la main-d'œuvre nécessaire pour tuer n'importe qui. Si nous avons décidé de faire appel à l'extérieur, c'est parce que l'ampleur du problème auquel nous sommes confrontés requiert une solution peu orthodoxe.

— Je vous écoute. Je suppose que le travail que vous désirez me voir effectuer est lié aux photos que vous m'avez montrées ?

— Oui. C'est là tout ce que nous avons retrouvé de cinq de nos hommes.

— Je n'ai rien lu dans la presse à ce sujet ...

Le consigliere éclata de rire. Dans ces circonstances-là, il rajeunissait, ses traits s'amollissaient, et il ressemblait à un préretraité, à un bon père de famille amusé par une blague.

— Vous êtes inénarrable, monsieur Levinski ! Vous lisez trop ! Ces hommes ne sont pas morts ! Ils n'ont jamais existé, vous comprenez ? Comment pourraient-ils être morts puisqu'ils ne sont jamais venus sur Terre ?

— Que voulez-vous de moi au juste ?

Le consigliere se pencha, prit la bouteille de martini et remplit leurs verres. Il but avec avidité.

— Nous voulons que quelqu'un soit éliminé. Peu importe la méthode. Celui qui doit disparaître est le responsable direct de la mort de ces cinq hommes et de la manière dont leurs corps ont été ainsi mutilés. Il n'est pas question de torture. Simplement d'élimination ...

— Pourquoi moi ?

— Parce que, monsieur Levinski, nous avons besoin d'un expert, d'un vrai professionnel, de quelqu'un qui puisse se rendre invisible. Il s'agit de liquider un seul type qui est peut-être entouré de quinze ou vingt hommes armés jusqu'aux dents et rompus au maniement des armes.

— Qui serait assez fou pour accepter un tel travail dans de pareilles conditions, monsieur Rinaldi ? dit Max en se levant. Merci pour les sandwiches, le thé et le martini, mais je ne crois pas que je doive continuer à vous faire perdre du temps. Je ne suis pas fou, monsieur Rinaldi ! Simplement humain.

— Rasseyez-vous, Monsieur Levinski. Je ne parle pas d'un travail qui vous rapporterait 25 000 dollars, comme le dernier contrat que vous avez obtenu en Angola. Là, il y a 175 000 dollars à la clé, la moitié versée lors de l'accord, l'autre moitié après exécution ...

Max se rassit. Rinaldi n'avait ressenti aucune exaltation à mentionner le montant du contrat, pas plus qu'il ne s'était réjoui de l'étonnement qui s'était immédiatement emparé de Levinski. Il avait toutefois éprouvé une certaine satisfaction à voir ce dur-à-cuire se rasseoir au seul énoncé d'une somme d'argent. Le consigliere se dit qu'il avait eu raison de vouloir fixer la barre aussi haut lors du conseil de la famille Dipensiero. La différence entre 175 000 dollars et 25 000 se situait plus sur le plan psychologique que financier. Gagner une telle somme pour un seul travail, c'était la possibilité pour ce genre d'hommes de quitter le pays, de s'établir ailleurs. De vivre quelques années à l'abri du besoin. D'ouvrir un commerce, un club de tir, une agence de détectives privés. De devenir trafiquant d'armes. Bref, d'être indépendant, leur rêve à tous. Cette différence servait également à jeter un pont entre la somme ridicule que l'on donnait à n'importe quel tueur à gages et celle qu'un professionnel de haut niveau pouvait envisager. Faire appel à quelqu'un d'extérieur à l'organisation était relativement rare. En plus, il y avait une barrière à franchir, celle qui consistait à être impliqué dans les affaires de la Cosa Nostra. « A juste titre, d'ailleurs », pensa Rinaldi. Qui souhaiterait se fourvoyer dans un tel guêpier ? Et, qui plus est, de plein gré ? Le seul stimulant véritable pour aboutir à ce mariage contre-nature, c'était d'agiter une carotte bien fournie, juteuse et appétissante.

— Monsieur Rinaldi, pourrais-je encore avoir un peu de thé, s'il vous plaît ?

— Sûr ! Il sonna Russo, qui revint bientôt avec un nouveau plateau, comme s'il avait déjà anticipé les vœux de son maître ou avait écouté de l'autre côté de la cloison.

Max cherchait à se concentrer. Cette somme folle l'avait ébranlé au plus profond de son être. Immédiatement, en dépit de son aversion pour les chipotages de la Mafia, il avait compris que c'était l'occasion pour lui de commencer une nouvelle vie avec Angela. Avec un capital pareil, ils pourraient quitter les Etats-Unis et s'établir à l'étranger. De préférence dans un pays qui n'aurait pas de traité d'extradition avec l'Amérique.

— Que dois-je faire ?
— Je vous l'ai déjà dit. Eliminer quelqu'un.
— Je vois. Mais il y a certainement un hic quelque part ?
— Un hic ? Non. Pas du tout. Voyez-vous, monsieur Levinski, les hommes qui ont été tués et dont vous avez vu les photos sont de vulgaires amateurs.
— Des amateurs ? Vous voulez rire, leur métier était tout de même de tuer !

Max semblait avoir oublié, l'espace d'un instant, qu'il parlait à un représentant direct de la Cosa Nostra.

— Monsieur Levinski ! Vous lisez trop, ou bien pas assez ! Notre organisation n'est plus ce qu'elle était du temps de Capone ou de Luciano. Je dirais qu'actuellement les deux tiers de notre chiffre d'affaires proviennent d'entreprises légitimes. Nous ne tuons presque plus. Ces hommes n'étaient que des... comment dirais-je ? des intimidateurs capables d'impressionner des patrons de bar ou de restaurant, et doués pour l'extorsion. Mais des mollassons dès qu'il s'agit d'employer des armes. Ils se sont conduits comme des enfants, ils ont joué aux grands garçons et ils ont perdu. Vous, monsieur Levinski, vous êtes un professionnel du meurtre. Et vous pratiquez votre métier mieux que quiconque. C'est pourquoi nous désirons louer vos services pour un seul travail.
— Vous devez avoir de sérieuses raisons de voir cet homme éliminé.
— Oui. Continuons-nous la discussion ? Je le présume, puisque vous êtes à nouveau assis. A moins que ce ne soit là une simple curiosité malsaine de votre part ?
— Monsieur Rinaldi, dans notre métier la curiosité malsaine n'existe pas. Si j'ai décidé de rester, c'est que je vais vous écouter et que je vous donnerai une réponse dans les quarante-huit heures. C'est d'accord ?
— D'accord. Voilà. L'homme à abattre est un Noir qui a son quartier général dans le Village, près de Christopher Street, le coin des gays. Il est très bien entouré. Nous désirons qu'il disparaisse parce que c'est un trafiquant de drogue qui empiète sur notre territoire depuis un certain temps ...
— Je vois. Combien de personnes sont au courant de ce contrat ?
— Ce contrat a été discuté et décidé en conseil de famille.
— Bien. Question équipement, ai-je carte blanche pour avoir l'armement et éventuellement les explosifs que je désire ?
— Absolument. Vous nous soumettez une liste et vous aurez le tout dans une semaine. Et tout ce que vous obtiendrez sera intraçable.
— O.K. ! Laissez-moi réfléchir ... Ah oui ! Si j'accepte ce travail, j'aurai besoin d'un poste d'observation suffisamment proche de l'objectif. De préférence, un petit appartement, en face, ou le plus rapproché possible.

Le consigliere sourit. Il avait déjà pensé à cet aspect du problème et il était parvenu à faire expulser l'un des locataires d'un appartement d'en face. Il avait fait sous-louer ce dernier au nom d'un certain John Brown, qui s'y installerait très prochainement. Etre consigliere d'une famille requérait de la matière grise et de l'agilité mentale. Sans elles, se serait-il maintenu au pouvoir depuis aussi longtemps ?

— Je crois que ce sera possible, répondit Rinaldi.

— Bien. Avez-vous autre chose à me dire, afin de me permettre de prendre une décision ?

Rinaldi réfléchit. Il repensa au fait que Tony Camero, de l'équipe de Benedetto, avait été porté disparu. Disparu sans laisser de traces. Aucun des types de l'équipe ni sa femme ne l'avaient plus vu depuis deux semaines. Sa voiture avait également disparu. Pour lui, cela ne faisait aucun doute : il était bien l'espion. Son sort ? il ne fallait pas être devin pour déduire qu'il s'était taillé avec le butin ou avait été liquidé par ses contrôleurs et maîtres. Rinaldi n'avait rien dit de tout cela, ni à Benedetto, ni à Giuseppe Conti. Il leur avait plutôt donné l'impression qu'il s'agissait d'une nouvelle machination de Lewis et de sa bande de dégénérés. Mais, au fond, cela le tourmentait. De plus en plus, il en était venu à penser que les Chinois qui soutenaient Lewis avaient dû prendre le relais et que c'étaient eux qui dirigeaient les affaires aujourd'hui. Bientôt, sans aucun doute, ils se débarrasseraient de Lewis, si ce Levinski ne le tuait pas avant, et la famille Dipensiero se retrouverait coincée dans son territoire de Manhattan, entre Chinois au sud et Chinois au nord. Une perspective peu rassurante. Car le consigliere n'était pas raciste. Il n'avait pas peur des Jaunes en tant que tels. Simplement, il savait que les Chinois étaient les meilleurs, à tous points de vue. Meilleurs organisateurs, meilleurs hommes d'affaires. En parler à Levinski ? S'il était déjà assez fou pour s'attaquer à la bande de Lewis à lui seul, il refuserait certainement dès qu'il flairerait la présence de Chinois dans l'affaire. Il avait vécu en Asie. Il avait dû entendre parler des tong et des triades.

— Non, je crois que nous avons cerné le problème. Si vous acceptez, monsieur Levinski, ferez-vous le travail tout seul ?

— Si j'accepte, ce ne sera pas par amour pour votre organisation ! Uniquement pour l'argent. Et une telle somme perdrait de son intérêt si elle devait être partagée !

— Pensez-vous que seul vous réussirez ? A mon avis, les chances seraient plutôt contre vous !

Rinaldi trouvait maintenant un plaisir espiègle à tenter de décourager Levinski, espérant le blesser ou le forcer à jouer au surhomme.

— Vous connaissez la réputation des SEALs, je suppose !

— Un peu.

— Elle n'est nullement surfaite, je vous l'assure. Nous sommes les invisibles. A côté de nous, les Bérets verts, les rangers et les marines sont des enfants de chœur ...

— O.K. ! Je vous crois. Quarante-huit heures, vous avez dit ?

— Oui.

— Je vais vous donner mon numéro de téléphone. Si vous vous décidiez avant, passez-moi un coup de fil et nous fixerons un nouveau rendez-vous.

Rinaldi inscrivit son nom et son numéro de téléphone sur une feuille de papier. Il la tendit à Levinski qui en parcourut les indications, la plia et la glissa dans la poche intérieure gauche de son blouson.

Ils se serrèrent la main. Le consigliere raccompagna Levinski jusqu'à la Jaguar.

Après que la voiture se fut éloignée, le consigliere sut qu'il avait trouvé son homme et qu'il pouvait lui faire confiance.

Pourtant, au fond de lui, il avait un présage de mort, d'échec, et il n'aurait pu en deviner la cause. Brusquement, il se sentit angoissé à l'idée de ce qu'ils allaient entreprendre contre Lewis. Il savait qu'il avait commis une erreur en ne parlant pas des Chinois. Mais quel choix réel avait-il eu ? La famille Dipensiero était-elle en état de s'attaquer à une triade à elle seule ?

Mais Roberto préféra penser à Heidemarie, à ses fesses rebondies, à ses seins teutoniques. Il sourit et se dirigea vers le téléphone ...

XV

Sur le petit écran, la voix rassurante de Walter Cronkite projetait sur les téléspectateurs son aura de confiance en un avenir meilleur et en une presse non jugulée, exhortait les citoyens américains à consommer moins de pétrole, les invitait à acheter des voitures moins puissantes et à se passer de l'air conditionné au moins quelques heures par jour. Avec sa voix chaude de grand-père tranquille, il était la conscience de l'Amérique. Il aurait pu être prêtre ou l'un de ces leaders religieux charismatiques qui, à l'instar d'un Billy Graham, rameutaient des foules considérables et géraient des budgets fabuleux. Walter Cronkite et Johnny Carson avec son show de soirée étaient les symboles d'une certaine stabilité américaine. Sans eux pour les rassurer, pour les faire rire ou les faire pleurer, les Américains se sentaient désemparés, orphelins.

Max regardait Cronkite mais son cerveau était ailleurs. Il se trouvait seul à la maison, ce soir-là, Angela étant sortie avec son amie Jennifer. Sur la petite table de salon, il y avait le *New York Times, Rolling Stone* et le *New Yorker.* Rien de neuf sous le soleil. L'OPEP cherchait toujours à ramener le monde entier à la période glaciaire, Gerald Ford, après sa brillante victoire due à la libération du Mayaguez, dans le golfe de Thaïlande, continuait sa campagne personnelle afin d'être reconnu comme président des Etats-Unis et non comme un cascadeur sur le retour ou un figurant sans emploi précis. Indira Gandhi avait été jugée et condamnée pour pratiques électorales illégales. On se battait encore en beaucoup d'endroits du monde. Et si le canal de Suez était désormais accessible aux bateaux, combien de lieux restaient, eux, inaccessibles à la raison humaine ? Max se leva, abandonna l'image rassurante de Cronkite et monta dans sa chambre. De la fenêtre, il découvrit le miroitement de Manhattan. Une féerie qu'il ne se lassait pas d'admirer.

Max Levinski était né en juin 1945, fruit de l'amour illicite entre un jeune paysan poméranien et une Juive, Esther Levinski. Pourquoi cette jeune femme de 22 ans, qui avait réussi à échapper aux rafles des SS et qui avait continué à travailler paisiblement dans une ferme de la région baltique, non loin de l'île de Wolin et du golfe de Stettin, avait-elle cédé en ce soir embaumé de septembre 1944 aux avances du jeune Marek Prszinski ? Parce qu'il aurait pu deviner qu'elle était juive et la dénoncer aux autorités allemandes ? Même pas. Esther Levinski était petite et brune. Elle n'avait pas le type sémite. Et c'est cela qui lui avait sauvé la vie, outre sa maîtrise du polonais rural. Un langage non châtié, sans affectation.

Esther succomba ce soir-là et d'autres soirs encore après ce premier festin de la chair. A un moment, elle aurait même pu croire qu'elle aimait Marek. Mais quand la déroute de l'armée allemande se transforma en une fuite éperdue vers les frontières de l'ancien Reich pour les Volksdeutsche, Esther prit peur. Presque inaudible au début, le bruit du canon se rapprochait d'eux, de jour en jour. Esther avait peu à craindre des Soviétiques. En tant que Juive, elle pouvait prétendre être l'une des innombrables victimes des nazis. Mais les réfugiés, qui continuaient à passer sans arrêt, racontaient des scènes dignes de l'enfer, des histoires de meurtres, de pillages, de viols collectifs. Esther était sur le point de se décider à rallier l'exode et à se joindre aux foules qui fuyaient en direction de l'Allemagne. Marek, qui l'aimait profondément, parvint à la dissuader.

Un matin froid d'avril 1945, un silence soudain préluda à l'arrivée des régiments de libération de l'Armée rouge. Les troupes d'assaut, sales mais courtoises et superbement bien armées, ne firent que passer et furent acclamées. A leur suite, vinrent les troupes auxiliaires, le NKVD, les parasites. Et vinrent également les soûlards, les hommes en quête de femmes.

Un après-midi du même mois, trois soldats ivres arrivèrent à la ferme dans l'intention manifeste de violer les femmes. Quand ils virent la petite Esther, ils voulurent la baiser sur place. Marek tenta de s'opposer. Il fut aussitôt plaqué au sol d'une balle de Tokarev automatique SVT40 et mourut lentement, son corps déversant le contenu de ses intestins et du sang qui peu à peu tachèrent la neige. Esther fut sauvée par l'arrivée providentielle d'un détachement du NKVD qui emmena les trois hommes, des déserteurs, semblait-il.

Marek était mort à 15 heures 27, le 17 avril 1945. Son premier homme, le père de son futur enfant, venait de quitter ce monde, et Esther eut un choc. Sans famille, sans attaches, il n'y eut plus en elle que la volonté de donner naissance à l'enfant qu'elle portait. Et aussi de quitter ce pays maudit, où on lui avait volé ce qu'elle avait eu de plus cher.

En septembre 1945, après la naissance de Max, à qui elle avait donné ce prénom en souvenir de celui de son grand-père maternel, elle se décida à demander l'intervention de la Croix-Rouge. Elle indiqua qu'elle était juive, apprit qu'elle était l'unique survivante de la branche poméranienne des Levinski et exprima le vœu d'émigrer aux Etats-Unis.

Au début de 1949, elle se retrouva dans le Bronx, chez son frère Moïshe Levinski, de dix ans son aîné. Moïshe avait émigré avant la guerre et il était l'un des rares Juifs qui avaient pu passer entre les mailles du quota d'immigration imposé par le Congrès américain. Arrivé aux Etats-Unis en 1938, il s'installa à son compte comme maroquinier et ouvrit une petite boutique dans le Lower East Side, alors une sorte de ghetto juif de New York.

Max Levinski eut une enfance américaine ordinaire. Très tôt, il apprit à se servir de ses poings. Le fait d'avoir un nom à consonance juive et de porter le nom de famille de sa mère plutôt que celui de son père le destina aux sarcasmes, aux attaques vicieuses, aux blagues éculées. Se faire traiter de Polak ou de sale Juif n'était jamais gai.

C'est de cette époque que data sa réputation de solitaire. Solitaire, il le fut à tous points de vue. Il n'éprouva jamais le moindre sentiment, le moindre amour, la moindre parcelle d'intérêt pour la religion juive. Américain, il garda en lui les racines d'une vie plus riche, plus profonde. Quant à ses études, elles révélèrent un élève moyen. Certains de ses professeurs avaient deviné en lui un potentiel inexploité, un volcan qui ne demandait qu'à cracher sa lave. Avec les filles, Max resta l'éternel timide, celui qui regardait les autres, qui voyait les plus belles, les moins belles, les presque laides et même les laides passer dans les bras des autres. Le monde explosait d'amusement mais Max, sans en être conscient, portait en lui un mortel ennui. Un spleen cosmique qui aurait pu faire croire à du romantisme. Il était déboussolé, sans attaches ni amours véritables. Il se cherchait. Sa mère avait disparu au confluent du melting-pot américain, puis s'était mariée en 1959 alors que Max était resté chez son oncle Moïshe dans le Bronx. Elle était morte en 1961, victime d'un accident de voiture au retour d'une party « sauvage» dans un faubourg de Los Angeles.

Quand arriva pour Max l'heure de l'appel au service militaire en 1963, il prit une décision étrange, impulsive. Il s'engagea pour un terme de trois ans dans la Navy. Et, un peu par bravoure, un peu par inconscience, il décida de se porter volontaire pour les SEALs. Pendant un an, il fut initié aux techniques de démolition sous-marine, il apprit à manier toutes les armes légères et semi-lourdes employées dans l'armée et la marine américaines, devint un expert dans le maniement des explosifs, dans le combat au couteau ou à mains nues. Mis à part les cours du Basic Underwater Demolition School comme de l'Underwater Demolition Team et la « semaine d'enfer », il suivit également ceux de la Special Warfare School.

Il fut envoyé au Viêt-nam pour son premier tour, au début de 1965, alors que les événements s'aggravaient : la volonté de fer du président Johnson et du commandant en chef des forces américaines, le général Westmoreland, poussait le pays vers une épreuve de force, de folie contrôlée, voire de paranoïa. A cette époque, de tous nouveaux concepts stratégiques, tels les « search and destroy » et les « free fire zones », commençaient à s'imposer aux Américains. De plus en plus souvent, Walter Cronkite et les autres commentateurs de télévision montraient des films de la guerre du Viêt-nam. Les pertes se faisaient de plus en plus importantes à mesure que la guerre prenait de l'ampleur.

Au Viêt-nam, Max apprit à vivre l'existence d'un SEAL, dont les points d'attache étaient le PBR[1], le Mékong et la jungle. Il devait combattre de jour comme de nuit, et tuer était devenu son métier.

Max le solitaire fit rapidement partie des meilleurs et se distingua surtout par le soin qu'il mit à faire son travail ainsi que par sa dévotion à Kuan Yü, le dieu de la Guerre, patron des combattants. Il avait enfin trouvé sa vocation et devint rapidement un expert, un des maillons qui sapaient la force des communistes.

Max se détacha du paysage nocturne de Manhattan. L'inactivité lui pesait, et 175 000 dollars représentaient un sacré paquet. Après ce coup, il quitterait le pays avec Angela et ils iraient s'établir dans un coin tranquille, sans aucun souci d'argent. Il se dirigea vers le téléphone et forma le numéro de Rinaldi avec l'exactitude, la précision et le sang-froid d'un SEAL se préparant à une mission dangereuse. Sa voix avait l'intonation d'un robot. Quand il eut reposé le combiné, il prit un bloc-notes et un stylo à bille, et il entreprit de dresser la liste du matériel dont il aurait besoin pour sa mission. Déjà, il s'imaginait revenu à l'état de soldat, de tueur, de combattant de l'ombre. Angela et le monde alentour s'estompaient, avaient déjà presque disparu ...

Roberto Rinaldi attendait Max Levinski avec une certaine sérénité. Car il ne doutait pas que sa réponse serait positive. Qui refuserait 175 000 dollars pour simplement éliminer un Noir, un trafiquant de drogue ? Pourtant, d'autres pensées le turlupinaient. Il en avait vraiment assez des affaires de la Mafia et de ses membres.

Il entendit le moteur de la Jaguar et interrompit le cours de ses pensées tourmentées. Russo et Levinski étaient arrivés. Max entra dans le salon, salua Rinaldi et, sur l'invitation de celui-ci, s'assit dans le même fauteuil que celui occupé quarante-huit heures auparavant. Le cérémonial du thé et des sandwichs fut également renouvelé.

— Alors, monsieur Levinski ?

— J'accepte !

— Très bien. Sans conditions ?

— Sans conditions, mais avec certains souhaits.

— Oui ?

— J'ai une liste du matériel qui me serait nécessaire.

Max tendit la liste à Rinaldi qui la lut avec attention, puis déclara :

— Rien d'impossible là-dedans. Vous désirez également un passeport et des documents d'identité appropriés ?

---

1. « Patrol Boat River » : bateau patrouilleur de rivière.

— Oui. On ne sait jamais ce qui pourrait arriver. Je dois avoir le moyen de quitter le pays rapidement.

— Bien. Quoi d'autre ?

— Quand vous m'aurez expliqué de quoi il s'agit exactement, je verrai si j'ai d'autres questions à soulever.

— Bien. Vous savez que le fait d'avoir accepté signifie beaucoup. Pour vous comme pour nous. Vous pouvez encore faire marche arrière avant que je n'entre dans les détails ...

— C'est bien réfléchi, je marche.

— O.K. ! Le type que nous voulons voir éliminé s'appelle Alfred Lewis. Il est le chef d'une organisation illégale de Noirs, la Brotherhood of Blacks, qui fait du trafic de drogue, de l'extorsion, des enlèvements de camions, de la prostitution, et j'en passe ! La raison essentielle pour laquelle nous voulons sa mort, c'est que ses pushers empiètent sur le territoire de l'un de nos protégés. Comme je vous l'ai dit, il a fait tuer cinq de nos hommes, dont vous avez vu les photos. Son quartier général est situé dans Charles Street, non loin de l'Elevated Highway. J'ai ici quelques photos prises au téléobjectif et une photo récente de lui.

Rinaldi sortit quelques documents d'un attaché-case et les tendit à Max, qui les étudia avec soin. Il s'imprégna autant de ce que les photos lui montraient que de l'atmosphère qui les entourait. Puis il demanda :

— Puis-je les garder ?

— Evidemment. J'ai ici tout un dossier sur Lewis. Ce que nous avons pu observer de ses habitudes, du nombre de personnes qui sont d'ordinaire avec lui, etc. Son adjoint direct, Robert Walker, est un type assez dangereux. Je dois préciser que Lewis et Walker sont des anciens du Viêt-nam, eux aussi, des ex-marines. Donc, ce ne sera pas nécessairement du gâteau ...

— Des marines ! Tiens, c'est intéressant, ça !

— C'est vous qui le dites. D'autres précisions ?

— Auriez-vous la possibilité de louer un appartement juste aux abords du quartier général de Lewis, de préférence en face ? J'y placerai mon poste d'observation, car je suppose qu'il doit y avoir des gardes fixes ou patrouillant en permanence devant chez lui. Du moins, si j'étais chargé de défendre ce bâtiment, c'est ce que je ferais.

— En effet, il y a deux gardes en permanence de chaque côté de la rue, avec une voiture pour chacun d'eux. Quant à l'appartement, nous en avons un juste en face, sous-loué au nom de John Brown. Vous pouvez y aller quand vous le désirez. Voici les clefs.

— Rien de particulier dans ce quartier ? Je dois dire que je le connais peu. C'est un quartier de tantes, non ?

— Oui. Dans le bâtiment juste à côté de celui de Lewis, il y a un hangar plus ou moins désaffecté et qui sert de lieu de rencontre pour des pédés du coin. Il y a aussi des bains et des boîtes qui leur sont destinés.

— Intéressant. Et l'arrière des bâtiments ? Vous avez une idée ?

— Non. Mais c'est moins important.

— O.K. ! Pour l'armement, j'ai mentionné que je désirais des silencieux faits sur mesure pour chaque arme, fusil d'assaut, pistolet-mitrailleur ou arme de poing. J'aimerais également les essayer quand vous les aurez. De combien de temps pensez-vous avoir besoin ?

— Pour les armes, je dois prendre contact avec Chicago. Je pense une dizaine de jours, peut-être moins. Quant aux explosifs et aux commandes radio, là il pourrait y avoir un problème. Cela pourrait attirer l'attention du FBI. Nous devrons être très prudents.

— En attendant, je recommencerai un entraînement intensif, je veux dire physique et karaté. J'entamerai la surveillance dès que ce sera possible. Ah ! Comment gardons-nous le contact ?

— Le mieux serait de fixer une heure tous les jours où vous pourriez m'appeler. S'il y avait urgence, je pourrais envoyer un télégramme, cela attirerait moins l'attention. Disons que vous allez à l'appartement de Charles Street, afin de vous familiariser avec l'endroit et le quartier, et que l'on se revoit dans deux jours. O.K. ?

— O.K. !

Roberto Rinaldi prit les photos et le dossier, les plaça dans un autre attaché-case qu'il ferma et tendit à Max.

— Monsieur Levinski, encore une formalité.

— Oui.

— Le paiement ?

— 87 500 dollars peuvent m'être versés à ce numéro de compte.

Max tendit une fiche qui contenait un numéro de compte en banque, un code, le nom et l'adresse de la banque.

Rinaldi sourit quand il reconnut un établissement situé aux Bahamas.

— Ce sera fait aujourd'hui même, monsieur Levinski. Gardez l'attaché-case, ce sera plus facile pour vous. Le numéro de la maison est sur le trousseau de clés que je vous ai remis. Y sont également indiquées la clé qui ouvre la porte de rue et celle qui ouvre l'appartement. Nous vous avons donné un double jeu. Dans l'attaché-case, vous trouverez également mon numéro de téléphone. Bonne chance !

Ils se serrèrent la main, à la manière de deux hommes d'affaires aisément parvenus à un accord. Pour Max, c'était le signe que tout, désormais, allait changer, très vite ...

XVI

L'été 75 était à peine vieux de trois jours mais le thermomètre indiquait déjà près de cent degrés Fahrenheit. Max était à la fenêtre de l'appartement de Charles Street, en face du quartier général de Lewis. Une paire de jumelles puissantes de fabrication japonaise à portée de main, il s'était très rapidement installé dans une routine où il excellait : celle de l'oiseau de proie.

L'endroit était très propre mais plutôt petit : une pièce, une kitchenette, une douche minuscule, un W.-C., un évier. C'était le genre d'appartement dont se satisfaisaient des artistes du Village ou qui aurait pu servir à des ébats éphémères.

Rinaldi avait bien fait les choses. Le frigo était pourvu d'un nécessaire alimentaire de survie. Max trouva aussi un appareil reflex japonais, des téléobjectifs et un zoom, ainsi qu'une importante quantité de films professionnels de haute sensibilité. Il ne s'était pas privé de prendre des photos.

Lors de l'un de leurs rendez-vous téléphoniques quotidiens, à 13 heures, Max était convenu avec Rinaldi qu'il déposerait les films dans une boîte aux lettres de la 13e Rue Est. S'il les déposait le matin, les photos lui seraient livrées le jour même, dans une enveloppe au nom de John Brown.

Rinaldi devait disposer de moyens financiers illimités et d'une armée de fourmis ouvrières à sa disposition, qui lui permettait de résoudre le moindre problème d'ordre logistique ou autre avec une rapidité surprenante. Non seulement les photos revenaient très correctement développées mais, dans la limite du possible, au dos de chacune avaient été indiqués les nom, prénom et caractéristiques essentielles des personnes qui avaient pu être identifiées. Bien qu'il ne ressentît aucune sympathie particulière pour la Mafia et ce qu'elle représentait, Max avait été impressionné par cette efficacité sans faille. Grâce aux photos, à ses observations et aux notes qu'il avait en sa possession, il s'était fait une idée du nombre de personnes qui entouraient habituellement Lewis, de jour comme de nuit. D'instinct, aussi, il avait immédiatement reconnu celles qui auraient pu constituer un danger certain.

En tête de liste, il avait placé Robert Walker, qui avait le regard, la démarche, le profil d'un survivant. L'espèce la plus dangereuse qui soit.

Si Max avait déjà amassé un nombre d'heures considérable de surveillance, il ne se sentait pas pour autant plus près du but. Tuer Lewis était facile. Avec un fusil d'assaut, un Armalite AR-18 automatique, c'était même un jeu d'enfant. Mais le problème pour Max, c'était d'en réchapper à coup sûr. Peu importait, au fond, si d'autres personnes mouraient en même temps que ce trafiquant de drogue. En parfait tacticien, Max tenait à s'assurer des positions de repli. Bien sûr, il aurait pu faire sauter l'immeuble ou l'une des voitures. Mais après ? Comment s'en sortirait-il ? Non, il n'avait pas encore d'idée très précise sur ce qu'il convenait de faire. Il se contentait pour le moment d'amasser des notes, de mémoriser des informations car il savait qu'un jour elles s'avéreraient utiles. Il devait se forcer à penser à Lewis, à ses gardes du corps, à ses adjoints, jusqu'à la nausée. Et à chaque fois recommencer à zéro ses prévisions et ses conclusions.

Exactement une semaine que le téléphone avait sonné à Brooklyn Heights. Une semaine tout juste que Rinaldi l'avait appelé. La vie de Max avait été complètement transformée. De citoyen plus ou moins respectueux des lois et de la constitution américaine, il était devenu un gangster, associé de fait avec un syndicat du crime. Un vrai trigger-man[1] , comme des milliers d'autres avant lui. Le fait qu'il ait pris contact avec sa banque aux Bahamas et reçu la confirmation du transfert par télex des 87 500 dollars n'allégeait en rien, bien au contraire, le sentiment de culpabilité qui le dévorait. Un véritable cancer de l'esprit.

Le plus délicat avait été d'annoncer à Angela qu'il devait partir pour deux ou trois semaines. Il ne lui avait rien révélé. Il s'était dit que, si elle le croyait à l'étranger, il ne risquerait pas de céder à l'impulsion primaire de la revoir. Vis-à-vis d'elle, il était parti depuis samedi dernier. Elle ne recevrait ni cartes ni lettres ni appels téléphoniques. La dernière nuit qu'ils avaient passée ensemble avait été désastreuse à tous points de vue. Max n'avait jamais connu de grands départs ou d'adieux éplorés. Là, pour la toute première fois de sa vie, il avait ressenti une pointe de désespoir. Car il savait qu'il courait le risque de ne jamais revoir Angela. Cela arrivait même aux meilleurs. Le hasard, les lois de la probabilité constituaient quelquefois un lourd fardeau. Ils avaient fait l'amour, certes, et même plusieurs fois. Mais cela avait été leur manière de pleurer. Cette nuit-là, leurs étreintes avaient eu la note poignante d'une mort imminente. Ils n'en avaient pas parlé car, au fond, ils étaient trop timides pour ce genre d'aveu.

Max se dirigea vers la table, prit deux photos, des gros plans de Lewis et de Walker. Il se demanda s'il avait rencontré Lewis au Viêt-nam.

L'image d'une boîte, près de l'importante base américaine de Danang, lui revint en mémoire. Ainsi que l'image d'un patron noir, ce qui, autour de Danang, n'était pas rare. Car les Américains avaient exporté tous leurs vices

---

1. « Homme de gâchette », tueur.

au Viêt-nam. Des soldats en revenaient bourrés de fric, de véritables capitalistes en miniature. Concernant Lewis, une chose était certaine : il avait bon goût en ce qui concernait les nanas qu'il faisait venir chez lui. Du « matériel de prix », durable, chic, bien en chair.

Max posa les photos et retourna se poster à la fenêtre. Il vit les deux gardes du corps de faction à l'extérieur. D'ordinaire, ces hommes n'étaient pas d'un niveau professionnel très élevé. Leur surveillance n'était pas très rigoureuse et visait plus à la dissuasion qu'à l'action. Le meilleur moyen de contrôler les abords du bâtiments aurait été une surveillance de type rectangulaire, ou au moins triangulaire. Des gardes fixes ou amovibles, mais reliés entre eux par talkies-walkies. Mais là, ce serait simple pour lui de se débarrasser des deux types.

Dans sa conversation précédente avec Rinaldi, Max lui avait demandé s'il ne serait pas possible d'obtenir un plan détaillé des lieux, et Rinaldi avait promis de faire le nécessaire. Max se rendait compte qu'il y avait un certain risque à essayer d'obtenir un tel plan par le canal de l'administration, mais cela pouvait l'aider. Car il était sûr d'une chose : avant de déterminer le moyen qu'il emploierait pour éliminer Lewis, une reconnaissance minutieuse des lieux serait nécessaire. Donc, il devrait trouver une possibilité d'entrer dans le quartier général. Peu importait l'accès : cave, toit, porte ou fenêtre. Mais c'est au hangar voisin qu'il avait surtout pensé. Situé à gauche de l'immeuble de Lewis, il servait effectivement de lieu de rendez-vous privilégié des homos. Max avait noté les entrées et les sorties pendant un laps de temps déterminé, et il était arrivé à des chiffres assez éloquents. En deux heures, de minuit à deux heures du matin, la nuit de dimanche à lundi, pas moins de 157 entrées et 135 sorties ! Le plus étonnant dans cette frénésie du sexe était que les gardes postés dans la rue ne prêtaient aucune attention à ce monde-là. Et Max s'était dit que, stratégiquement, il y avait une énorme faille à exploiter.

A se retrouver ainsi dans la solitude, il avait fait d'autres découvertes, bien plus personnelles. Il s'était rendu compte qu'Angela lui manquait. Par cette seule constatation, si humaine et si réconfortante en soi, il avait découvert la profondeur de ses sentiments. En peu de temps, Angela avait réussi à le transformer. Et cette transformation lui sembla radicale et durable.

Parfois, quand il surveillait la rue, il ressentait une douleur morale qui le tourmentait et le rendait incapable de se concentrer. S'il n'avait pas été un véritable professionnel, il se serait laissé aller à prendre un fusil d'assaut automatique et aurait tué Lewis quand il serait entré dans son bâtiment ou en serait sorti. Une décharge unique et létale de quinze ou vingt balles, quelques secondes et tout aurait été terminé. Ensuite, il aurait appelé Angela et ils auraient fait leurs valises avec 175 000 dollars en poche !

Mais la réalité était qu'il avait été formé pour devenir une machine à tuer parfaite, silencieuse et patiente. Les longues heures passées à transpirer à la base de San Diego en Californie, les très longues heures passées en opérations de survie, les innombrables heures passées sous l'eau, les nuits de combat au Viêt-nam l'avaient programmé sur le mode d'un tueur méthodique. Le raisonnement froid et logique, les instincts et les réflexes de survie étaient ses armes de base. Sérier les données, les diviser en leurs composantes les plus minuscules, projeter pour chaque élément, même infime, d'un problème ses conséquences éventuelles et les éliminer grâce à des solutions, des réponses instantanées : tel était son talent.

Si Max avait survécu à trois tours de service au Viêt-nam en tant que SEAL, c'était une référence de taille dont peu de Vets[1] auraient pu s'enorgueillir. Mais il n'était pas fou. Parmi les types de la Brotherhood of Blacks, outre Lewis et Walker qui étaient des ex-marines, d'autres hommes avaient eu de solides expériences du combat. L'un d'eux, Ralph Johnson, était un ancien Béret vert, ce qui n'était pas rien. Car les Noirs n'avaient jamais été représentés en nombre important parmi les forces d'élite. Non qu'il y ait eu le moindre racisme à la base de Fort Bragg en Caroline du Nord. Mais, tout comme pour la CIA et le FBI, l'élément blanc était la prédominance naturelle et les tons noirs plutôt l'exception. Si ce Ralph Johnson avait réussi à devenir un Béret vert, il devait être bien meilleur que le plus pâle des crétins blancs qui pullulaient au sein des Special Forces. Et cela bien que Max eût toujours considéré les Bérets verts comme des cow-boys, des caricatures hollywoodiennes, une création de la publicité massive de Madison Avenue.

Max organisait ses journées comme s'il avait été au camp de San Diego ou sur un PBR au Viêt-nam. Il se levait à sept heures du matin et déjeunait de manière plutôt frugale pour un Américain : œufs pochés, jus d'orange, quelques tranches de pain de seigle et un milk-shake. Ensuite, il se rasait soigneusement, endossait son survêtement et partait courir une heure le long de l'Hudson, entre le Holland Tunnel et le Lincoln Tunnel.

Au retour, il prenait une douche d'eau chaude et d'eau froide alternées. Il s'essuyait ensuite de manière vigoureuse, afin de stimuler la circulation du sang. Puis il prenait le métro, la ligne IRT, montant à Christopher Street et descendant à la 34e Rue. Puis il se rendait à pied jusqu'au dojo[2] de Kenzaburo Kozawa où, d'ordinaire, il s'entraînait de dix heures du matin à midi.

Kenzaburo Kozawa était né en 1930 à Nagoya, dans l'île de Honshu, l'île principale du Japon. Trop jeune à l'heure de la guerre, avec d'autres condisciples il avait été formé militairement et avait appris à haïr les Américains. Il avait connu les bombardements, l'humiliation nationale d'entendre l'empereur à la radio annonçant la reddition inconditionnelle du Japon le 15 août

1. Vétérans.
2. Salle d'entraînement aux arts martiaux (japonais).

1945, et la honte de voir les premiers gaijin[1] souiller le sol sacré de sa patrie.

Par la suite, Kozawa avait trouvé sa vocation, un peu par hasard. Par opposition fondamentale à la volonté américaine de faire des Japonais des démocrates et des citoyens du XXe siècle, il se tourna vers un passé riche en traditions religieuses, guerrières et sacrées. Il choisit le retour aux sources, s'immergeant dans le budo[2], devenant un véritable sensei[3], pratiquant le kendo[4] et tous les autres arts martiaux qui découlaient de la connaissance élémentaire des cinq éléments fondamentaux, des forces naturelles de l'homme et de ses possibilités surnaturelles.

Au début des années 60, il émigra aux Etats-Unis. Il s'établit à Manhattan et ouvrit un dojo dans la 34e Rue Est. A cette époque, très peu de personnes, en dehors des Asiatiques, pratiquaient les formes martiales d'auto-défense ou de combat, souvent létales. Les débuts furent durs mais il s'en sortit bien que de mauvaises langues eussent insinué qu'il aurait pu être un yakuza[5]. D'autres disaient qu'il aurait pu être un chef de gang japonais envoyé aux Etats-Unis, alors que le trafic de drogues en provenance du Sud-Est asiatique prenait de l'ampleur.

Lors de sa formation en tant que SEAL, Max Levinski avait été mis en contact avec les formes les plus brutales des arts martiaux. Il avait appris à tuer, avec ou sans armes. Ce n'est qu'après avoir fait la connaissance de John Lee, un SEAL d'origine chinoise et parfait karatéka, que Max commença à s'intéresser à d'autres formes de l'art du guerrier, plus nobles parce qu'elles faisaient participer l'histoire religieuse de la Chine, pays dans lequel les moines du monastère de Shaolin avaient été les initiateurs de techniques d'autodéfense fondées sur la respiration et l'art de se servir de l'attaque même de l'adversaire pour l'anéantir.

C'est vers la fin des années 60 que Max avait entendu parler du dojo de Kozawa. Pendant les séjours qu'il passa aux Etats-Unis, il commença à s'adonner au kendo et au karaté. Comme tant d'autres avant lui dans le souvenir millénaire de la conscience collective japonaise, il apprit à respirer, à faire le vide en lui. Il s'intéressa aux théories du yin et du yang. Cela pouvait sembler paradoxal que le même homme soit à la fois un mercenaire capable de vider un chargeur de M-16 dans le corps d'un ennemi et un être apte à entrer en méditation et à remonter à des principes religieux censés, du moins à l'origine, rendre le monde meilleur ...

---

1. Etranger, en japonais. Terme condescendant.
2. Depuis l'ère Meiji, ce terme a repris toutes les formes d'art guerrier et a remplacé l'ancienne notion de bushido, la « voie du guerrier ».
3. Professeur. Ici, maître.
4. L'art du sabre.
5. Gangster.

Chaque fois qu'il avait terminé son entraînement au dojo, Max reprenait l'IRT en direction de Christopher Street. A 13 heures, il appelait Rinaldi. Ensuite, l'après-midi, la soirée ainsi qu'une partie de la nuit, il surveillait le bâtiment d'en face, prenait des photos et de nombreuses notes. Avec une patience ... de prêtre bouddhiste.

XVII

Robert Walker était inquiet. Son intuition lui disait que quelque chose de fâcheux se tramait. Plusieurs fois déjà, il avait tenté d'en parler à Alfred, mais en pure perte. Près de trois semaines s'étaient écoulées depuis le meurtre des cinq mafiosi par les hommes de Peter Chen. Comme, entre-temps, rien ne s'était produit, Lewis en avait conclu que la Mafia, matée pour l'occasion, ne tenterait plus rien contre eux. Robert aurait pu se contenter de le croire et cesser de se tourmenter. Il était évident que les affaires de la Mafia boitaient en ce moment. Outre les luttes intestines entre les cinq familles new-yorkaises et les dissidences de plus en plus fréquentes, les forces de l'ordre mettaient le paquet. On voyait un mafioso après l'autre devant la commission sénatoriale de Frank Church. L'IRS et le FBI n'étaient pas en reste. Aussi, pour la Brotherhood of Blacks, tout aurait pu être pour le mieux dans le meilleur des mondes possible.

Mais plusieurs petits événements troublants étaient apparus. Troublants, en tout cas, pour ceux qui désiraient y prêter attention, ce qui n'avait pas été le cas d'Alfred. Robert en était venu à le haïr. « Once a Marine, always a Marine[1] » était l'un des slogans qui couraient les baraquements des bases de l'US Marine Corps. Et bien que Robert eût choisi la voie du crime, certains principes d'honneur étaient demeurés ancrés en lui. C'était l'une des raisons pour lesquelles il s'entendait mieux avec Chen qu'avec Alfred, du moins actuellement.

Alfred sombrait dans le vice. Il se shootait à mort et sniffait beaucoup. De plus, il buvait et il ne quittait presque plus son pieu. Il ne lui fallait jamais moins de deux ou trois nanas à la fois. Robert se demandait sincèrement ce qu'il était bien capable de faire sexuellement, vu ce qu'il ingurgitait comme came. Il en était à deux grammes d'héroïne pure par jour. Ah ! si tous les jeunes du ghetto qui vénéraient la Brotherhood of Blacks et qui souhaitaient devenir à leur tour un Alfred Lewis avaient su que leur idole était devenue un junkie, un vulgaire camé !

1. « Marine une fois, marine toujours. »

Le premier motif d'inquiétude de Robert avait été d'apprendre que le meurtre des cinq mafiosi avait été perpétré dans un restaurant chinois de la Mulberry Street, en plein Chinatown. Ce qui avait été un choix stupide. Car Chinatown était sous la coupe exclusive de deux triades, les Hip Sing et les On Leong. Un gang de jeunes, The Ghost Shadows, y avait également une partie du pouvoir. Si Robert avait pu apprendre la nouvelle, c'est que d'autres l'avaient apprise aussi. Et, pour les chefs des triades qui contrôlaient Chinatown, apprendre qu'un meurtre, même contre des mafiosi, avait été commis sur leur territoire par d'autres Chinois sans leur autorisation préalable soulèverait des vagues. Et un problème de manque de respect. Car, sans avoir rien fait pour cela, les leaders des triades de Chinatown avaient de toute façon perdu la face. Et, pour un chef de triade, perdre la face était ce qui pouvait arriver de plus grave. Une seule façon de réparer l'offense commise : par le sang. Et c'est là que Robert ne marchait plus. Car la triade de Chen était associée à la Brotherhood of Blacks. Si les triades de Chinatown décidaient de se venger, elles pourraient très bien s'attaquer à Alfred Lewis plutôt qu'à Chen.

Les Chinois étaient pragmatiques avant tout. Soit ils estimeraient avoir des forces suffisantes pour rayer Chen et ses hommes de la carte du monde, soit, trait typiquement asiatique et cadrant très bien dans leur concept stratégique global, ils s'attaqueraient à l'un des maillons de la chaîne. C'est-à-dire à l'organisation d'Alfred Lewis.

A plusieurs reprises, Robert avait tenté de faire comprendre à Alfred qu'il y avait pour leur organisation un danger à rester dans Charles Street. Car il ne se faisait aucune illusion : le bâtiment était indéfendable. Quatre ou cinq hommes bien armés et bien décidés pourraient les anéantir en quelques minutes. Robert ne craignait ni la mort, ni le combat. Au contraire, il avait toujours éprouvé une satisfaction professionnelle à combattre des ennemis de valeur égale. Au Viêt-nam, il n'avait jamais sous-estimé la valeur guerrière des soldats du Viêt-cong ou des troupes régulières de l'armée nord-vietnamienne. Ils avaient été de loin supérieurs aux soldats américains. Seuls peut-être les marines et les troupes d'élite méritaient la comparaison.

L'idéal, selon lui, aurait été une maison retirée, à l'extérieur de Manhattan, dans un quartier calme. Une maison entourée de murs ou de fils, balayée par des caméras et surveillée vingt-quatre heures sur vingt-quatre. Patrouilles avec chiens et commandos de choc à l'intérieur, disponibles sur appel. Robert envisageait également une surveillance extérieure à l'enceinte, au « périmètre ». Se basant sur son expérience asiatique, il aurait planifié la défense de leur quartier général comme celle d'une base américaine ou d'un périmètre de nuit.

Pour l'heure, un bon tireur pouvait tuer Lewis de n'importe quelle maison d'en face. Avec un Remington ou un Heckler & Koch, équipé d'un silencieux et d'un télescope, quel beau carton en perspective ! Et sans appartenir à l'élite. Mais si les triades décidaient de détruire la Brotherhood of Blacks, ils tenteraient le coup de force, la décapitation radicale de l'organisation.

Ce qui ennuyait encore Robert Walker était la récente décision de Chen d'augmenter ses prix de base de 30 % d'un seul coup. Il avait prétexté la fin des conflits du Viêt-nam et du Cambodge, et les difficultés nouvelles d'approvisionnement. Malgré ces arguments, Robert pensait plutôt que Chen, en bon commerçant, profitait d'une conjoncture favorable et des lois du marché, ainsi que de la panique que la fin du conflit du Sud-Est asiatique avait provoquée auprès des camés, pour augmenter ses prix de manière arbitraire et provocante. Ce qui avait placé la Brotherhood of Blacks devant un sacré dilemme : devait-elle répercuter cette augmentation de prix ou « couper » un peu plus son héroïne ?

La porte s'ouvrit et Ralph Johnson, l'ex-Béret vert, entra. Ralph était un homme superbe de vingt-cinq ans. Il mesurait près d'un mètre quatre-vingt-cinq et pesait 90 kilos. Son visage était fin, ses yeux pétillaient d'intelligence. Une fine moustache et des cheveux courts et frisés auraient même pu le faire passer pour un intellectuel de la West Coast. Mais, dans sa démarche, dans la façon scrupuleuse d'examiner son environnement, on pouvait deviner la bête de proie, le chacal fait homme, le survivant.

Ralph et Robert échangèrent un « soul-shake ». Plus que cette poignée de mains entre frères de race, une certaine intensité dans le regard indiquait le degré d'estime qui les liait. Robert prit la parole :

— Quoi de neuf ?

— Ça boume, bien que ...

— Quoi, des problèmes ?

— Non, j'ai un pressentiment depuis quelques jours. Les vibrations me paraissent franchement mauvaises ...

— A toi aussi ?

— Oui. Et à toi, depuis quand ?

— Quelques jours.

— Comme si un danger nous menaçait, se trouvait près de nous ...

— Dis, Ralph, ne penses-tu pas que nous devrions foutre le camp de cette maison. Elle est indéfendable, non ?

— Evidemment qu'elle est parfaitement indéfendable. Donne-moi de l'espace, un terrain d'approche, des zones de tir correctes, des zones de surveillance, et ce sera bon. Mais ici, regarde cette merde de rue !

Il fit un geste de la main gauche en direction de la façade donnant sur Charles Street et poursuivit :

— N'importe quel mafioso de cinq sous avec un Saturday Night Special de calibre 38 pourrait nous faire sauter la gueule !

— Oui, tu l'as dit. Mais Alfred se plaît ici. Il ne veut pas changer. Donc, nous restons.

Ralph Johnson soupira et regarda Robert Walker tel un chien son maître. Puis son visage exprima un dégoût exacerbé, une tristesse infinie. C'était un mélange connu de sentiments, qui l'avait souvent assailli lors de missions au Viêt-nam et plus particulièrement après la mort d'un camarade. Toute mort était, en soi, stupide mais certaines frisaient le ridicule. Un jour, l'un de leurs sergents, vétéran parmi les vétérans, s'était empalé sur des pieux punji. Il avait été inattentif quelques secondes et avait disparu dans la fosse. Un cri avait retenti. Un seul cri, à glacer le sang.

Ensuite, plus rien, un silence de l'au-delà. Les Bérets verts avaient formé un périmètre de défense puis attendu l'aube, car une évacuation de nuit par hélicoptère aurait été trop dangereuse dans les circonstances de leur mission. Le matin, cinq hommes avaient dû dégager le corps. Le travail avait été d'autant plus pénible qu'il s'agissait d'un ami et que certaines parties du corps avaient dû être découpées à la hache, tant les pieux s'étaient enfoncés profondément dans les chairs. Après de telles expériences, les regards se figeaient. Ils n'étaient plus qu'un voile d'absence qui cachait une sainte horreur de la vie, mêlée à une pitié profonde pour les victimes.

Ralph Johnson quitta la pièce sans rien ajouter.

XVIII

En ce soir du 2 juillet, Max n'avait plus quitté la fenêtre d'observation depuis près de deux heures. Cette nuit, il avait projeté de faire une reconnaissance armée par l'arrière du quartier général de Lewis, en s'introduisant sur la gauche de la propriété, via le hangar.

La semaine précédente, il n'avait pas été inactif. Bien au contraire. Le samedi, au retour de l'entraînement au dojo de Kozawa, il avait appelé Rinaldi à 13 heures et il avait appris que tout était fin prêt. Donc, l'équipement qu'il avait demandé était disponible. L'après-midi du même jour, Alberto Russo l'avait emmené dans les Adirondacks, au pied du mont Marcy. Max avait logé dans une cabane spacieuse et, deux jours durant, il avait testé les différentes armes : fusils d'assaut, pistolets-mitrailleurs ou pistolets-rafaleurs, armes de poing. Les armes qu'il avait demandées étaient bien calibrées et tiraient sans déviation notable, y compris, en ce qui concernait les fusils d'assaut, pour des tirs à 500 mètres.

Dans sa requête, Max n'avait nullement lésiné ni sur la qualité ni sur la quantité. Il avait demandé — et obtenu — un fusil d'assaut HK 33A3 fabriqué par Heckler & Koch, à crosse rentrable, de calibre 5,56 mm, avec chargeurs amovibles de 40 cartouches. Il y avait aussi un modèle standard M-16, son arme préférée, en fait un Armalite AR-15 avec chargeurs de 30 cartouches. En outre, ayant prévu la difficulté majeure de transporter des armes qui pourraient être remarquées par les gardes stationnaires, il avait pensé à des armes automatiques, de dimensions plus réduites, et aisément camouflables sous une veste, un blouson ou un parka. S'ajoutait à cela le classique Uzi en version automatique, un pistolet-mitrailleur MAC-10 fabriqué par S.W.D. Inc., version automatique avec une capacité théorique de tir effrayante de 1 100 balles à la minute, et un autre P.-M., le KG-9, fabriqué par Interdynamic of America, en version automatique, avec une capacité de tir également respectable de 850 balles à la minute. Pour les armes de poing, il avait choisi deux revolvers standard, l'Astra calibre 357 Magnum et le Smith & Wesson Model 60, stainless, calibre 38 spl, ainsi que deux pistolets : le classique Walther PPK et un HK P.9.

Dans un souci d'efficacité, il avait aussi demandé un pistolet-rafaleur Ingram M.11 en calibre 380, capable de tirer 1 000 coups par minute et qui était une arme dévastatrice, absolument terrifiante lors de combats rapprochés, malgré ses 457 mm de longueur et son poids de 2 kg, chargeur compris.
Les armes de combat telles que les fusils d'assaut, les pistolets-mitrailleurs et le pistolet-rafaleur étaient équipées de silencieux et de cache-flammes. Des viseurs télescopiques normaux et infrarouges appropriés aux modèles avaient également été fournis. Dans l'appartement, se trouvaient enfin des grenades standard de l'armée américaine, des mines claymore, des explosifs, ainsi que d'autres ustensiles qui lui avaient semblé nécessaires.

Max regarda sa montre. Trois heures du matin. Il décida d'y aller. Dans la rue, les deux gardes, s'ils n'étaient pas assoupis, ne paraissaient pas très vigilants. Au cours de la journée, Max avait étudié le plan détaillé du bâtiment, obtenu en fin de compte par l'intermédiaire de Rinaldi. C'était un immeuble de quatre étages, relativement facile d'accès. Logiquement, à l'arrière, il devait y avoir un jardin. Ce qui avait immédiatement attiré l'attention de Max, c'était la présence d'un escalier de secours extérieur au bâtiment, à l'arrière de celui-ci. Il avait décidé de s'en servir comme point de pénétration.
Il n'emporterait que le minimum d'armement. Il prendrait le pistolet-rafaleur Ingram M-11 avec quelques chargeurs de 32 cartouches qu'il avait placés tête-bêche, les assemblant avec du sparadrap. En cas de danger, cela lui permettrait de charger son arme en un minimum de temps. Il avait également prévu d'emporter une corde munie d'un crochet. Autre élément important : les lunettes à vision nocturne, qui lui permettraient d'identifier quiconque se trouverait dans le bâtiment, même en l'absence de toute lumière naturelle ou artificielle. Max savait qu'il courait un certain risque, mais un risque calculé. Car il ne voyait pas comment il parviendrait à tuer Lewis sans faire au moins une reconnaissance en profondeur, sans avoir déterminé les points forts et les failles.
Par bonheur, les météorologues avaient vu juste. Il s'était mis à pleuvoir peu après minuit, ce qui diminuait fortement la visibilité. Max avait placé l'Ingram, la corde et les lunettes à vision nocturne dans un sac d'entraînement, et il se disait que cela ferait un drôle d'effet pour les deux gardes en faction de le voir apparaître brusquement en pleine nuit, à trois heures du matin, muni d'un tel sac ! On savait bien que les New-Yorkais penchaient vers l'excentricité et que les gays avaient des habitudes pour le moins bizarres, mais que penseraient-ils en le voyant ainsi accoutré ? Et en le voyant entrer dans le hangar, le lieu de rendez-vous affriolant de Charles Street ?
Il sortit sans aucune hésitation. Il se dirigea vers le hangar et poussa la porte d'entrée, qu'il referma aussitôt derrière lui. A l'intérieur, des bruits furtifs, des cris, des sons rythmés indiquaient que les homosexuels s'en don-

naient à cœur joie. Il repéra quelques portes qui donnaient sur l'arrière et il s'avança d'une manière nonchalante vers la première. En chemin, il fut abordé par un type qui lui mit illico la main sur les parties. Max lui indiqua de façon brève mais courtoise, et tout en se contenant car il avait horreur des homos, qu'il n'était pas intéressé. Arrivé à la porte, il tourna la clenche. La porte s'ouvrit dans un vacarme de métal qui lui parut effrayant. Il sortit du hangar et referma derrière lui.

La pluie tombait drue. Sur la droite, il vit le mur qui séparait la propriété de celle de Lewis. Il en évalua la hauteur. Près de trois mètres. D'où il était, il voyait l'escalier extérieur sur la façade arrière et il ressentit une bouffée de plaisir à la vue des balcons qui, à chaque étage du bâtiment, parcouraient celui-ci sur toute sa longueur.

Ayant attendu cinq minutes, convaincu qu'aucun garde extérieur ne se trouvait dans les parages, il marcha rapidement vers le mur séparant les deux propriétés. En principe, avec son mètre quatre-vingt-cinq, il parvenait à atteindre une hauteur de deux mètres quarante quand il se mettait sur la pointe des pieds. Et comme il possédait une assez bonne détente, il pouvait se hisser aisément sur un mur de trois mètres de hauteur. Il déposa son sac, sauta, agrippa le sommet du mur et, à la force des bras, il se releva afin d'avoir une vue sur ce qui se trouvait au-delà de l'enceinte. Sa vision de nuit était excellente. Très tôt dans son métier, il avait appris à ne jamais fixer l'objectif ou l'objet, mais à balayer le champ visuel. Cela permettait à la vision périphérique, essentielle la nuit, de distinguer les ombres stationnaires ou les mouvements, puis de les identifier. Quand il observa le jardin, il en revint à l'usage de la vision périphérique, balayant des yeux l'espace qui s'offrait à lui. Au bout de cinq secondes il sut déjà qu'il n'y avait personne. Il se laissa tomber du mur, empoigna le sac et regagna l'abri de la façade arrière du hangar, près de la porte par laquelle il était sorti.

Afin de ne pas être encombré par le sac, il prit le pistolet-rafaleur Ingram et le mit en sautoir avant. Il enroula la corde autour de sa taille et plaça la courroie des lunettes à vision nocturne autour du cou. Il empoigna quelques chargeurs tête-bêche pour l'Ingram, qu'il plaça dans la ceinture du pantalon. Il se sentait prêt.

Il retourna au mur, sauta, se hissa au sommet et se laissa tomber en souplesse de l'autre côté, le bruit incessant de la pluie couvrant celui qu'il fit quand ses pieds heurtèrent le sol. Il avait pris la précaution de mettre des chaussures de sport à haute semelle, qui amortissaient et assourdissaient tout contact avec des corps durs.

En quelques pas rapides, il arriva à la façade arrière et se colla contre les pierres du bâtiment. Sur sa poitrine, il y avait la présence rassurante de l'Ingram qui lui donnait un potentiel de 64 balles en cas de besoin. Au-dessus de lui, se trouvait l'escalier de secours. Il en estima la hauteur à trois mètres environ. Il se mit en position et sauta. Se détente et sa taille lui permirent d'atteindre la dernière marche métallique, de s'y agripper et, au prix d'un rétablissement acrobatique, de prendre appui par les pieds sur la même marche, puis de redresser le corps à la force des bras. Cela n'avait pris que quelques secondes, et il n'avait fait aucun bruit. Il mit les lunettes à vision nocturne et gagna le balcon du premier étage. Il entreprit de regarder méthodiquement à travers chaque fenêtre et d'essayer de fixer les lieux dans sa mémoire.

Au premier étage, il ne vit rien de particulier. Des pièces vides, fonctionnelles, mais pas de chambres à coucher. Au deuxième étage, Max eut un choc quand il vit Alfred Lewis au lit avec deux filles, en train de faire l'amour avec l'une d'elles. Il se plaqua contre le mur et, rapidement, il fit le tour des possibilités que cette vue et cette occasion inespérée lui offraient. Comme l'Ingram était équipé du silencieux et du cache-flammes, il aurait pu tuer Lewis et ses deux nanas avec le minimum de bruit. Seul le vacarme des vitres brisées ou des ricochets de balles aurait pu éveiller l'attention et donner l'alerte. Mais son instinct de survie lui dit qu'il ne s'en sortirait pas. Redescendre l'escalier de secours, traverser l'espace ouvert, franchir le mur, passer le hangar : non, il y avait trop de risques ! Il devrait y penser pour l'avenir. La proximité et l'accès facile de la chambre à coucher du deuxième étage offraient des possibilités illimitées. Peut-être avec un explosif et une commande radio à distance ? Il observa les bâtiments de la rue suivante, Perry Street, au nord de Charles Street. Peut-être de là, avec un fusil et un viseur télescopique infrarouge ? Oui, sans doute la meilleure solution. Celle, du moins, qui lui permettrait d'en réchapper.

Au troisième étage, il vit d'autres chambres à coucher occupées. Il reconnut Walker, Johnson et des gardes du corps de Lewis, qui dormaient sagement. Quant au quatrième étage, il était inhabité.

Satisfait, Max redescendit. Il avait déjà effectué un choix pour la manière de supprimer Lewis. Au rez-de-chaussée, il examina chaque fenêtre, mais il ne vit rien de particulier. Des pièces vides, qui devaient certainement servir d'entrepôt. Peut-être pour leur came ? Il parvint sans encombre à l'endroit où il avait laissé son sac. Machinalement, il regarda l'heure. Vingt-deux minutes seulement s'étaient écoulées depuis le moment où il avait quitté l'appartement. Il replaça l'Ingram et les chargeurs, et dans le sac les lunettes à vision nocturne et la corde. Il ouvrit la porte, pénétra dans le hangar, traversa le gigantesque hall et, par deux fois encore, il dut refuser des avances. Quand il sortit du bâtiment, au lieu de se diriger vers son appartement, il prit à droite et marcha vers l'Hudson. Ensuite, au coin de la rue, il prit à gauche et, en quelques minutes, il fut dans Christopher Street. Il entra dans un bar et commanda un rye whiskey qu'il savoura lentement, avec la satisfaction du véritable professionnel après un travail bien fait.

Il analysa à nouveau la situation et pensa opter pour les explosifs. Une charge de trois kilos, collée à la partie boisée de la fenêtre et actionnée par radio, enverrait Lewis, ses nanas et une bonne partie du bâtiment dans un geyser de flammes, de corps et de briques. La confusion qui régnerait dans le quartier ferait croire aux pompiers comme aux policiers à une explosion de gaz. Il pourrait quitter l'appartement de Charles Street de manière discrète.

Il était convenu avec Rinaldi qu'il y laisserait tout le matériel. La compagnie de transports qui avait apporté les caisses, et qui appartenait certainement à la Mafia ou était du moins contrôlée par le syndicat du crime, viendrait rechercher le tout, dès le lendemain de son départ, avant que la police ne concentre son attention sur les voisins les plus proches du lieu de l'explosion.

Quand Max regagna son appartement, il était quatre heures et demie. Il pleuvait toujours. Les deux gardes paraissaient toujours aussi stupides et ne prêtèrent même pas attention à lui. En fait, ils étaient branchés sur une station funky et leurs têtes dodelinaient au rythme de la musique ...

XIX

Toni Benedetto s'était laissé pousser la moustache. Mais d'autres choses avaient poussé en lui en ce mois de juin. C'était comme si son âme s'était embrasée d'une folie apparue brusquement et dont les métastases auraient envahi ses sens et sa raison à la vitesse de la lumière. Car Toni avait découvert l'amour et la colère. Ce furent ces deux sentiments, à la fois contradictoires et simultanés, qui le guidèrent, tel un missile, vers cette nuit du grand massacre.

Au début du mois de juin, quand fut confirmée la disparition de Tony Camero et qu'on ne retrouva même pas sa voiture, Benedetto eut un devoir désagréable à accomplir. Tony Camero avait été l'un de ses hommes, accepté par la famille Dipensiero sur proposition du capo Giuseppe Conti. Fidèle au code d'honneur de la Cosa Nostra, Toni devait s'occuper de la famille de la victime. Ainsi, quelques jours après la disparition soudaine de son adjoint, il décida d'aller présenter ses condoléances à son épouse.

Cette disparition, survenant si peu de temps après la mort de Mario Tenebro et des quatre types d'Atlantic City, n'était pas surprenante en soi. Lewis devait certainement avoir décidé de reprendre son quartier pour son propre compte. Le sien ! Purement et simplement !

Quand Toni sonna chez la veuve de Tony Camero, il eut une appréhension. Il ne la connaissait presque pas. Il l'avait certes rencontrée le jour des noces, mais il ne se souvenait pas d'elle. Quand elle ouvrit la porte et qu'il la vit ainsi, petite, craintive, il resta bouche bée. Ou bien elle avait changé de manière radicale, ou bien le jour du mariage, il avait dû être tellement beurré qu'il en avait biglé. Car, quoique très petite, Maria Castiglione était une superbe femme. Elle avait des cheveux magnifiques, d'un noir de jais, et ses yeux d'un ton opale diaphane donnaient à son visage une beauté noble. Son nez fin rehaussait un profil racé. Quand elle reconnut Benedetto, le patron de son mari, elle le pria d'entrer au salon, ce que Toni fit de bonne grâce.

Ses excuses, ses regrets, ses balbutiements de condoléances firent très bonne impression sur Maria. Son offre sincère et altruiste de la soutenir moralement comme financièrement présageait l'homme droit et intègre.

Ils burent un café, un deuxième, puis un troisième. Toni, en bon pachyderme des sentiments, ne parvenait plus à décoller du fauteuil. Sans doute parce que Maria était ravissante. Vêtue d'une simple robe d'été qui mettait en valeur le relief accidenté de sa poitrine, elle avait en plus de superbes jambes et un joli petit derrière tout rebondi.

Si Toni n'avait pas été un homme d'honneur, il lui aurait fait des propositions sur-le-champ. Avant de partir, il lui donna mille dollars, lui certifiant qu'il reviendrait la voir et qu'il s'occuperait d'elle. Jusqu'à la fin de ses jours s'il le fallait !

Deux jours plus tard, le soir un peu après neuf heures, il lui rendit visite à nouveau. La température extérieure était encore élevée, ce qui expliqua que Maria le reçut en minijupe d'un ton bleu roi et en blouse blanche transparente, à faire frémir n'importe quel Italien. Cinq minutes plus tard, ils étaient dans le lit conjugal, leurs vêtements jetés un peu partout dans la chambre. Là, Toni eut le choc de sa vie ! Non qu'il s'aperçût que Maria fût vierge, car elle avait pallié l'absence de rapports conjugaux par des moyens moins orthodoxes. Non, ce qui le stupéfia, ce fut l'intensité et la force amoureuse prodigieuses que Maria Castiglione déploya. Ses coups de reins désespérés, pareils à des coups de boutoir, auraient pu l'envoyer au plafond s'il ne s'était pas cramponné de toutes ses forces à ce petit corps adorable. Il avait eu l'impression d'être sur le pont d'un bateau, en pleine tempête.

Cette nuit-là, ils firent l'amour six fois d'affilée. Quand Toni sortit, il se sentit transformé de fond en comble. Intérieurement, il eut une certaine estime pour Tony Camero. Un type qui avait pu apprendre à sa femme à faire l'amour d'aussi belle façon était à admirer, à jalouser même !

Pourtant, son admiration posthume ne dura pas très longtemps. Moins de quinze jours après la disparition de Tony Camero, quelques informations étranges jetèrent rapidement le doute sur les circonstances de sa mort. Peu à peu, les hommes de l'équipe apprirent que Camero retenait une partie du montant de la « protection », du moins en ce qui concernait certaines affaires commerciales : magasins, boîtes ou restaurants. Certains shylocks se manifestèrent, réclamant des sommes et les intérêts. Toni Benedetto avait dû en parler au capo, qui à son tour en avait référé au consigliere Rinaldi. Mais, assez bizarrement, ces révélations n'eurent pas de suite. Simplement, un jour, Conti donna l'ordre de payer les dettes de Camero. Sans plus ! Quant à l'ordre officiel qui lui avait été donné de s'occuper de sa veuve, Toni se dévoua à cette tâche, a priori ingrate entre toutes. Il fit preuve de son ardeur et de son dévouement coutumiers. Maria n'eut pas à s'en plaindre. Pour la première fois de sa vie, elle connaissait un homme, un vrai. Un homme qui la respectait et qui l'aimait.

Toni aurait pu être comblé s'il n'avait eu en lui un grain d'arrogance et de folie. Il aurait pu se contenter, en ce mois de juin, des étreintes passionnées de Maria. Mais en lui vivaient également des rêves de pouvoir, d'honneur, de vengeance. Car il n'avait nullement oublié ce cauchemar, ces têtes coupées, dans sa baignoire. Les premiers jours qui avaient suivi le meurtre, il avait attendu avec impatience, et même avec désespoir, la réponse du consigliere qui était allé rendre compte de l'affaire à la famille Dipensiero. Quand Conti lui avait appris que le conseil de famille avait décidé de ne rien faire, Toni avait été pris d'une rage folle et avait éprouvé toutes les difficultés du monde à se contenir. Non seulement ces Noirs étaient venus sur son territoire, non seulement ils l'avaient humilié, mais ils avaient supprimé l'un de ses hommes et ils avaient même eu le culot de pénétrer dans son appartement en y laissant les têtes — et les pénis — des types qu'ils avaient tué. Dans son appartement et dans sa baignoire ! Et lui, Toni, à qui ce territoire avait été assigné par la famille Dipensiero, après ces affronts qui, en Sicile, auraient entraîné une mer de sang, il devait fermer sa gueule et se tenir sage comme un petit enfant ! Déjà, ces dernières années, il s'était aperçu que la famille Dipensiero déclinait. Mais si cette histoire se savait au sein des quatre autres familles de New York, ils allaient se faire traiter d'eunuques, à juste titre d'ailleurs !

Pour la famille Dipensiero, l'extorsion et la drogue n'étaient pas les seules bonnes affaires. Comme les autres mafiosi, Toni trafiquait dans les valeurs mobilières, obtenait quelquefois des titres — la manière n'était jamais précisée — et parvenait à les « blanchir » de façon assez aisée. Ce type d'affaires ponctuelles rapportait un pourcentage de bénéfices élevé. Dans son secteur, il employait trois bookmakers, et c'était là également une importante source de revenus. Car bien sûr Toni était l'associé indispensable de ces bookmakers qui, pour avoir le droit d'ouvrir leur boutique dans son quartier, avaient dû l'associer dans une proportion de 50 % des affaires. Et les profits nés de cette activité étaient considérables : plusieurs centaines de milliers de dollars par mois. Dont une partie était reversée à Conti et à la famille Dipensiero. A la famille car c'était LA Famille, et à Conti parce qu'il était LE capo qui assurait la protection de Toni Benedetto et de son équipe. En outre, dans le quartier que Toni contrôlait, il y avait deux shylocks directement sous sa coupe. Encore une source importante de revenus.

Très tôt dans sa vie de mafioso, Benedetto avait appris l'essentiel : se faire accepter comme associé. Quand une boîte ou un commerce du quartier qu'il contrôlait marchait bien, et bien que le patron, le plus souvent, payât déjà une redevance mensuelle pour assurer sa protection (« on ne sait jamais, il y a tellement de voyous, un immeuble cela prend feu facilement ! »), Toni se décidait à agir. Un peu avant la fermeture, il le faisait appeler et lui faisait une « proposition qu'il ne pouvait refuser » : devenir son associé. La plupart de ceux à qui il faisait cette offre comprenaient vite. Pour les autres, il était primordial de les mettre en garde contre les dangers d'un refus. Et très rarement il était nécessaire d'en arriver à des moyens plus persuasifs.

Toni aurait pu oublier sa colère contre le clan Lewis et son désir de vengeance si, en une semaine, deux faits importants n'avaient avivé sa soif de revanche.

Le 23 juin au soir, ses hommes capturèrent un dealer dans le couloir du rez-de-chaussée d'une maison désaffectée d'Essex Street. Le type était un Noir et il avait sur lui vingt-cinq doses d'héroïne prêtes pour la vente. En poche, il avait 3 400 dollars, un cran d'arrêt et du matériel pour se shooter. Quand Toni, qui avait été appelé d'urgence, sut qu'il s'agissait d'un camé, il ordonna à ses hommes d'emmener le type dans la maison qu'ils possédaient dans le Bronx, de le foutre dans une pièce et d'attendre. Cela dura jusqu'au 25 juin. Après quarante-huit heures de sevrage, le dealer, en état de manque, bava, pissa et déféqua sans aucune retenue. S'il en avait eu la force, il aurait escaladé les murs de la pièce en s'aidant uniquement de ses ongles et de ses dents.

Quand il vit son matériel et une dose dans la main du mafioso, il n'eut plus qu'une seule idée en tête : se shooter le plus rapidement possible. Il aurait vendu sa propre mère pour le plaisir d'enfoncer l'aiguille dans une veine de son corps. C'est ainsi que, d'une voix venue d'outre-Galaxie, il lâcha le nom de la Brotherhood of Blacks et tendit la main vers son matériel. Il reçut sa dose en fin de compte. Sous la forme d'une tête de cartouche blindée de 9 mm parabellum de calibre. Tirée d'une distance de vingt centimètres, elle lui entra dans la tempe gauche, traversa la tête et en ressortit avant même que le son n'eût résonné dans la pièce. Sa tête ne fut pas belle à voir. Ni son corps lorsqu'il eut été concassé par une firme de Hoboken, spécialisée en la matière. Son enveloppe terrestre fut jetée dans une voiture et dûment broyée, ainsi que l'automobile. Finalement, elle fut réduite à un morceau d'un mètre carré, les restes d'une superbe Buick. Et d'un dealer qui habitait la 191ᵉ Rue, laissant une femme et trois enfants dans cet enfer de vie terrestre.

L'autre fait saillant de cette sei aine maudite pour Toni fut la nouvelle qu'une boîte de nuit de Forsyth Street avait un nouvel associé et protecteur. Un Noir de Harlem. Quand Benedetto apprit la nouvelle, le vendredi 27 juin, il écuma littéralement. Il dut se retenir pour ne pas aller dynamiter la boîte sur-le-champ. Finalement, malgré les doutes et les reproches envers la famille Dipensiero, il décida, pour la dernière fois, de jouer le jeu. Il avertit Conti, qui renseigna le consigliere Rinaldi. Celui-ci répondit que Benedetto devait se tenir coi. Ne rien faire. Le soir du samedi 28 juin, quand Toni reçut la confirmation par Giuseppe Conti, il sut que les jours de la famille Dipensiero étaient comptés. De lui jaillit un ferment de révolte. Toute la nuit, il passa sa rage sur Maria Castiglione. Qui n'en demanda pas moins et le poussa à des sommets de brutalité sexuelle, se révélant sous un jour qui aurait pu faire d'elle une putain de première classe. Quand Toni retourna à son appartement de Grand Street, sucé à blanc par l'adorable Maria, il eut la certitude qu'il buterait Lewis, à lui seul s'il le fallait.

Le dimanche 29 juin, il convoqua deux types de son équipe qui avaient attiré son attention par leur intelligence, leur dévouement à la cause et leur débrouillardise. Devant une bouteille de chianti, il expliqua à Gino Palombi et à Frank Lombardo ce qu'il attendait d'eux. Tous deux furent enthousiastes d'emblée. Quoique non encore acceptés en tant que membres effectifs de la famille Dipensiero, ils savaient qu'en cas de réussite ils seraient dûment parrainés par Benedetto et son capo, et acceptés au sein de la Famille. Ce que Toni ne leur dit pas, c'est qu'il n'avait reçu aucune autorisation, ni de son capo ni du conseil de famille, pour agir comme il comptait le faire. Frank Lombardo fut chargé d'exercer une surveillance discrète dans Charles Street et Gino Palombi reçut la mission de trouver des armes. Sachant qu'il aurait certainement affaire à un groupe important, Toni avait décidé d'employer la grosse artillerie. Pour le moins des mitraillettes ou des pistolets-rafaleurs pour chacun, outre des armes de poing.

Frank Lombardo eut du pot. Il réussit, d'un appartement vide de Perry Street, la rue au nord de Charles Street, à observer le bâtiment de Lewis à l'aide de jumelles infrarouges. Très rapidement, il identifia l'endroit où se trouvaient la chambre de Lewis et celles des autres types. De plus, grâce à un ami qui travaillait au sein de l'administration de la Ville de New York, il obtint la photocopie du plan du bâtiment. Tout cela ne lui prit pas plus de quarante-huit heures.

Quant à Gino Palombi, il n'avait pas été moins rapide. Le lundi même, il avait acheté à un dealer en armes de Jersey City deux MAC-10 et un Uzi qui furent rendus automatiques en quelques minutes — une opération assez simple pour tout dealer en armes convenable —, ainsi que trois pistolets Walther P. 38K en calibre 9 mm parabellum, pouvant contenir des chargeurs de huit cartouches. Les différentes armes avaient été équipées de silencieux appropriés.

Toni Benedetto avait été très étonné et, somme toute, très satisfait de la façon extrêmement rapide avec laquelle Palombi et Lombardo s'étaient acquittés de leurs tâches. Le jeudi 3 juillet, ils étaient partis tous trois dans le New Jersey pour s'entraîner au maniement des armes. Satisfait des résultats — ils étaient tous d'excellents tireurs ! —, Toni avait donné le feu vert. Ils s'attaqueraient au quartier général de Lewis la nuit du 4 au 5 juillet. Juste après la fête nationale et vers trois ou quatre heures du matin si Lewis était dans le bâtiment à ce moment-là.

Le jour en question, Toni le passa tout entier au lit avec Maria Castiglione. Ils atteignirent le faîte de la sensualité et de l'extase, le sommet de leur amour. Ils savaient que leur liaison était illicite et que le code d'honneur des membres de la famille Dipensiero ne la tolérerait certainement pas. Mais ils s'en fichaient allégrement. Ils s'aimaient. Ils étaient heureux ensemble. Le monde entier n'avait qu'à aller se faire foutre !

Quand Toni la quitta, vers dix heures du soir, Maria lut une infinie tristesse dans son regard. Mais elle en ignorait la raison. Après son départ, elle pleura et elle sut, de façon intuitive, que ses larmes n'étaient pas des larmes de joie.

XX

Max avait décidé de frapper cette nuit, vers trois ou quatre heures. Il entrerait par l'arrière, comme lors de sa reconnaissance des lieux, et il placerait une charge de deux kilos, munie d'une radiocommande, contre la fenêtre de la chambre à coucher du leader de la Brotherhood of Blacks.

Ce qui l'avait forcé à agir aussi rapidement, c'était la rencontre fortuite avec Robert Walker, la veille, au dojo de Kozawa. Quand leurs regards s'étaient croisés, Max avait immédiatement remarqué un mouvement de surprise chez l'ex-marine. Il n'était pas impossible que celui-ci l'ait déjà aperçu depuis le bâtiment de Charles Street ou dans la rue, malgré toutes les précautions élémentaires qu'il avait pu prendre. Max avait conservé son sang-froid, ses yeux n'avaient reflété aucune émotion, mais cette rencontre risquait de foutre en l'air tous ses plans. Si, après son départ, Walker était allé trouver Kozawa et avait appris qu'il était un ancien SEAL, peut-être sa mémoire lui aurait-elle également restitué le lieu de leur rencontre. Et un ex-SEAL qui rôderait aux environs de Charles Street, cela rendrait suspicieux le plus obtus des policiers.

Max avait réintégré son appartement après son appel téléphonique quotidien et il n'en était plus sorti depuis la veille. En fait, il s'était même décidé à faire sauter le quartier général la nuit précédente, mais Lewis et sa bande n'étaient rentrés qu'au petit matin. Il faisait déjà clair, et il n'était pas question de déposer la charge en plein jour. Trop de risques qu'un lève-tôt l'aperçût de Perry Street ...

Max observait la rue. En cette nuit de fête, il y avait encore pas mal de monde dehors et le hangar connaissait une affluence record. Il avait déjà tout préparé. Il avait placé les circuits électroniques et le détonateur sur la charge d'explosifs. Partisan du travail bien fait et prêt à tout, il avait armé son HK33A équipé de son silencieux et de son cache-flammes. Deux chargeurs tête-bêche étaient disponibles, et l'un était déjà enclenché, ce qui lui donnait un potentiel de feu de quatre-vingts balles.

Près de lui, il avait disposé quelques grenades défensives. Tout cela était à portée de main parce que Lewis n'était pas encore rentré. Il s'était dit que, si l'occasion se présentait de le tuer au moment de son retour, soit avec une grenade soit par balles, il n'hésiterait pas. Le fusil d'assaut Heckler & Koch HK33A3 était capable de tirer six cents coups à la minute, ce qui théoriquement lui donnait la possibilité de décimer un groupe d'une dizaine de personnes en vingt ou vingt-cinq secondes. Tirer ainsi sur un objectif qui se trouvait dans la rue comportait un risque sérieux, augmenté par la présence des deux gardes habituels. Mais Max était prêt à le courir. D'autant plus, que dans la semaine, il avait exploré le voisinage et il avait découvert, essayé et mémorisé un chemin de repli par les toits. Il avait déjà répété cette fuite à plusieurs reprises et calculé qu'en moins de deux minutes il pourrait se retrouver dans Washington Street, la rue perpendiculaire. De là, il lui serait facile de se perdre dans le dédale des boîtes à homos du coin.

A trois heures du matin, plusieurs voitures s'arrêtèrent devant le bâtiment de la Brotherhood of Blacks. Une dizaine de personnes en descendirent, puis entrèrent rapidement. Max eut le temps de reconnaître Lewis, Johnson et Walker. Les trois véhicules redémarrèrent et, quelques minutes plus tard, les chauffeurs entrèrent à leur tour. Ne restaient dans la rue que les deux gardes. Max regarda sa montre et jugea utile d'attendre une heure avant d'agir.

Ils étaient dix à être entrés : deux femmes, Lewis, Johnson, Walker et cinq autres types. Peu après, les trois chauffeurs avaient aussi gagné le bâtiment. Ce qui faisait un groupe de onze hommes capables d'assumer une posture défensive. Max ne tenait pas compte des gardes de la rue. Sans doute Lewis et ses deux nanas étaient-ils les seuls à dormir au deuxième étage. L'unique danger viendrait de l'un des membres de la Brotherhood of Blacks restés au rez-de-chaussée ou au premier étage.

A quatre heures moins dix, Max était sur le point de se lever, de prendre le sac et de sortir de la pièce quand il eut son attention attirée par deux mecs qui marchaient à la même hauteur, sur chaque trottoir de Charles Street. Il eut instantanément la certitude que quelque chose se tramait. Il saisit les jumelles infrarouges et les braqua sur l'un des deux hommes, puis sur l'autre. Tous deux accusaient un type italien prononcé, vêtus de jeans et de blousons en matière synthétique. Max sursauta. Il venait d'apercevoir la crosse d'un pistolet dans la ceinture du pantalon du type de droite. Pour lui, cela ne faisait aucun doute : ils allaient buter les deux gardes. Ils s'y prenaient d'ailleurs avec une discrétion et une assurance exemplaires, suffisantes pour faire mousser n'importe quel sergent-instructeur des marines ...

Gino Palombi était sur le trottoir de droite, devant le quartier général de Lewis, et Frank Lombardo sur celui de gauche. Ils avaient été déposés au coin de Hudson Street et de Charles Street par Toni Benedetto. Toni s'était garé en double file dans Hudson Street et il attendait leur appel par talkie-walkie. Ensuite il viendrait ranger sa voiture le plus près possible du bâtiment de la Brotherhood of Blacks.

Dans le coffre de la voiture, se trouvaient le pistolet-mitrailleur Uzi et les deux Mac-10, équipés de leurs silencieux et de chargeurs, ainsi que de chargeurs de réserve. Le plan était simple : au moment où ils avaient vu Lewis et sa bande entrer un peu avant trois heures, Toni avait décidé d'attendre une heure avant d'agir. Frank et Gino devaient s'occuper des deux gardes extérieurs, simultanément. Puis Frank avertirait Toni au moyen du talkie-walkie. Dès que le véhicule serait rangé dans Charles Street, ils prendraient leurs P.-M., entreraient dans la maison et feraient sauter la cervelle de tous ces dégénérés. De leur poste d'observation, ils avaient compté une dizaine de personnes qui étaient entrées dans le quartier général.

Roland Hassan était confortablement assis dans sa GM. Il écoutait une radio locale qui ne diffusait que de la musique soul et funky. Il s'ennuyait à mourir. Converti à l'islam et aux thèses révolutionnaires de Malcolm X, il se rendait compte qu'il perdait son temps à traîner avec la Brotherhood of Blacks. C'était une bande de camés, de forniqueurs et de pervers. Mais la paie était bonne. 5 000 dollars par mois n'étaient nullement négligeables, surtout en ces temps de crise. Cependant, il en avait plus qu'assez de ces factions de nuit. Surtout qu'il ne se passait jamais rien. Le seul divertissement, c'était les bandes de gays qui s'engouffraient dans le hangar. Divertissement relatif car il haïssait les homosexuels.

Le conditionnement d'air de la voiture ne parvenait même pas à abaisser de quelques degrés la température de cette chaude nuit de juillet. Roland Hassan eut envie de se dérouiller les jambes. Il ouvrit la portière, sortit, la referma. Brusquement, il aperçut un jeune mec, à cinq mètres de lui, qui sembla effrayé de le voir. Au moment où Frank Lombardo vit le garde sortir de l'automobile et refermer la portière, il perdit son sang-froid, paniqua, se demandant ce qu'il allait devoir faire dans un cas pareil. Mais il se ressaisit, empoigna son pistolet Walther, l'arma et, au juger, lâcha trois coups.

Roland Hassan avait réagi d'instinct dès qu'il avait remarqué la frayeur dans le regard du type. Il avait décidé de prendre son calibre 38 laissé sur le siège du passager, sous un exemplaire ouvert du *New Yorker*. Il avait réussi à ouvrir la portière quand la première balle 9 mm parabellum le toucha à la hanche droite. Il fut projeté sur le côté, si bien que la deuxième balle ne le toucha pas. La troisième pénétra dans son cou, sectionna la carotide et ressortit par la joue gauche. Il mourut en quelques secondes, son sang jaillissant à flots et tachant le trottoir.

De l'intérieur de sa voiture, Carl Hanna, le second garde, avait observé la scène, trop rapide pour qu'il pût intervenir. Oubliant les consignes, notamment d'avertir Walker par talkie-walkie de tout fait suspect, il dégaina son S &W calibre 38, voulut sortir de la voiture, et c'est à ce moment-là que la première balle tirée par Gino Palombi l'atteignit au niveau de l'épaule. Avant même que Carl ait eu le temps de crier, Gino avait lâché deux autres balles, qui pénétrèrent dans la tête du garde, le tuant instantanément.

Gino avait su rester maître de soi. Il traversa la rue en courant et arriva près de Frank qui restait à regarder le cadavre du Noir, sans plus bouger. Gino lui indiqua l'intérieur de la GM. Ils soulevèrent le corps et le placèrent dans l'automobile.

De sa fenêtre, Max avait tou vu. « Du travail d'amateurs », pensa-t-il. Il s'était demandé s'il ne mettrait pas à profit la confusion que cette nouvelle situation allait créer pour gagner l'arrière du bâtiment et y placer la charge d'explosif. Mais il jugea préférable d'attendre. De toute manière, ces dilettantes de la gâchette pourraient peut-être tuer Lewis avant de se faire buter eux-mêmes. Car, pour lui, c'était évident : avec, face à eux, des ex-marines et un type des Special Forces, ces deux gangsters à la noix n'allaient pas faire long feu.

Prenant l'initiative, Gino Palombi appela Toni Benedetto par talkie-walkie. Moins de quinze secondes plus tard, Toni arrivait et se garait derrière la voiture de Carl Hanna. Frank et Gino traversèrent la rue et prirent leurs armes et des chargeurs, alors que Toni avait son Uzi en main. Comme ses deux compères, il avait placé deux chargeurs à la ceinture du pantalon. Tous trois restèrent quelques instants devant l'entrée de la maison, comme s'ils cherchaient à se donner du courage. Ils essayèrent d'entrer, mais la porte semblait fermée à clé. Toni tira une courte rafale de trois balles dans la serrure, qui sauta. Ils entrèrent dans le bâtiment en courant, comme ils l'avaient vu faire dans des films de guerre.

Max prit calmement son fusil d'assaut HK33A3 et plaça à sa portée quelques grenades défensives. Il ouvrit la fenêtre tout en prenant soin de ne pas se faire voir. Il n'y avait plus qu'à attendre le résultat de cette opération folle. Il se demanda pourtant si Rinaldi avait changé d'avis ou s'il s'agissait là d'une vendetta entre bandes rivales.

Frank, Gino et Toni se trouvaient maintenant à l'intérieur. Comme prévu, Gino resta en bas afin de couvrir les arrières des deux autres. Toni avait décidé de tuer Lewis personnellement, ensuite Frank et lui se rendraient au troisième étage, où ils achèveraient les autres. Ils montèrent l'escalier en essayant de faire le moins de bruit possible. Heureusement pour eux, toutes les lumières étaient encore allumées, ce qui leur permit de s'orienter très facilement. En outre, ils avaient fait l'effort de mémoriser l'emplacement exact des chambres où logeaient Lewis et ses hommes.

Alfred Lewis venait de se réveiller. Il s'était levé et s'était rendu dans la salle de bains. Dans la chambre, il entendait des bruits étouffés. Sans doute

Marjorie et Jane profitaient-elles de son absence pour se cajoler mutuellement. Il s'imagina la langue de Jane fouillant la chatte juteuse de Marjorie, et il eut une ébauche d'érection. De toute façon, il attendrait car il se trouva un air cadavérique : il lui fallait absolument une dose, sinon il allait se mettre à grimper aux murs ou à se rouler par terre en salivant, tel un chien pavlovien en manque. Il avait déjà réchauffé la came, l'avait diluée et il était en train de préparer la seringue, savourant à l'avance l'idée du « rush », de l'extase qu'il ressentirait quand l'héroïne se mêlerait à son sang et commencerait son effet.

C'est alors que Toni Benedetto ouvrit la porte de la chambre à coucher de Lewis et lâcha une rafale en direction des formes indistinctes qui se contorsionnaient sur le lit. Vingt balles de 9 mm de calibre quittèrent le P.-M. Uzi et cherchèrent leurs cibles.

La plupart ratèrent leur objectif, criblèrent le matelas et finirent dans le plancher. Deux d'entre elles touchèrent Jane O'Rafferty dans les fesses, car elle se trouvait effectivement sur sa compagne, la léchant avec ardeur. Avant qu'elle ait eu le temps de crier, une autre balle lui avait sectionné la colonne vertébrale, la paralysant immédiatement. Une autre encore entra dans la tête, la traversa entièrement et pénétra dans le corps de Marjorie Black, à l'endroit par lequel elle aimait tant pécher. Elle non plus n'eut pas le temps de hurler car les balles suivantes remontèrent son corps. La dernière balle heurta la tête du lit, ricocha et brisa une vitre. Ce fut le seul bruit important de l'action, qui n'avait duré que quatre secondes. Mais cela fut suffisant pour faire paniquer Toni Benedetto et Frank Lombardo. En hâte, ils abandonnèrent le deuxième étage, croyant avoir tué Lewis, et montèrent vers le troisième.

Quand le bruit de l'éclat de la vitre leur parvint, Robert Walker et Ralph Johnson se laissèrent rouler en bas de leurs lits, par pur réflexe de combattants. Ce qui leur sauva la vie. La porte de leur chambre s'ouvrit. Frank Lombardo tira une rafale de son P.-M. MAC-10. Les cinquante balles criblèrent la pièce de trous, mais elles ne touchèrent personne. Et à cet instant-là, Frank fit la découverte de sa vie : ces quelques secondes avaient suffi pour vider le chargeur de son arme. Il entreprit donc d'en changer dans l'obscurité. Le crépitement et les ricochets ayant cessé, Robert Walker et Ralph Johnson avaient reconnu le déclic caractéristique de l'enlèvement d'un chargeur. Sans se concerter, ils se levèrent et bondirent vers la porte. Walker fut le premier sur l'agresseur. De la paume de la main droite ouverte, il fracassa le nez du type, continuant le mouvement vers le haut et l'aplatissant entièrement. L'os pénétra dans le cerveau. Frank mourut debout. Il tenait encore son P.-M. de la main gauche et un nouveau chargeur de cinquante cartouches de la main droite. Entre-temps, Toni Benedetto avait ouvert une autre porte et lâché une courte rafale avant que son arme ne s'enraye. Des six balles que crachèrent l'Uzi, trois furent perdues, deux traversèrent et tuèrent un occupant de la chambre, et la dernière se logea dans la cheville d'un type qui se mit à hurler comme un chien échaudé.

Walker et Johnson sortirent de la pièce et, entendant des hurlements dans la chambre voisine, s'y précipitèrent. Là, ils aperçurent Toni qui tapait sur son arme, cherchant visiblement à la débloquer. Robert posa son bras sur celui de Ralph, lui faisant comprendre qu'il ne fallait pas tuer celui-ci. D'un seul coup de poing fermé à la tempe, il assomma Toni et dit :

— Ralph, habille-toi, fouille la maison, prends Lewis s'il vit encore et fous le camp d'ici. Je m'occuperai de tout. Rejoins la maison de Harlem !

Au rez-de-chaussée, Gino avait entendu la vitre éclater, sans doute au deuxième étage. Alors, il prit peur. Il laissa tomber son MAC-10 et sortit du bâtiment en courant. Il monta dans la Buick et démarra sur les chapeaux de roue, comme un fou.

Max l'avait vu et se demanda ce qui avait bien pu se passer à l'intérieur du bâtiment.

Après avoir reçu ses ordres, Ralph était retourné dans la chambre. Il alluma et s'habilla. A terre, il remarqua le P.-M. MAC-10, le ramassa ainsi qu'un chargeur qu'il enclencha dans l'arme. Il pressa la détente. Quelques balles allèrent se ficher dans le plancher. Il quitta la pièce, dévala l'escalier en quelques secondes et, n'ayant aperçu personne, entra dans la chambre à coucher de Lewis, dont la porte était restée grande ouverte. Ne devinant aucun mouvement dans la chambre, il alluma. Sur le lit, il vit les corps des deux femmes l'un sur l'autre, éclaboussés de sang. En trois pas, il fut derrière le lit, mais il ne vit pas Alfred. Sur la gauche, par un interstice, il aperçut de la lumière provenant de la salle de bains. Il s'avança prudemment jusqu'à la porte, l'arme braquée sur celle-ci et le doigt sur la gâchette. Il écouta mais ne parvint pas à identifier les sons. D'un geste brutal, il ouvrit et pointa le pistolet-mitrailleur. Alfred Lewis le regarda, le visage hagard. Il était assis sur la cuvette des waters. Autour du bras gauche, Ralph remarqua un garrot destiné à la recherche d'une veine. Dans les yeux de Lewis, l'extase d'un « rush » réussi. Ralph éclata de rire.

— Shit ! dit-il à haute voix. C'était trop beau ! Digne des Marx Brothers ou des Keystone Cops ! Des mecs s'amènent dans la baraque avec des PM et y commettent un massacre. Ses deux gonzesses sont butées dans la pièce à côté, lui-même et Walker échappent à la mort de justesse, et Mister Lewis ne remarque rien de tout cela. No, Sir ! Il est bien trop occupé à se shooter !

Un instant, Ralph ressentit du dégoût pour cette vermine de Lewis et il eut envie de lui envoyer une dose de 9 mm dans la gueule ...

— Habille-toi, Alfred ! En vitesse ! On fout le camp.

— Pourquoi ? Je suis bien ici ! articula Alfred d'une voix extatique.

Sans rien rétorquer, Ralph retourna dans la chambre à coucher, y prit une chemise et un jean qui traînaient et les jeta dans la salle de bains.

— Alfred, tu as trente secondes pour t'habiller, sinon je te bute !

N'ayant rien compris, mais choisissant d'obtempérer, Alfred commença à s'habiller.

Entre-temps, Robert avait trouvé un permis de conduire dans la poche du type qu'il avait assommé. Il s'appelait Antonio Benedetto. Dès qu'il lut ce nom, il comprit que le petit punk avait décidé de se venger, avec ou sans l'autorisation de la famille Dipensiero, de son capo ou du consigliere. Il pensa qu'il valait mieux avertir Peter Chen de ces derniers développements.

Ralph fouilla systématiquement toutes les pièces du premier, mais il n'y découvrit personne. Il descendit au rez-de-chaussée, mais là aussi il ne remarqua rien. Il remonta donc s'occuper de Lewis.

Robert avait désigné un homme pour surveiller l'Italien et donné l'ordre à deux autres types d'accompagner Lewis et Johnson quand ils quitteraient le bâtiment.

Il descendit au deuxième au moment précis où Ralph remontait du rez-de-chaussée.

— Alfred ? demanda Robert.

— Vivant, répondit Ralph. Ce fils de putain était en train de se shooter dans la salle de bains et il ne s'est aperçu de rien. Les deux gonzesses sont mortes !

Robert apprit la nouvelle calmement, réfléchit un instant puis dit :

— O.K. ! Prends Lewis et les deux hommes que j'ai désignés et emmène-les dans la maison de Harlem. Tu restes là sans bouger jusqu'à ce que je vienne. Entre-temps, je dois prévenir Chen et il faut interroger ce mafioso. C'est Benedetto, le type du territoire où nous avons envoyé nos dealers ces derniers temps. Je crois qu'on va le conduire chez Chen et qu'on le questionnera sur place. Les Chinois sont plus doués que nous à ce jeu-là. De toute façon, cette maison est fichue.

— Tu as dit Benedetto ?

— Lui-même !

Ralph siffla et ajouta :

— Je suppose que Roland et Carl ont été butés ?

— Probablement ! répondit Robert de manière flegmatique. O.K. ! vas-y et fais gaffe quand tu sortiras. Il pourrait y avoir d'autres types postés dans la rue !

Ralph monta, vit les deux hommes désignés par Robert et leur ordonna de le suivre. Ils aperçurent Lewis qui sortait de la chambre à coucher. Dans ses yeux, il y avait encore l'effroi et l'incompréhension qu'il avait éprouvés à la vue des corps de Marjorie et de Jane.

Max venait de regarder l'heure. Cinq minutes trente-sept secondes s'étaient écoulées depuis l'entrée des trois types dans le bâtiment. Deux d'entre eux étaient toujours à l'intérieur. Ils avaient dû être tués ou mis hors de combat, bien qu'aucun coup de feu n'eût retenti.

Brusquement, il saisit son HK33A3. Il venait de distinguer deux Noirs qui sortaient du bâtiment en courant, tandis qu'un troisième restait dans l'embrasure de la porte à surveiller la rue, un pistolet-mitrailleur à la main. Les deux premiers se dirigèrent vers la voiture la plus proche. Ils ouvrirent la portière et sortirent un corps qu'ils emmenèrent dans la maison. Ensuite, ils allèrent vers l'autre GM et prirent un second corps qu'ils portèrent dans le couloir du bâtiment.

Max prépara trois grenades défensives et les posa sur l'appui de la fenêtre, juste devant lui.

Alfred Lewis sortit, entouré de deux hommes et de Johnson, et prit place à l'arrière d'une voiture, Johnson s'installa à sa droite. Les deux autres hommes prirent place à l'avant. Au moment même où il entendit le moteur se mettre à tourner, Max dégoupilla les deux grenades et les jeta l'une après l'autre vers la voiture. Il saisit son fusil d'assaut et, le doigt sur la gâchette, attendit le bruit des explosions.

La première grenade percuta le capot du véhicule alors que celui-ci entamait son premier tour de roues. Elle tua net le chauffeur et le convoyeur, et blessa grièvement Lewis et Johnson. La seconde grenade explosa en l'air, à hauteur des vitres de la voiture. Lewis mourut instantanément, ayant pris de plein fouet l'essentiel de la décharge. Johnson fut projeté à l'extérieur par l'onde de choc et perdit connaissance.

Ayant identifié le vacarme caractéristique d'explosions de grenades, Robert Walker avait dévalé les escaliers. Quand il était arrivé dans la rue, le véhicule dans lequel Lewis avait pris place venait de prendre feu. Il vit un corps sur le trottoir et, en quelques pas, l'atteignit et le traîna jusqu'à l'intérieur du bâtiment. La voiture explosa d'un seul coup, une lueur presque diurne illuminant les façades voisines. Une foule de curieux commença de se former autour des débris.

Occupé à examiner sommairement les blessures de Ralph, Walker n'eut pas l'occasion de voir le type qu'il avait rencontré le jeudi matin au dojo de Kozawa sortir calmement de la maison d'en face. En effet, après avoir constaté que Lewis avait dû être tué par les deux explosions successives, Max avait refermé la fenêtre, verrouillé la porte et était descendu dans la rue, se mêlant un moment à la foule avant de rejoindre West Street. Marchant d'un pas pressé pendant une dizaine de minutes en direction du sud de Manhattan, vers Battery Park, il avait estimé le danger passé. S'assurant qu'il n'avait pas été suivi, il héla un taxi et se fit conduire à sa maison de Brooklyn Heights, où il arriva vers cinq heures du matin.

Troisième partie

La fureur d'un homme

Le feu brûle suivant son combustible,
la querelle se propage d'après sa violence;
la fureur d'un homme dépend de sa force,
sa colère monte selon sa richesse.

Ecclésiastique, 28-10

XXI

Max Levinski avait appelé Rinaldi à six heures du matin ce samedi 5 juillet. Il avait simplement annoncé sa visite. Roberto lui avait proposé d'envoyer Russo le prendre à Brooklyn, mais Max avait répondu qu'il préférait venir avec sa propre voiture.

Encore groggy de sa nuit passée avec Heidemarie, Rinaldi avait fait sa toilette, prenant un soin particulier à se raser, et avait déjeuné de façon copieuse. A huit heures, un flash d'informations à la radio lui apprit la nouvelle d'une « tuerie entre gangs » dans Greenwich Village, qui aurait fait neuf morts et deux blessés. D'après les premières indications de la police, une voiture aurait été attaquée à la grenade. Le commentateur ajouta qu'en fait c'était le quartier général de la Brotherhood of Blacks qui avait été visé et que certains soupçonnaient cette organisation de se livrer au trafic de drogue. Un fait assez troublant dans l'affaire était que l'on avait retrouvé le corps d'un Blanc, de type italien. Les quelques rares témoins restés sur place le désignaient comme l'un des assaillants. Le leader noir de la Brotherhood of Blacks, Alfred Lewis, avait trouvé la mort, ainsi que deux femmes. Hormis une Blanche et l'homme de type italien, toutes les autres victimes étaient des Noirs.

Rinaldi abandonna son petit déjeuner. Son intuition lui disait que quelque chose avait foiré, même si Lewis avait été tué. Que faisait là cet Italien ? N'imputerait-on pas ce meurtre à la Mafia, voire à la famille Dipensiero ? Il quitta la table, se dirigea vers le salon et forma le numéro de Giuseppe Conti.

— Giuseppe, bonjour. Tu as entendu la radio ?
— Oui, qu'est-ce qui s'est passé exactement ?
— Trouve Benedetto. Immédiatement, par tous les moyens, et rappelle-moi dans une heure !
— Benedetto ? Pourquoi ?
— Fais ce que je te dis !
— O.K. ! Ciao !

Il raccrocha, furieux. Il avait hâte de voir Levinski. Peut-être pourrait-il lui donner une explication ? Il retourna à la salle à manger, mais il n'avait plus faim ...

Levinski arriva à huit heures et demie, et Russo le conduisit dans le salon. Quand il entra, il vit l'Italien devant la grande baie vitrée, observant la mer et perdu dans le flot de ses pensées et surtout de sa rage. Car il avait deviné que ce con de Benedetto avait tenté une manœuvre imbécile. Et si l'un des hommes y avait laissé la vie ? En plus, avoir des papiers d'identité en poche quand on s'attaque à une autre bande, quelle démonstration de médiocrité ! Il en avait vraiment ras-le-bol de toute cette merde, de la Cosa Nostra, de la famille Dipensiero !

Il s'avança vers Levinski et lui serra la main, se forçant à paraître calme et affable.

Max, lui aussi, était en colère. Il exécrait les amateurs, les gangsters du dimanche. Et ceux qui s'étaient attaqués à la baraque de Lewis n'avaient ressemblé à rien d'autre qu'à une bande de petits voyous. Bien qu'ils eussent réussi à tuer pas mal de monde. Max avait compté trois morts dans la voiture, tués par les grenades. Les autres victimes dont on avait parlé à la radio devaient être l'œuvre des trois mafiosi. Bien qu'avec le type d'armement qu'ils avaient eu à leur disposition, ils eussent pu liquider tout le monde à l'intérieur du bâtiment en moins d'une minute.

— Eh bien ! monsieur Rinaldi, commença Max d'un ton agressif. Avec vos imbécillités, vous avez failli faire rater l'affaire !

— Quelles imbécillités ?

— Vous n'avez pas écouté le flash d'informations à huit heures ?

— Si, et alors ?

— Et alors !

Max se leva et, tout à sa colère, se mit à arpenter la pièce. Il continua :

— Et alors ! Ces trois punks que vous avez envoyés ont failli faire foirer tout le travail. Heureusement que j'ai pu rattraper le tout in extremis !

— Quels trois punks, monsieur Levinski ?

Max fit face à Rinaldi. Il le regarda droit dans les yeux. Russo était apparu sur le pas de la porte, mais Rinaldi lui fit un signe. Il s'éloigna, mais pas trop. Max se rassit. Rinaldi répéta :

— Quels trois punks, monsieur Levinski ?

Max ne répondit pas.

— Si vous me racontiez par le début ce qui s'est passé, monsieur Levinski ?

— O.K. ! Vous avez raison. Excusez cet accès de mauvaise humeur, mais j'aime le travail bien fait. Mercredi dernier, j'ai fait une reconnaissance de l'arrière du bâtiment de Lewis, via le hangar à pédés voisin. Je me suis aperçu que le rez-de-chaussée et le premier étage étaient vides, que Lewis logeait au deuxième et les autres au troisième. Quant au quatrième, il était également vide. Je n'ai pas osé pénétrer à l'intérieur de la maison. Pourtant, cette nuit-là, j'aurais pu tuer Lewis très facilement si je l'avais voulu. Je ne l'ai pas fait parce que les chances de m'échapper me paraissaient minces.

Max s'interrompit, attendant que Russo leur eût servi du thé. Il but quelques gorgées et continua :

— Je m'étais décidé à employer des explosifs. Une charge de deux kilos placée à l'extérieur de la chambre à coucher de Lewis, avec un système de radiocommande, aurait merveilleusement fait l'affaire. J'avais choisi la nuit dernière parce que, le jeudi matin, alors que je m'entraînais au dojo, Robert Walker était venu et dans son regard j'avais remarqué sa surprise de me voir là. Aussi, je me suis enfermé dans l'appartement depuis ce jour-là, sans même chercher à vous appeler hier. Lewis et sa bande étaient de sortie la nuit dernière et ils ne sont revenus qu'à trois heures moins dix. Je m'étais donné une heure avant de placer l'explosif. Juste au moment où j'allais quitter mon poste d'observation, j'ai vu deux types marcher sur chaque trottoir de Charles Street, à la même hauteur. Immédiatement, j'ai senti que quelque chose d'anormal allait se passer. Ces types, d'aspect italien, se sont approchés des gardes dans la rue et les ont tués. Ensuite, une voiture est arrivée, une Buick noire. Ils ont pris des armes et des chargeurs. J'ai identifié un Uzi avec certitude, et je crois qu'ils avaient deux MAC-10 avec silencieux. Ils ont fait sauter la serrure de la maison au pistolet-mitrailleur, ensuite ils sont entrés dans le quartier général.

— Comment étaient ces types ?

— L'un d'eux était un mafioso, incontestablement !

— Qu'est-ce qui vous fait dire cela ?

— J'ai reconnu celui qui semblait être le meneur.

— Reconnu ? dit Rinaldi complètement renversé.

— Oui.

— Comment cela ?

— Il y a près d'un mois, j'étais avec une fille dans un restaurant italien, Gino's, dans Grand Street, et trois types ont fait un foin avec le patron. A mon avis, ils ont dû lui casser un bras ou une jambe, sans doute parce qu'il refusait de casquer. Mon amie connaissait le chef. Elle m'a même dit son nom : Toni Benedetto, ou quelque chose dans ce genre.

— Toni Benedetto ?

— Oui, c'est ça !

— Et vous êtes absolument sûr que c'était lui ?

— Absolument. Vous savez, dans mon métier, la mémoire des visages, c'est un atout. Quelquefois, ça permet de survivre ...

A son tour, Rinaldi se leva, appuya le front contre la vitre, le regard perdu une nouvelle fois sur cette mer adorée. Sa colère avait cédé la place à la panique. Si Benedetto avait mis sur pied cette action débile de sa propre initiative, la famille Dipensiero n'allait-elle pas imputer la connerie au consigliere ? N'était-il pas censé assurer le bon fonctionnement hiérarchique de l'organisation et surveiller les actions de ses subalternes ? Et les Chinois là-dedans ? Si la Famille se retrouvait avec une guerre déclarée sur le dos ? Aller aux matelas comme on l'avait fait dans les années 30 ou au début des années 70 ? La Famille Dipensiero n'était pas en mesure de soutenir une guerre, et certainement pas contre des Chinois. Il se tourna vers Levinski et dit :

— Continuez, je vous prie ...

— Ils sont entrés dans la maison, mais je n'ai pas entendu de coups de feu ni de cris. Environ une minute après leur entrée, l'un des Italiens est sorti en courant et il est parti avec la voiture.

— Etait-ce Benedetto ?

— Non.

— Bien, continuez.

A ce moment, le téléphone sonna. Rinaldi décrocha, écouta et son visage perdit toute couleur. Il ne prononça pas un seul mot. Il dit simplement « Merci, au revoir ! » et raccrocha. Quand il se rassit, il parut avoir vieilli de dix ans d'un seul coup. A le voir ainsi, brusquement, Max eut pitié de lui et une partie de sa colère disparut. Il sut que Rinaldi était sincère. Sans doute quelques flambards de la Mafia avaient eu l'idée de faire sauter la cervelle de Lewis sans en référer à leur supérieur.

— Vous avez dit vrai, monsieur Levinski. Il s'agissait bien de Benedetto. On a retrouvé l'un de ses hommes, un certain Gino Palombi. C'est lui qui s'est enfui de la maison ... Il a tout raconté. C'était une idée de Benedetto Je tiens à vous assurer, monsieur Levinski, que notre organisation ne savait absolument rien de cette action stupide.

— Je vous crois, monsieur Rinaldi.

— Merci. Bien, continuons.

— Au bout de cinq minutes, deux hommes sont sortis de la maison et ont emporté les cadavres des deux gardes à l'intérieur du bâtiment. J'avais apprêté un fusil d'assaut et des grenades défensives, pensant intercepter Lewis au moment où il sortirait de la maison s'il avait survécu. Lewis et trois hommes ont pris place à bord de l'une de leurs voitures. Etant donné que j'ignorais si d'autres hommes suivraient, je n'ai pas jugé utile d'employer le fusil d'assaut. J'ai donc jeté deux grenades. Lewis a été tué dans la voiture, qui par la suite a pris feu et explosé. Des quatre occupants, un seul type a survécu. Je pense qu'il s'agit de Ralph Johnson, l'ex-Béret vert. Ce que la radio a confirmé.

— C'est bien, monsieur Levinski. D'une mauvaise situation vous avez su retirer le meilleur. C'est le propre du professionnel de sauver les situations désespérées.

Roberto Rinaldi se leva et quitta la pièce. Quand il revint, il tenait un chèque bancaire établi à l'ordre de Max Levinski, d'un montant de 87 500 dollars. Max le prit, le regarda et le glissa dans son portefeuille. Il remercia Rinaldi. Intérieurement, il savourait le moment. Le prix de sa liberté et de celle d'Angela. Au moment de quitter l'Italien, il se fit la réflexion que c'était certainement la dernière fois qu'il voyait Rinaldi ou quelqu'un de son genre. Travailler pour la Mafia, ça allait une fois, mais ça ne devait pas devenir une habitude.

Ils se quittèrent dignement et amicalement. Au-delà des différences, ils s'étaient compris et chacun avait pour l'autre du respect et une certaine admiration.

Quand il pénétra Angela, Max eut l'impression fabuleuse que c'était la première fois. Ils firent l'amour trois fois d'affilée et ils ne furent même pas rassasiés. Très vite, leurs corps avaient retrouvé l'harmonie idéale.

Quand Angela avait sonné chez lui, un peu après treize heures, il était resté de longues secondes à la regarder, sans pouvoir prononcer un seul mot. Elle était resplendissante, ses yeux brillaient des larmes qu'elle n'avait pu empêcher de naître sur l'ourlet des paupières. Ils s'étaient embrassés longuement et tendrement. Puis Max l'avait déshabillée lentement, avant de la chevaucher tel un étalon magnifique, leurs crinières d'amour se mêlant dans l'extase. Ils recréèrent la « Götterdämmerung » des âmes et des corps, et leurs sursauts désespérés, leurs révoltes silencieuses eurent comme échos les appels feutrés de leurs cœurs qui s'épanchaient en une osmose mirifique. Le signe à la fois de la naissance, de la vie et de l'amour ...

XXII

Robert Walker avait examiné ses blessures. Il avait été touché au visage, souffrait d'une entaille assez profonde à la cuisse gauche — mais aucune artère n'avait été touchée — et d'une autre blessure, plus légère, au bras gauche. Son oreille gauche saignait, sans doute le tympan avait-il éclaté. Il prit un mouchoir et le pressa sur la blessure à la cuisse. C'est alors que Ralph Johnson gémit puis ouvrit les yeux.

— Ralph, que s'est-il passé ? Vite, la police va arriver d'un moment à l'autre ...

Ralph, hébété, regarda Robert comme s'il ne le connaissait pas. Un spasme secoua son visage. « Sans doute est-il en état de choc », pensa Robert.

— Grenades ... deux grenades ...
— Des grenades ? Tu en es sûr ?
— Oui.
— Qui les a jetées ?
— Je ne sais pas ... Vu ... personne ...
— O.K. ! On se reverra ! Bonne chance ...

Robert l'abandonna et monta péniblement au troisième étage. Dewey était mort et White avait été touché à la cheville. A Robert McGhee, un jeune type courageux de 19 ans qui n'avait pas de casier judiciaire, il donna l'ordre de descendre au rez-de-chaussée et de s'occuper des blessures de Ralph en attendant l'arrivée de la police et des ambulances. A la police, il ne dirait rien, étant donné qu'il ne savait rien. Officiellement, il avait été invité par Lewis pour une partouze et il n'avait rien vu ni entendu. Robert McGhee écouta les ordres sans broncher. Il se rendait bien compte qu'il allait au-devant d'une peine de prison, surtout avec les quantités de came qu'ils allaient bientôt découvrir dans le bâtiment. Mais il avait entière confiance en Walker. S'il le fallait, la Brotherhood of Blacks s'occuperait de lui. A John Delieu et Hubert Dupré, deux membres fanatiques de la Brotherhood, karatékas eux aussi et excellents tireurs, Walker ordonna de prendre leurs Ingram et de l'accompagner.

Dans la pièce où l'Italien avait été mis hors de combat, Robert et Kennedy, le garde, prirent le corps du mafioso et le transportèrent jusqu'au rez-de-chaussée. John Delieu et Hubert Dupré suivirent.

Walker avait décidé de quitter les lieux alors qu'il en était encore temps. Il avait fait de nombreuses reconnaissances de nuit, et la seule possibilité de fuite rapide, à ses yeux, passait par le hangar à homos, juste à côté. Ils sortirent de la maison, toujours avec le corps. Walker dit à Dupré d'escalader le mur d'enceinte et d'aller dans le hangar vérifier si le chemin était libre. Entre-temps, les trois hommes installèrent une échelle et hissèrent l'Italien au-dessus du mur, le faisant passer de l'autre côté de la propriété. Ensuite, Walker et Delieu le portèrent jusqu'au hangar. Dupré revint. Il leur dit que tout était en ordre et qu'il n'y avait plus personne à l'intérieur du hangar. Walker lui ordonna alors d'aller chercher l'une des voitures garées dans une rue transversale.

Quand Hubert Dupré se retrouva dans Charles Street, il risqua un œil vers le bâtiment de la Brotherhood of Blacks. Les pompiers venaient d'arriver et installaient leur matériel. La voiture, en travers de la rue, brûlait encore. Marchant d'un pas qu'il souhaitait normal — « Une gueule de Noir dans Greenwich Village, cela se voit de loin », pensa-t-il —, Dupré arriva à la voiture et alluma le moteur. Il démarra en douceur. Il avait choisi d'entrer dans Charles Street en marche arrière et se gara au coin de Washington Street, direction nord. Il libéra l'ouverture automatique des portes. Très rapidement Walker, Delieu et Kennedy s'étaient installés dans la voiture tant bien que mal, l'Italien ayant été placé à l'arrière, entre Robert et John.

Walker n'eut pas besoin de donner d'ordre. Hubert Dupré savait que leur destination ne pouvait être que le bâtiment de la 150e Rue à Harlem. Pour le moment, du moins.

Pendant le court trajet, personne ne parla. Walker était le plus perturbé de tous. La mort d'Alfred Lewis ne l'avait pas vraiment secoué. Cela faisait des semaines qu'il avait perdu tout respect pour ce dégénéré. Ce qui le gênait le plus dans l'histoire, c'était la manière, quelque chose dans la méthode employée. Ce Rital et ses comparses s'y étaient pris comme de vulgaires amateurs. Il doutait qu'ils fussent capables de mener à bon terme le moindre coup un peu compliqué. Ils n'avaient même pas su tirer correctement ou recharger leurs armes. Des cons ! Mais ces deux grenades, c'était différent ... Attendre que Lewis sorte et les lui balancer dessus au moment précis où il n'a aucune possibilité de se défendre, cela faisait penser soit à un coup de chance, soit à un travail professionnel de haut niveau ...

Les types de la Mafia auraient-ils pu prévoir d'envoyer deux candidats au suicide à l'intérieur du bâtiment tout en réservant leurs éléments les plus brillants pour le moment où Lewis en sortirait ? On était loin du style cow-boy traditionnel dans lequel les mafiosi excellaient ! De plus, Ralph Johnson était là. C'est lui qui avait été chargé de la garde et de la sécurité de Lewis. Or, Ralph était un super-professionnel. S'il n'avait rien vu, c'est que le ou les types qui avaient jeté les grenades étaient très, très forts. Or, des types plus forts que les Bérets verts, ça ne courait pas les rues. Et certainement pas celles de Little Italy. La Mafia aurait-elle fait appel à une aide extérieure pour buter Lewis ? Y avait-il eu deux teams indépendants l'un de l'autre, ou au contraire agissant en étroite collaboration ? « Il faudra en discuter avec Chen, de toute façon », pensa Robert. Un instant, une idée, saugrenue de prime abord, l'effleura : et si c'était l'œuvre de Chen ? Chen avait les hommes, les moyens et la compétence nécessaires pour préparer, accomplir et réussir un tel coup. Mais alors, que seraient venus faire les Italiens là-dedans ? Diversion ? Manipulation à distance ? Difficile à croire ! Quant à l'avenir de la Brotherhood of Blacks, tout serait à repenser. La mort de Lewis n'était rien en soi, mais la perte du bâtiment, des stocks de drogue et des documents qui s'y trouvaient, cela représentait une catastrophe majeure. Ils allaient bientôt être recherchés par la police de New York et par le FBI, ce qui laisserait à Chen les coudées franches. Robert était triste d'avoir dû abandonner Ralph Johnson. Qu'allait-il devenir ? Allait-il en prendre pour quinze ans de tôle ? Pas impossible.

Arrivés à la maison de la 150e Rue, ils débarquèrent Toni dans une pièce vide, après l'avoir bâillonné et lui avoir ligoté les mains et les pieds. Sur l'ordre de Walker, l'un des hommes lui fit une piqûre destinée à l'endormir pour quelques heures. Walker décrocha le combiné et forma le numéro de l'appartement de Chen de la Troisième Avenue. Personne ne répondit. Il décida de l'appeler à sa maison de Staten Island. Chen lui avait donné le numéro en lui demandant de n'appeler qu'en cas d'urgence. Le téléphone fut décroché à la deuxième sonnerie. Pas de quoi se méprendre : la voix qui répondit était asiatique. Walker se nomma et demanda à parler à Chen. Il y eut un moment de silence et sans doute de surprise, ensuite la même voix reprit : « A moment, please !»

— Allô ?

— Monsieur Chen, Walker ici. Je dois vous voir immédiatement !

— Cela ne peut pas attendre ?

— Pas du tout. C'est extrêmement important !

— A mon appartement dans une heure ! dit Chen d'une voix maussade.

— Non, nous avons un colis encombrant avec nous. Nous venons chez vous. Entre-temps, écoutez les informations à la radio.

— Vous avez l'adresse ?

— Oui, pas de problème.

— A tout de suite.

L'accueil ne fut pas des plus chaleureux. Des gardes armés de fusils d'assaut Armalite AR 18 automatiques les avaient scrupuleusement fouillés à l'entrée. Si Walker avait pu parler en tête à tête avec Chen, peut-être serait-il parvenu à le dérider ou à éclaircir le malentendu. Mais c'était trop tard. Il était déjà en sa compagnie dans l'une des caves. « En sa compagnie » était beaucoup dire. Hormis l'Italien, à terre, Yang et Chu se trouvaient dans la pièce, ainsi que deux gardes armés de pistolets-mitrailleurs Uzi. Robert Walker s'en voulut d'être venu chez Chen. Les trois hommes qui l'accompagnaient avaient été désarmés et conduits dans une pièce à l'étage, où ils étaient surveillés par des Chinois armés.

Chen regarda le corps de Benedetto. Il ressentit une colère froide et une détermination d'acier. Il allait falloir parvenir très rapidement au fond du problème. Il avait écouté Walker, avait apprécié l'intelligence de ses observations et avait partagé ses doutes quant aux vrais responsables de l'attentat. Peut-être que cette attaque imbécile par des mafiosi à la noix n'avait été qu'une savante diversion permettant à un professionnel d'agir efficacement. Parmi les nombreuses informations que Walker lui avait transmises, deux éléments essentiels avaient retenu son attention : les grenades et la mention de ce type que Walker disait avoir vu au dojo de Kozawa le jeudi précédent. Questionné par Walker, Kozawa avait révélé le nom du type, Levinski ou quelque chose dans le genre, et mentionné que c'était un ancien du Viêt-nam. Un SEAL. Plus il y pensait, plus Chen semblait persuadé qu'un homme seul, un vrai professionnel de la mort, avait pu tuer Lewis.

Bien que la mort de Lewis ne fût pas en soi importante, la mainmise de la police sur le bâtiment de Charles Street et sans aucun doute sur celui que la Brotherhood of Blacks possédait à la 150e Rue était, elle, un véritable drame. Cela voulait dire que Walker et les quelques hommes qu'il avait emmenés avec lui étaient devenus des hors-la-loi. Recherchés par la police ou le FBI, ils devenaient des poids morts. Quant à la filière noire pour écouler la drogue, elle tombait à l'eau. D'un seul coup ! C'était cela le plus grave de l'affaire. Car quelle alternative y avait-il désormais pour Chen ? Soit il vendait sa drogue par l'intermédiaire d'autres organisations bidons, et les triades de Chinatown lui fichaient la paix. Soit il décidait de faire vendre la drogue ouvertement, mais il aurait les deux principales sociétés secrètes de Chinatown sur le dos. Et malheureusement, sa propre organisation n'était pas suffisamment forte pour risquer une guerre entre tong. « Patience !», se dit Chen. Mais à son âge, et malgré son sang chinois, il ne croyait plus tellement aux vertus bienfaisantes et tant vantées de la patience. Il essaya de se concentrer. Couper les ponts. Punir ceux qui devaient l'être. Rechercher une nouvelle filière d'écoulement de la drogue. Chercher un rapprochement avec la Mafia ? Il sourit. Mais ce sourire cachait une profonde tristesse, de l'amertume, de la déprime même. Les triades de Chinatown ne l'accepteraient jamais.

Pour la première fois depuis qu'il avait quitté Taiwan, Chen eut des doutes. Il se sentit frêle et désemparé. Il regrettait presque d'avoir quitté l'Asie, bien que la situation de la triade y demeurât bonne. Ils avaient des stocks considérables d'héroïne, et la conjoncture internationale, après la chute du Viêt-nam et du Cambodge, leur serait sans doute favorable à long terme.

Soudain, il annonça sa décision. En cantonais, il communiqua une série d'ordres rapides à Carl Yang, qui les écouta sans broncher et qui sortit ensuite de la pièce.

Walker était revenu parmi eux, et les gardes avaient disparu. Un Chinois était venu leur apporter un plateau comprenant du pain, du beurre, de la confiture et un pot de café. Une sorte de petit déjeuner à l'européenne.

Dupré, Delieu et Kennedy se jetèrent sur les aliments avec des cris d'enfants gâtés. Ils beurrèrent rapidement de larges tranches de pain et les recouvrirent d'épaisses couches de confiture. Leur moral était revenu. Ils semblaient avoir déjà oublié le drame de Charles Street.

Robert Walker n'avait rien avalé. Il savait que c'en était fini d'eux, mais il s'était juré de vendre chèrement sa peau.

Au bout de deux minutes, Delieu s'arrêta de mastiquer. Il ouvrit la bouche sans pouvoir prononcer un seul son, ses yeux s'écarquillèrent, il eut encore le temps de mettre la main droite sur le ventre avant de s'écrouler, sa tête s'écrasant sur la tasse de café. Kennedy et Dupré s'étaient également arrêtés de manger et se regardèrent, réalisant qu'ils venaient d'être empoisonnés. Kennedy tenta de se lever, tituba et s'écroula. Dupré voulut sortir, fit mine de se ruer vers la porte, mais il stoppa net, de la mousse verdâtre sortant de sa bouche et de son nez. Lui aussi s'effondra. Walker n'eut pas de regrets pour eux. « Quand on est con, pensa-t-il, voilà ce qui arrive. »

Il se plaça à côté de la porte, à l'endroit où elle devait se rabattre quand on l'ouvrirait. Elle s'ouvrit, et il vit apparaître le canon d'un fusil d'assaut Armalite AR 18. Sa main gauche empoigna vivement l'arme au niveau de l'affût, l'attirant vers l'avant, tandis que d'un coup de sabre de main, il cassa le poignet gauche du Chinois, terminant son geste par un mouvement latéral à hauteur de la gorge de l'assaillant. Un craquement indiqua que le larynx venait d'être écrasé. Saisissant le fusil d'assaut à deux mains et enjambant le corps qui agonisait dans un gloussement effroyable, Walker sortit dans le couloir et lâcha une rafale. Deux balles se logèrent dans la poitrine d'un type qui se trouvait à deux mètres de la porte, dans le couloir menant vers le palier du premier étage. Walker avait visé de haut en bas. Les autres balles pénétrèrent dans la région du nombril et dans le bas-ventre. Derrière la victime, un membre de la bande de Chen n'avait pu tirer, gêné par son camarade. Il fut abattu d'une nouvelle rafale de balles de calibre 5,56 mm.

Heureusement, toutes les armes des Chinois étaient équipées de silencieux. Walker déposa son fusil d'assaut et en prit un autre. Il saisit également le chargeur d'un troisième fusil et le plaça dans la ceinture de son pantalon. Avec deux chargeurs, il avait quarante cartouches à sa disposition pour tuer Chen. Car cela ne faisait plus aucun doute pour lui : c'est Chen qui avait ordonné le raid contre le bâtiment de Charles Street.

Robert descendit l'escalier. A mi-distance du rez-de-chaussée, la porte d'entrée s'ouvrit. Carl Yang pénétra dans la maison, accompagné de l'un de ses hommes. Walker commit l'erreur tactique d'hésiter une fraction de seconde avant de tirer. Quand il eut constaté qu'il n'y avait que deux hommes, il fit feu. Sa rafale d'une seconde atteignit Carl Yang de plein fouet. Yang mourut debout, mais son corps fit dévier certaines balles, ce qui permit au second Chinois de prendre son revolver et de tirer en direction de Walker. S'il rata sa cible, le bruit des balles ameuta toute la maison.

Des chambres à l'étage, surgirent trois types armés. Walker les devina et pressa la détente dans le même mouvement. Mais après une très courte rafale, son chargeur fut vide. Le temps de le changer, l'affaire de deux secondes au maximum, une giclée de balles d'un pistolet-mitrailleur Uzi le toucha à la tête et au buste. Il mourut sur l'escalier, deux minutes plus tard.

Alerté par le bruit, Chen était remonté de la cave. D'un air glacial, il examina le carnage. Il s'approcha de son vieil ami Carl Yang et lui ferma les paupières. Puis il resta de longues minutes devant Robert Walker, le haïssant et l'admirant à la fois pour son courage. Aux trois Chinois du premier étage, il n'accorda pas un seul regard. Ils étaient morts à cause de leur imbécillité. Et Chen avait horreur des imbéciles !

XXIII

Le 5 juillet 1975 ne fut pas une très bonne journée pour Toni Benedetto. Elle fut même très mauvaise. Quand il sortit de son sommeil prolongé, un peu après onze heures. il ne vit que des Asiatiques autour de lui. Il s'aperçut qu'il était bâillonné et ligoté aux pieds et aux mains. En un instant, la mémoire de ce qui s'était passé lui revint. Ce maudit pistolet-mitrailleur qui s'était enrayé au mauvais moment ! Ce coup sur la tête ! Il regarda les visages et il eut peur. Il ne comprenait pas. Il s'était attaqué à Lewis, qu'est-ce que ces Chinois avaient à voir là-dedans ? De toute façon, il était un peu tard pour se plaindre à son syndicat ou pour faire marche arrière. Il se trouvait dans la merde jusqu'au cou et il avait la trouille.

Quand Chung Hsiao Yu, l'un des gardes, vit que le prisonnier était réveillé, il appela le boss par talkie-walkie. Au bout de quelques minutes, Chen arriva, accompagné de John Chu et de deux hommes. Chen était de mauvaise humeur. La perte de Yang l'avait atteint plus qu'il ne l'aurait cru. Leur collaboration remontait au début des années 60, et le fait de le voir mourir ainsi, dans sa propre maison, avait soulevé en lui une colère profonde, un solide désir de vengeance. Plus qu'une simple question d'honneur, il y avait la notion de rétribution. Toute action portait en elle-même le ferment de ses conséquences. Pragmatiques, les Chinois allaient jusqu'au bout des choses. Une action entamée demandait une fin, une résolution. Peu importait, au fond, le nom de celui qui jouait le dernier acte. Du moment que l'acte était joué et qu'il était conforme aux vœux de son auteur.

Sur un signe de Chen, Hsiao Chung défit le bâillon. Libre de parler, Benedetto ne prononça pas un son car il était terrifié. Peter Chen le regarda dans les yeux.

— Monsieur Benedetto, c'est simple : il est onze heures sept. Je vous donne jusqu'à onze heures douze pour nous dire qui vous a donné l'ordre de tuer Lewis. Si, à onze heures treize, vous n'avez pas parlé, nous commencerons à vous torturer avec ceci ...

Chen indiqua une foreuse électrique qui se trouvait posée, bien en évidence, sur une table basse dans un coin de la cave.

Toni faillit à nouveau s'évanouir. Il venait de penser à Maria Castiglione, aux quatre types d'Atlantic City et à Mario Tenebro. Le visage de Maria avait été peu à peu remplacé par l'image des cinq têtes coupées dans la baignoire. Brusquement, il comprit que c'étaient ces Chinois qui avaient fait ça. Non seulement ils avaient exécuté les types, mais ils leur avaient coupé la tête et le sexe. En y repensant, Toni faillit se souiller. Soudain, il eut chaud, ressentant une envie folle d'uriner et de déféquer. Il était livré à lui-même dans cette cave, sans arme, sans personne pour l'aider ou pour le comprendre. Soudain, il conçut l'idée, saugrenue et hypothétique, de vivre uniquement pour Maria Castiglione, elle qui, en si peu de temps, était devenue la flamme de son existence. Il en vint à oublier les dures lois de l'omerta, son serment devant ses parrains et le conseil de la famille Dipensiero quand il était devenu membre de celle-ci. En fait, il n'était ni courageux ni lâche. Simplement humain. Quand il avait le pouvoir, il en abusait. Quand les autres le détenaient, il s'y pliait. Il était le reflet du développement prodigieux d'une caractéristique humaine vérifiée au cours des temps : un suiveur, un yes-man sans foi ni loi.

« Qui donc a dit que les Chinois sont cruels ? » pensa Chen. Pragmatiques seulement. Essentiellement pragmatiques. Il y avait eu outrage. Pire, il y avait eu dommage, car la filière noire était dissoute et il fallait repartir à zéro. Recréer une filière, un réseau, rechercher de nouveaux dealers. Walker et ses hommes avaient déjà payé pour leur incompétence. Benedetto allait bientôt payer, lui aussi. Et quand il aurait parlé, d'autres paieraient. C'était une loi impitoyable, mais juste. Sans cela il n'y avait pas de respect. Et pour Chen, le respect était la base de tout.

S'ils disposaient de quinze heures pour faire parler un prisonnier, les Chinois pouvaient se ménager des moments de détente. Par contre, quand le temps pressait, il fallait des moyens ultra-rapides. C'est Orwell qui a dit que chaque homme porte en lui sa propre terreur et qu'il suffit de la découvrir. Chen sourit à cette pensée. Quelle connerie d'idée ! Chaque homme était vulnérable à un seul endroit. Celui qui, justement, faisait de lui un homme. Le truc, c'était de ne pas s'attaquer à cet organe immédiatement, mais de laisser sous-entendre qu'en cas de refus de coopérer, les gonades y passeraient. Et ensuite le tuyau d'arrosage !

D'un signe de tête, il signifia à Hsiao Chung que les festivités pouvaient commencer. Ostensiblement, Hsiao Chung entreprit d'enlever la mèche de la foreuse, la remplaçant par une autre nettement plus épaisse. Ensuite, à plusieurs reprises, il alluma et éteignit l'outil, le faisant tourner à vide. Comme hypnotisé, Toni regardait la mèche, une frayeur indescriptible dans les yeux. Entièrement nu, il vit brusquement au-dessus de lui le visage sardonique de l'Asiatique à la foreuse.

— Alors, monsieur Benedetto, dit Chen d'une voix qu'on aurait pu croire suave, vous avez réfléchi ? Vous avez quelque chose à nous dire ?

— Ce n'est pas moi qui ..., commença Toni. Puis il eut un sursaut de courage et il se tut.

Chen prononça quelques mots à voix basse en cantonais. Hsiao Chung abaissa la foreuse, l'alluma, la laissa vibrer un long moment à dix centimètres au-dessus des testicules entièrement rétrécis par la peur et, d'un mouvement déterminé, il posa brusquement la tête de la mèche sur l'extérieur de la rotule gauche du prisonnier. Il fora, brutalement, d'un seul geste. Rendu fou par la douleur soudaine, Toni s'arc-bouta, hurla et perdit connaissance.

Quelques minutes plus tard, un seau d'eau le réveilla. La douleur insensée revint. Frissonnant, il garda les lèvres fermées pour ne pas claquer des dents. Son genou brûlait atrocement. Ils le lui avaient certainement foutu en l'air.

— Alors, monsieur Benedetto, qui vous a donné l'ordre de tuer Lewis ?

Le visage de l'Asiatique était penché au-dessus de celui de l'Italien. S'il parlait rapidement, peut-être le laisseraient-ils en vie ? Ou le tueraient-ils, mais gentiment ?

— Si je parle, vous me promettez de me tuer sans me faire souffrir ? implora Toni.

Chen réfléchit un instant. Qu'avait-il à perdre ?

— Oui.

Benedetto, dans les méandres d'un cerveau rendu incapable de réfléchir de manière cohérente à cause de la douleur qui lui dévorait la jambe gauche, chercha de façon désespérée quel nom il pourrait bien leur fournir. Un dernier sursaut de dignité et d'honneur lui fit oublier le nom de son capo, Giuseppe Conti, et brusquement lui apparut dans toute son évidence celui du consigliere Roberto Rinaldi. C'est Rinaldi qui lui avait interdit toute action contre Lewis. Il en paierait donc les conséquences.

— Le consigliere de la famille Dipensiero. Il s'appelle Roberto Rinaldi ... articula-t-il, heureux d'en être sorti à si bon compte.

Mentait-il ? Chen murmura quelques mots à Hsiao Chung, qui, tranquillement, après avoir fait le tour du corps et rallumé l'outil, fora dans la rotule droite. Benedetto perdit connaissance une nouvelle fois.

« Rinaldi, pensa Chen. Peut-être, pourquoi pas ? » Il décida de laisser Toni provisoirement en vie et il donna quelques ordres à ses hommes. Cinq minutes plus tard, deux voitures fonçaient vers la villa du consigliere Rinaldi, dans le New Jersey.

Roberto Rinaldi avait peur. Juste après le départ de Levinski, Frank Dipensiero l'avait appelé et l'avait convoqué pour le lundi suivant, dans la maison d'été de Staten Island. Il avait été assez froid au téléphone. Roberto avait bien trop l'expérience des affaires de la Cosa Nostra pour ignorer ce qu'une telle convocation pouvait signifier. Il serait tenu responsable des agissements imbéciles de Benedetto et c'en serait fini de lui. Une balle dans la tête, puis une réduction de son corps à quelques centimètres carrés dans une quelconque entreprise de concassage. Un instant, il pensa à fuir. Il avait assez d'argent planqué en Suisse et aux Bahamas. Mais au fond il ne leur ferait pas ce plaisir. Il irait plutôt leur cracher au visage, leur dire ce qu'il pensait réellement de leurs affaires à la con, de leur médiocrité. « A mourir de toute façon, autant le faire avec dignité », pensa-t-il.

Ce n'était pas ce que pensait à ce moment même Alberto Russo, son chauffeur et garde du corps. Etranglé par un mince fil de fer qui lui déchirait la gorge, l'empêchait de crier et de respirer, il venait de rendre l'âme, souillant son pantalon par la même occasion. Hsiao Chung relâcha le fil de fer et soutint le corps du mafioso, le déposant sans bruit sur le sol. Bien qu'il se fût spécialisé dans ce genre de meurtre, on ne pouvait pas dire qu'il l'affectionnait. Cela sentait trop mauvais. C'était bien pire qu'un travail de préposé aux toilettes.

S'introduire dans la maison n'avait pas été difficile. Les huiles de la Mafia étaient tellement sûres d'elles qu'elles n'étaient même pas foutues de faire placer des systèmes d'alarme convenables dans leur propre maison !

Hsiao Chung sortit son 357 Magnum, fit un signe à John Liu, son comparse, qui prit le sien, et tous deux entrèrent dans le living. Le visage de Rinaldi, lorsqu'il les vit entrer, aurait fait la joie d'un peintre impressionniste tant il refléta une lumineuse incompréhension. Pendant que Chung le tenait en joue, Liu monta à l'étage, inspectant chaque pièce. Ensuite, il alla à la porte d'entrée, l'ouvrit et, à l'aide d'un talkie-walkie, il appela Chen et les autres hommes.

Chen entra quelques minutes plus tard. Quand Rinaldi le vit, il comprit immédiatement qu'il avait en face de lui le chef de la triade qui cherchait à s'implanter à Manhattan. Il sut également qu'il allait mourir. Et il regretta quelque peu de ne pas avoir eu l'occasion de dire à la famille Dipensiero ce qu'il pensait d'elle.

Chen observait Rinaldi, conscient qu'il avait devant lui le fameux consigliere de la famille Dipensiero. L'homme qui portait à lui seul la responsabilité de ce qui venait de se produire. Le voyant ainsi, il sut qu'il avait affaire à un adversaire valable, digne, raffiné. Dans son regard, il crut même lire une certaine arrogance. Ce qui le rendit perplexe. Il n'allait pas être facile de le faire parler ! Cela prendrait du temps ! Bien que ... Chen se tourna vers Chung, le maître exécuteur des corvées les plus répugnantes de la triade, et il lui donna un ordre. Il venait d'avoir une idée. Dommage qu'il ne l'ait pas eue plus tôt !

Rinaldi fut déshabillé, ligoté et placé dans la cour intérieure de la villa. Au bout d'une heure, Chung revint triomphalement. Le voyant rire, Chen sourit également. Ils se mirent immédiatement à l'œuvre. Chung et Liu entourèrent les testicules et le pénis de Rinaldi d'un fil de fer qu'ils serrèrent fortement. Le fil de fer était tendu, enroulé autour de la jante d'une poulie qui avait été placée près de la fenêtre du premier étage.

John Chu attira l'attention de Peter Chen, qui entra dans la maison. Il lui tendit un carnet. Chen y lut le nom de Max Levinski et des chiffres : 19/6, 87 500 dollars (Bahamas) ; 5/7, 87 500 dollars (chèque).
Il siffla. C'était donc cela ! 175 000 dollars pour tuer Lewis, ce n'était pas mal ! Feuilletant le carnet, il trouva un numéro de téléphone et une adresse à Brooklyn sous la lettre L. Ce n'était donc pas ce punk d'Italien qui avait manigancé l'affaire. Ou, s'il l'avait fait, c'était uniquement sur un coup de tête parce qu'on avait empiété sur son territoire. L'exécuteur, c'était ce Levinski, et le responsable ce fumier de consigliere. Ce qui posait un problème. Si Rinaldi avait engagé les services d'un mercenaire — car les SEALs n'avaient pas l'habitude de travailler pour la Mafia, et que pouvait-il bien être d'autre qu'un SEAL ? —, ce n'était pas de sa propre initiative. La somme qu'il avait déboursée provenait sûrement des fonds de la famille Dipensiero.
S'attaquer à celle-ci ? Chen ne pensait pas que ce serait nécessaire. D'après la radio, on avait retrouvé le corps d'un Italien sur les lieux du carnage. Un Italien lié à la famille Dipensiero. La police aurait suffisamment à faire de ce côté-là ! Quant à Rinaldi, il serait puni. Il était trop arrogant, bien qu'il ne pût rien leur apprendre de neuf. Etait-il vraiment nécessaire d'ailleurs de lui poser des questions ?
Il donna un ordre à Chu, qui le transmit à Hsiao Chung au premier étage. Hsiao Chung sourit. Il aimait le travail bien fait. Pour rien au monde il n'aurait cédé sa place. Il manœuvra donc la manivelle avec douceur.
Roberto Rinaldi savait qu'il n'en avait plus pour longtemps à vivre. Ils avaient dû trouver son carnet et découvrir le renseignement qui leur était nécessaire. Rinaldi pensa à Levinski. Il le revit dans le salon, face à lui, l'air sérieux. Il se demanda s'il serait capable de leur résister. Il y avait un certain motif de satisfaction de savoir que ces Chinois risquaient de s'attaquer à plus fort qu'eux. Bien qu'ils fussent vraiment forts. Pragmatiques.
Le fil de fer lui cisailla la peau, la troua. Le consigliere se mordit la lèvre inférieure, à sang, pour ne pas crier. Il redressa le corps tant qu'il le put, afin de faire diminuer la pression sur son scrotum et d'atténuer la douleur. Mais de plus en plus, la peau cédait. Brusquement, la souffrance devint fulgurante, atroce. Pourtant, Rinaldi ne perdit pas connaissance et tenta en vain de penser à autre chose. Mais cette douleur, au centre même de sa vie, de sa virilité, l'empêchait de s'évader de ce monde.
Juste avant de perdre connaissance, il entendit le bruit de la chair déchirée, qui signifiait sa fin en tant qu'homme. Il eut de la chance de ne pas se voir ainsi car il en aurait perdu le respect de sa propre personne ...

Quand Toni Benedetto les vit revenir, il sut que c'était la fin. Il n'eut plus peur. Brusquement, il puisa au plus profond de lui-même. Il y trouva des ressources et une grandeur d'âme insoupçonnées, qu'il regretta de ne pas avoir connues du temps de sa splendeur. Un peu tardivement, il regretta aussi le genre de vie qu'il avait choisi. Seul le souvenir de Maria resta en lui, aussi vivace et aussi pur qu'au premier jour.

Hsiao Chung posa la tête de la mèche sur la poitrine de l'Italien. Il alluma la foreuse électrique et poussa d'un seul coup. Un craquement de côte trouée se fit entendre, ensuite un jet de sang lui fit comprendre qu'il avait atteint le cœur. Le corps de Toni se raidit, puis se détendit rapidement.

XXIV

Peter Chen, de son vrai nom chinois Chen Lin-hsü, était le chef d'une société secrète, la triade Nan Pao-Hu (Protection du Sud), dont il avait hérité la direction à la mort de son père en 1962. Chen était né à Canton en février 1934. Sa vie aurait pu être celle d'un Chinois ordinaire issu des classes aisées, une vie faite de joies délicieuses, de mets raffinés et d'oisiveté si son père n'avait été l'un des leaders d'une triade, l'un des hommes les plus admirés ou craints à Canton dans les années 30.

Fidèles à une tradition qui veut qu'en Chine le chiffre 5 porte bonheur, les Chen eurent cinq enfants. Chen Lin-hsü grandit ainsi au sein d'une famille à la fois semblable à beaucoup d'autres et radicalement différente. Ce fut cette différence qui stimula le plus son imagination et son esprit d'émulation. Dès son plus jeune âge, il vit le vénérable Chen Yang-li — fondateur de la triade Nan Pao-Hu dans les années 20, bien qu'originaire du nord du pays et, de ce fait, haï par les habitants de Canton qui l'avaient toujours considéré comme un usurpateur —, qui était entouré de gardes du corps et protégé par d'innombrables athlètes. Très rapidement, le petit Chen Lin-hsü en vint à vouloir devenir l'un de ces prestigieux soldats de son père. Il grandit dans un milieu qui vénérait les arts martiaux et les armes, et qui avait une certaine admiration pour la religion et les préceptes fondamentaux du bouddhisme. Sans parler du culte que les leaders des différentes triades actives à Canton vouaient à Lao Tseu. Ce sage et stratège incontesté, créateur du taoïsme et initiateur, avait puisé aux sources de l'âme chinoise et indiqué la voie du futur.

Le petit Chen devint très malheureux quand il se rendit compte qu'il devait partager l'affection de ses parents avec deux frères et deux sœurs. Très rapidement, il apprit que les sœurs ne comptaient pas. En tant que femmes, elles n'entraient nullement en considération pour la succession. Ensuite, Chen eut de la chance. Il perdit l'un de ses frères, victime d'une dysenterie galopante.

Très jeune encore, il avait appris à connaître la guerre, à côtoyer les Japonais. Paradoxalement, il apprit l'histoire de l'Empire du Milieu tout en sachant que ce pays magnifique vivait sous la férule d'un peuple détesté entre tous, celui de l'Empire du Soleil Levant et des jambes arquées.

ment, cherchant de la main une fenêtre ou une porte éventuellement ouverte. Il allait déboucher dans la cour arrière lorsqu'il s'arrêta net.

Un petit bruit venait de se manifester. Il tendit l'oreille, braquant tous ses sens. Il entendit de nouveau ce bruit irritant mais ne parvint pas à l'identifier. Il se mit à plat ventre et avança en s'aidant des coudes et sur la pointe des pieds. Il laissa à sa vision périphérique le soin de détailler la cour et brusquement il lui sembla apercevoir une masse sombre sur le sol. Et le bruit persistait. Pareil à la respiration d'un animal. Des gémissements ...

Il braqua sa lampe de poche dans la direction de la masse et prit le risque de l'allumer. Il devina un corps et éteignit immédiatement. Il roula sur lui-même d'environ cinq mètres vers la gauche, se redressa, marcha jusqu'au corps et ralluma la lampe, dont le faisceau révéla le visage du consigliere Rinaldi.

Max fit descendre la lumière sur tout le corps. Lorsqu'elle éclaira l'entrecuisse, il faillit lâcher un cri. Il avait vu beaucoup d'horreurs dans sa vie, mais quand il vit le paquet de sang coagulé, il ressentit une profonde pitié pour cet homme plein de courage. Plus loin, la lampe fit apparaître un fil métallique et un nœud qui contenait encore de la chair sanguinolente. Max n'avait aucune idée du nom des responsables de cet acte infâme, une forme de torture digne de celles des temps anciens et des époques de barbarie.

Rinaldi vivait encore. Sa respiration était saccadée. Max lui tâta le pouls et le trouva faible et irrégulier. Il jugea que de toute manière Rinaldi n'en avait plus pour longtemps à vivre.

Il entra dans la maison. Il n'alluma pas mais il en fit le tour très rapidement, s'éclairant toujours de sa lampe de poche. Dans l'une des pièces, il vit le cadavre du chauffeur de Rinaldi. L'aspect cyanosé de son visage et sa langue bleuie qui passait entre les lèvres indiquaient qu'il avait été étranglé. Max retourna dans la cour arrière. Il réfléchissait aux nouveaux problèmes qui venaient de se présenter à lui. Mais ce qu'il avait vu ici le rendait perplexe. Rinaldi l'avait engagé pour tuer Lewis. Il l'avait fait, et le même jour on plaçait une bombe dans la voiture qu'on croyait être la sienne, on tuait également le consigliere et son garde du corps. Qui aurait pu avoir intérêt à faire disparaître tous ceux qui avaient trempé dans cette histoire ? La Famille, dont Rinaldi était le conseiller, ou bien les survivants du groupe de Lewis ? Y avait-il une alternative ? D'autres intérêts en jeu ?

Il revint dans la cour. Il s'agenouilla et posa la main sur le visage de Rinaldi. La bouche du consigliere s'ouvrit et il essaya de parler. Max tenta de l'y pousser :

— C'est Levinski ici. Qui a fait ça ?

Un court instant, le visage du consigliere sembla transfiguré. Ses traits, déformés par la douleur, se détendirent. Il tenta d'ouvrir les yeux mais il n'y parvint pas.

— Chi ... chi ... chin ... les Chinois ...

Max crut avoir mal compris et il voulut faire répéter les mots à Rinaldi. Mais il lui faisait pitié et il le laissa en paix, se contentant de lui prendre la en 1964, il décida d'envoyer John Chu et Carl Yang, ainsi qu'une cinquantaine d'hommes, mettre sur pied un réseau d'achat et installer une nouvelle filière.

Quand Chen avait pris contact avec Alfred Lewis en 1968 et commencé d'exporter de l'héroïne vers les Etats-Unis grâce à la filière des cercueils plombés de l'armée américaine, Jay Walkins, le sergent du service de Graves Registration, n'avait pas été le seul à acheminer la drogue. Dans d'autres grands centres militaires, Chen avait réussi à corrompre des soldats ou officiers placés à des points stratégiquement intéressants. Ce fut vers cette époque, également, qu'il décida d'émigrer aux Etats-Unis et de s'y établir de façon presque définitive. De même, il y installa une branche importante de la triade. D'un certain côté, c'était une entreprise risquée, d'autant plus qu'il s'était juré de s'attaquer à New York.

La guerre du Viêt-nam changea beaucoup de choses aux Etats-Unis. Au-delà de la scission qui se fit au sein du peuple américain, le divisant en partisans et opposants de cette guerre « sale », la guerre elle-même eut un retentissement formidable et transforma la société américaine de fond en comble. Après la période d'exaltation, en 1964, les années qui suivirent apportèrent de plus en plus de désillusions. Les soldats américains combattant au Viêt-nam en furent les premières victimes. Le système de rotation des soldats eut un effet fondamentalement nocif sur le moral des troupes US. Le plus souvent, les soldats débarquaient seuls au Viêt-nam pour une période de douze ou treize mois selon qu'ils étaient G.I. ou marines. Ils étaient assignés à leurs unités à titre individuel, et quand ils quittaient le pays de façon définitive, ils le faisaient également à titre individuel, dans un cercueil ou comme passagers dans l'avion d'une compagnie civile. Ce système, réputé plus humain, ôta tout sentiment d'appartenance aux soldats américains, pour qui les relations amicales et personnelles, durables et stables, avaient toujours été essentielles. Arrivés au Viêt-nam, les jeunes soldats ne comprenaient pas le sens de la guerre. D'une manière générale, ils haïssaient la population autochtone. De plus, il n'y avait pas de front, pas d'avant, pas d'arrière. Toute personne, de jour ou de nuit, vingt-quatre heures sur vingt-quatre, pouvait être un combattant du Viêt-cong. Le découragement, la solitude, la peur permanente des attentats et des attaques au mortier, la haine d'une population jugée inférieure firent que de plus en plus de soldats s'adonnèrent aux drogues dures. Non seulement nombre d'entre eux devinrent des toxicomanes, mais certains commencèrent à trafiquer. Et vers la fin des années 60, les Etats-Unis se trouvèrent confrontés à un nouveau problème. D'envergure. Beaucoup d'Américains qui avaient connu l'héroïne blanche, trouvée communément dans le Sud-Est asiatique et baptisée n° 4, cherchèrent bientôt à se procurer la même qualité chez eux. Peu à peu, l'héroïne n° 4 prit une place importante dans la panoplie des drogues dures importées et vendues en Amérique. Elle tendit bientôt à supplanter celles qui provenaient de Turquie et du Mexique, entre autres.

Peter Chen avait prévu cette évolution. De ses séjours au Viêt-nam, il avait retenu l'incroyable dégénérescence dans laquelle l'armée américaine s'était retrouvée. Lui qui avait connu les soldats américains des années 50 et du début des années 60 à Taipeh, qui avait admiré leur courage tranquille et leur force physique, n'avait éprouvé, à chaque fois qu'il s'était rendu au Viêt-nam, que de la pitié pour ce fantôme d'une armée qui avait été l'une des plus fortes du monde.

Quant au Viêt-nam, si les affaires qu'il y faisait contribuèrent largement au nouvel essor de la triade, Peter Chen y séjournait le moins possible. Il cherchait régulièrement à déléguer les pouvoirs et les corvées les moins agréables à ses adjoints. La raison en était simple : Chen haïssait les Vietnamiens. Pourtant il traita avec eux, tant avec le Viêt-cong qu'avec les généraux corrompus du sud, tout comme il traita avec les trafiquants du Laos et de la Birmanie. Mais il avait toujours éprouvé un profond dégoût pour ce peuple, qu'il estimait inférieur.

Peter Chen aurait pu être un stratège militaire car il avait prévu la débâcle américaine bien avant que Nixon ne commençât à retirer du pays les troupes américaines, en 1971. Dès 1970, Chen avait commencé à varier ses sources d'approvisionnement. Progressivement il dut trouver d'autres méthodes d'accès pour l'héroïne qu'il destinait aux Etats-Unis. La méthode des cercueils plombés n'avait pas duré très longtemps. Chen dut, lui aussi, recourir à des transporteurs, ces « mules » qui, pour quelques milliers de dollars, acceptaient de transporter de l'héroïne presque pure, de Hong Kong, de Saigon, de Taipeh ou de Bangkok vers les Etats-Unis en passant par Amsterdam, Bruxelles ou d'autres villes européennes jugées faciles pour le transit. Cela afin de brouiller les pistes, car l'une des règles essentielles était de ne jamais permettre un vol direct entre un pays asiatique surveillé par la DEA[1] et le pays de destination. De temps en temps, Chen réussissait à faire importer de plus grosses quantités d'héroïne par bateau ou par avion, sous la forme de fret commercial, grâce à un système de pots-de-vin bien distribués, tant au niveau des armateurs qu'à celui des douaniers. Cette méthode avait l'avantage incontestable de faire baisser considérablement le prix de revient de la drogue et donc d'augmenter ses bénéfices. De plus en plus souvent, également, Peter Chen était obligé de traiter avec les seigneurs du Triangle d'or, tels que Khun Sa. Il y avait toujours un risque à le faire, mais en choisissant le métier de trafiquant de drogue, Chen n'avait nullement opté pour la tranquillité, même si, en tant que Chinois, certaines justifications historiques avaient guidé son choix.

Outre les problèmes d'approvisionnement et d'acheminement, Chen avait eu à résoudre plusieurs casse-tête. Les Etats-Unis n'étaient pas le seul point de destination. Singapour, Taiwan et l'Europe étaient aussi des objectifs parfaitement lucratifs. Mais sa soif de pouvoir l'avait conduit à New York

1. Drug Enforcement Administration, c'est-à-dire l'organisme des Etats-Unis chargé de la lutte antidrogue.

de manière fort naturelle. Bien qu'il ne fût pas devenu citoyen américain, de longue date pourtant il se considérait comme tel.

Chinatown était à la fois son cauchemar et son rêve. C'était pour Chinatown qu'il était venu à New York. Car il pensait en devenir un jour le roi. Il n'était pas fou : il savait bien que le pouvoir réel y était partagé par deux triades, les Hip Sing et les On Leong. Si, un jour, il désirait parvenir au pouvoir suprême, il y avait deux façons. La première était la guerre ouverte, mais très tôt il avait écarté cette solution, la disproportion entre les membres des deux triades et la sienne étant beaucoup trop grande.

L'autre moyen consistait à forcer les leaders de ces sociétés secrètes à venir manger à sa table. Les obliger à partager leur pouvoir. C'était la solution qui avait eu ses faveurs, et l'unique raison de son arrivée aux Etats-Unis. Car riche, il l'était déjà : il n'avait nullement besoin d'autres cumuls. Mais avoir le pouvoir, être *primus inter pares*, c'était là le rêve de sa vie. Une autre raison, plus prosaïque celle-là, avait guidé son choix : les sociétés criminelles chinoises étaient de moins en moins tolérées dans certains pays asiatiques.

Les forces magiques du yin et du yang avaient donc guidé la main de Chen vers un choix judicieux. L'Asie soufflant un vent mâle dominant (yang), il dut se rabattre vers le principe femelle, celui qui, en reculant, attirait à lui les forces contraires. Les Etats-Unis des années 60 (yin) avaient donc attiré quantité d'hommes avides d'affaires, de pouvoir, de lucre facile, dont Chen et sa triade.

En 1975, juste après la chute du Viêt-nam et du Cambodge, Peter Chen était prêt à frapper un grand coup. D'une façon ingénieuse, il avait amassé une quantité considérable d'héroïne n° 4, pure à 90 % : près d'une tonne. Il l'achetait raffinée, à un prix variant autour de 5 000 dollars le kilo. Même en y ajoutant le coût du transport et les faux frais tels que pots-de-vin, commissions, et même en tenant compte des pertes et saisies, quelquefois considérables, quand il revendait sa drogue pure à 90 % à la Brotherhood of Blacks au prix moyen de 100 000 dollars le kilo, il réalisait un bénéfice considérable. Qui n'était encore rien comparé aux profits qu'en tiraient les revendeurs successifs si on tenait compte du fait qu'un kilo d'héroïne pure à 90 % représentait sept à huit kilos de poudre prête à la consommation. D'une pureté moyenne de 12 % au niveau de la vente à la rue, la drogue avait été entretemps « coupée » avec de la lactose, de la caféine ou toute autre substance blanche indétectable. Ainsi, au bout du cycle d'enfer, un kilo d'héroïne acheté à 5 000 dollars rapportait couramment un million de dollars sur la rue, en doses de plus ou moins 12 % de pureté.

Avec ses 1 000 kilos d'héroïne stockés dans son hangar de Hoboken, Chen avait de quoi saturer le marché et obliger les leaders des autres sociétés secrètes à venir chez lui. Ou bien, si la drogue se faisait rare, il pourrait devenir le pourvoyeur incontesté de New York et pratiquer les prix les plus fous.

Si la mort de Lewis et la disparition de son organisation signifiaient la fin de la filière noire, Peter Chen était néanmoins prêt à se mesurer aux autres triades. Il se sentait en position de force. Tôt ou tard, elles devraient venir chez lui ou bien le combattre. La seule chose qu'il craignait, c'était qu'elles s'attaquent à lui.

En ce samedi soir, Peter Chen n'avait pas encore résolu tous les problèmes. Il avait cependant donné l'ordre de mettre ce Levinski hors d'état de nuire. L'homme qu'ils avaient envoyé au dojo de Kozawa avait confirmé, après avoir parlé avec le sensei, que Max était un ancien SEAL et qu'il avait été au Viêt-nam à plusieurs reprises. Bien que depuis la guerre du Viêt-nam il n'eût plus aucun respect pour les soldats américains ni pour ceux des forces d'élite, il avait pris ses précautions et donné l'ordre à Hsiao Chung de prendre trois hommes avec lui pour régler son compte à cet étranger.

La semaine suivante, il envisagerait de mettre sur pied une rencontre avec les chefs des triades de Chinatown. L'alternative, c'était d'unir ses forces à celles de l'une des cinq familles de la Mafia de New York. Une idée qui, en soi, ne manquait pas de charme. Une triade alliée à la Mafia ? Pourquoi pas ? D'après ce qu'il savait, celles de Chinatown faisaient régulièrement des affaires avec les mafiosi. Et, d'autre part, les mafiosi étaient eux aussi des hommes d'affaires avisés. Bien que stupides dans les autres domaines. Comme tous les Blancs, d'ailleurs.

A côté de lui, assise dans un fauteuil, son épouse Chiang Chi-fin — Chiang, la fragrance douce — regardait la télévision. Il l'avait épousée en 1964 à Taipeh. Elle était originaire d'une famille en vue de la société, et ce ne fut pas de gaieté de cœur que les parents acceptèrent cette union contre nature. Il avait fallu faire les cadeaux appropriés aux futurs beaux-parents. En outre, un astrologue de renom avait dû déclarer que leurs dates de naissance présageaient une union durable qui serait sous les meilleurs auspices si elle était permise. Les parents de Chi-fin s'inclinèrent et autorisèrent le mariage. Chi-fin, femme superbe et épouse exemplaire, lui avait donné trois enfants. Trois filles.

La maison offrait un visage paisible. Toutes les traces de violence avaient disparu. Une camionnette verte, sur les côtés de laquelle était inscrit en lettres blanches majuscules LAUNDRY - FAST SERVICE, était venue dans la matinée chercher les corps de Walker, des trois autres Noirs et, plus tard, dans l'après-midi, celui de l'Italien. Leur destination ultime fut une fabrique de nourriture pour animaux. Les cinq corps y furent désossés et broyés. Agrémentés de sauces piquantes, d'huile, ou simplement salés, les morceaux de chair allaient bientôt être mis en boîte, transformés en lapin, foie, bœuf, porc ou simples entrailles.

Peter regarda Chi-fin, qui lui sourit. Dans ses yeux, il lut un consentement. D'un commun accord, ils montèrent dans leur chambre. Elle se déshabilla lentement, libérant la masse de ses cheveux qui étaient coiffés en chignon. Cette chevelure d'un noir de jais qui tombait jusqu'à la taille eut un effet électrique sur Peter. Il s'approcha, se colla contre le dos de Chi-fin et commença à lui caresser les seins, qu'elle avait menus. Sous la grâce de ses mains, ses mamelons se dressèrent. Quand il sentit qu'elle était prête, il se déshabilla rapidement. Elle s'était étendue sur le lit, ses cheveux créant une sorte de halo sombre autour du visage. Chen se coucha sur elle et la pénétra. Au-dehors, les gardes scrutaient les abords de la maison, attentifs à tout ce qui aurait pu sortir de l'ordinaire ...

XXV

Vers quatre heures de l'après-midi, ils s'étaient enfin décidés à quitter le lit et à prendre une douche ensemble. Angela, radieuse de revoir Max après sa longue absence, lui proposa de fêter son retour et d'aller manger à Greenwich Village. Ensuite peut-être pourraient-ils aller dans une boîte ou dans un club de jazz. Max acquiesça de bonne grâce. Il se sentait heureux, lui aussi. Avec 175 000 dollars à sa disposition et la perspective que le meurtre de Lewis ne pourrait lui être imputé, il se sentait prêt à conquérir le monde. Mais une chose était certaine : il devrait quitter les Etats-Unis le plus rapidement possible. Admirant le corps parfait d'Angela sous la douche et la grâce naturelle avec laquelle elle exécutait chaque mouvement, même le plus prosaïque comme celui de se frotter les cuisses ou les pieds, il jugea utile de ne lui en parler qu'au restaurant ou cette nuit, à leur retour.

Ils se séchèrent et s'habillèrent. Angela retourna une dernière fois à la salle de bains. Quand elle en sortit, elle était éblouissante, et Max éprouva un choc. Ses yeux et l'intensité de son regard trahissaient le bonheur qu'elle ressentait à se trouver en sa compagnie. Elle s'était recoiffée, et ses cheveux acajou lui ceignaient la tête de manière parfaite, tout en accentuant l'attirance que son profil aquilin provoquait habituellement sur les hommes. A la voir ainsi, Max l'aima plus que jamais. Il ne parvenait plus à se rappeler ce qu'il avait bien pu faire de sa vie jusqu'au jour où il l'avait rencontrée.

— Prêt ? dit-elle, souriante, dévoilant des dents qu'elle avait également parfaites.

— Prêt !

Dehors, elle insista pour qu'ils prennent sa voiture. Elle se sentait bien et elle avait envie de conduire. Elle était fière de sa Toyota. L'une des premières aux Etats-Unis, Angela avait osé défier la campagne « Buy American » lancée par Gerald Ford. Elle n'en avait plus rien à faire de ces énormes voitures américaines qui engloutissaient l'essence plus rapidement qu'elles n'avançaient. Et, un peu fofolle sur les bords, quand elle avait décidé de devenir une pionnière de l'outrage, elle y avait ajouté la couleur. Elle avait choisi l'un de ces tons rouges à rendre cramoisi le moindre officier de police du

New York Police Department. Impossible de ne pas la remarquer, ce qui l'obligeait à respecter la vitesse, draconienne, de 55 miles à l'heure.

Ils s'installèrent. Elle alluma le moteur et démarra. Max se sentait un peu fatigué. Il n'avait pas dormi la nuit dernière, et les nuits précédentes il avait raté pas mal d'heures de sommeil. Une douce somnolence l'envahit et il se laissa bercer, entendant la voix d'Angela au-travers du flou ambiant.

— Max !

Il sursauta, les sens aux aguets, mais il se détendit bientôt quand il vit qu'il n'y avait aucun danger. Angela lui avait simplement posé une question.

— Qu'as-tu dit ? Je m'étais assoupi ...

— Oui, je l'ai remarqué. Excuse-moi de t'avoir réveillé. Où es-tu allé, en fait ?

— Je regrette, je ne peux pas te le dire. Cela fait partie des règles de notre métier. Nous ne parlons jamais de ce que nous faisons. Dans notre intérêt comme dans celui de nos commettants.

— Sorry, monsieur le soldat, je ne le ferai plus ...

La circulation vers Manhattan via Brooklyn Bridge était assez dense en ce samedi après-midi. Malgré tout, ils arrivèrent au Village sans trop de problèmes et Angela eut la chance de trouver une place pour sa voiture dans Prince Street, à quelques blocs à peine de Washington Square Park, le centre vital de Greenwich Village.

Main dans la main, ils déambulèrent vers Bleecker Street, empruntant McDougal Street et admirant au passage les échoppes des artisans. Angela s'arrêta quelquefois afin d'examiner plus en détail certains articles qui avaient retenu son attention. Elle passa ainsi quelques minutes à discuter le prix d'une superbe ceinture en cuir, finement travaillée et assez large. Le vendeur en exigeait 35 dollars, et Angela avait fait la moue. Quant il abaissa son prix de 5 dollars, elle refit une moue. Quand elle annonça 20 dollars, ce fut au tour du vendeur d'exprimer son refus par une grimace fort suggestive. Max sortait déjà son portefeuille, prêt à payer les 30 dollars demandés, mais Angela l'en empêcha. Comme le vendeur ne modifiait plus son prix, Angela le laissa avec sa ceinture.

— Pourquoi ne l'as-tu pas achetée si elle te plaisait ?

— Trop chère à 30 dollars ! Même à 20 dollars. Mais à ce prix-là, j'aurais tout de même accepté. Tout le monde doit gagner sa vie après tout ! Mais 30 dollars, quel culot !

Max sentit poindre en lui une pointe de jalousie. Depuis qu'ils étaient sortis de la voiture, les hommes qu'ils croisaient n'avaient d'yeux que pour elle. Certains en auraient retiré un motif de satisfaction et une preuve de supériorité. Quant à Max, cela l'agaçait, pour ne pas dire plus ...

Ils firent le tour de Washington Square comme de vulgaires touristes. Dès l'entrée de ce minuscule parc, les pushers proposaient leur came. Ouvertement. Sur une aire bétonnée, quelques couples de jeunes Noirs dansaient le bump sur une musique tonitruante, un morceau des O'Jays. En les regardant, Max se fit la réflexion qu'ils étaient étonnamment souples. Sa mémoire lui fit revivre d'autres scènes de sa vie, d'autres Noirs, également souples, mais en de tout autres circonstances ...

— Tu sais danser le bump ? demanda Angela.

Max faillit éclater de rire, pensant au verbe « to bump off » qui signifie « assassiner, buter ». S'il ne s'agissait que de cela, il devait être l'un des recordmen du bump.

— Qu'est-ce que le bump ? répondit-il d'un ton sérieux.

— Ça, dit Angela en montrant les couples de Noirs.

— C'est une nouvelle danse ?

— Pas si nouvelle que cela. Mais sais-tu danser, en fait ?

— Un peu, le rock ..., répondit-il, gêné.

Elle lui sourit gentiment, comme elle l'aurait fait pour un handicapé. Du moins est-ce ce qu'il crut percevoir dans son regard.

Un peu plus loin, un groupe de jazz de style « fusion » jouait de manière superbe. A la fois un grand calme et une grande exubérance régnaient dans le parc. Les Américains adorent l'exhibitionnisme. Se montrer pour prouver aux autres qu'on existe. De là, les vêtements les plus bariolés, les coiffures les plus folles, les fautes de goût les plus incroyables, et une bonne humeur générale, une pulsion extravertie qui irradie l'atmosphère et lui donne un air de carnaval, de fête.

Plus loin encore, des musiciens hillbilly jouaient des morceaux mi-tristes mi-gais avec le sérieux de professionnels. En fait, ils souffraient du vieux problème des musiciens talentueux qui cherchent à se faire connaître à tout prix et qui n'y parviennent pas.

Angela et Max étaient revenus vers Bleecker Street. Max avait acheté le *New Yorker* et le *New York Times*. Dans les deux publications, il ne lut rien de spécial. L'état d'urgence proclamé en Inde à la fin du mois précédent suscitait toujours des réactions. Le Grand Jury de l'affaire Watergate venait d'être dissous après trois années d'existence. Dans une page intérieure, il remarqua un article de fond sur la tuerie de Charles Street, mais il n'osa pas le lire. Ils s'assirent à une terrasse au coin de McDougal et de Bleecker Street, et ils commandèrent une Budweiser bien fraîche. Max parcourut les pages spectacles du *New Yorker* et vit que son ami Rufus Jones jouait le soir même dans un club de Greene Street.

— Dis, Rufus Jones joue ce soir dans un club près d'ici. Pourquoi n'irions-nous pas le voir ? Au fait, il est toujours avec ton amie Jennifer ?

— Oui, rien de changé. Ce serait sympa d'aller le voir ! Par la même occasion, nous pourrions arroser notre rencontre. C'est grâce à lui que nous nous sommes connus, tu t'en souviens ?

— Si je m'en souviens !

Il se pencha vers elle et lui passa la main dans les cheveux. Ensuite, il reprit :

— Bon Dieu, mais où ai-je la tête ?

— Tu dis ?

— Oui, où ai-je la tête, j'ai oublié de te parler de tes examens ...

— Quels examens ?
— Allez, arrête de blaguer ...
— Je les ai fait reporter.
— Reporter ?
— Oui, j'ai suffisamment de crédits de cours et j'ai demandé de les passer au semestre suivant.
— Tu es libre, alors ? Entièrement ?
— N'en ai-je pas l'air ?
— Ce n'est pas ce que je veux dire. Libre pour ...

Il hésita un instant parce qu'il avait décidé de ne pas aborder ce sujet. « Comment peut-on craindre de parler alors qu'on ne craint pas de se battre ? », songea-t-il. Aussi, il poursuivit :

— Je ... je voulais ... je souhaitais ... j'aurais voulu te demander si tu serais d'accord pour ... partir avec moi ?
— Partir avec toi ? Bien sûr ! Où cela ? En vacances ?
— En vacances, oui, certainement ... Pour le début, oui. Mais ... j'aimerais m'établir ailleurs et j'avais pensé te demander si tu serais d'accord pour m'accompagner ... vivre avec moi, je veux dire ailleurs ... quitter les Etats-Unis, pour toujours ... J'ai de l'argent, nous pourrions nous établir dans un pays, n'importe où ... Tu serais d'accord, Angela ?

Elle le fixa avec une telle expression de dévotion et d'admiration mêlées qu'il en eut soudainement les larmes aux yeux. Pendant un long moment, ils se regardèrent sans prononcer la moindre parole, unis par les larmes.

— Oh ! Max ! fit-elle simplement quand elle put enfin parler. Elle lui prit la main et la serra très fort contre elle. Ses yeux, plus que le meilleur des discours, exprimèrent son assentiment : elle le suivrait jusqu'au bout du monde s'il le fallait ...

Hsiao Chung avait choisi John Liu, Wang et Chang pour l'accompagner. Par mesure de précaution ils avaient pris deux voitures. Ils arrivèrent à la maison de Levinski à Brooklyn Heights un peu avant quatre heures.

Les deux voitures étaient reliées entre elles par C.B. Ils avaient également des talkie-walkies et ils étaient tous armés de pistolets-mitrailleurs automatiques ainsi que de revolvers équipés de silencieux. Hsiao Chung n'avait pas d'idée précise sur la façon de tuer Levinski. Une chose était sûre : ils devaient l'éliminer. Une autre chose était aussi sûre : le meurtre ne devait pas leur être imputé. En aucune façon. Avec l'affaire du massacre des cinq mafiosi en plein Chinatown, ils avaient pris un risque énorme. Un tel meurtre dans un tel quartier aurait pu ameuter les triades ou même les policiers du commissariat tout proche.

Vers quatre heures et demie, ils virent sortir de la propriété de Levinski une Toyota d'un rouge criard. Hsiao Chung aperçut un homme à la place du passager et il le reconnut grâce à la description que lui en avait faite Kozawa.

Il fit prendre la voiture en filature. Ils la virent se garer dans Prince Street. Hsiao Chung donna l'ordre à Liu et Wang, qui se trouvaient dans l'autre voiture, de suivre Levinski et sa nana. Voyant la Toyota ainsi garée, il eut soudain une idée. Il ordonna à Chang de retourner à Staten Island et d'en ramener le matériel nécessaire.

Durant le repas, ils ne se quittèrent pratiquement pas des yeux. Angela avait eu envie de manger chinois, et pour lui faire plaisir Max avait fini par accepter. Non qu'il n'aimât pas cette cuisine-là, bien au contraire. Mais au cours de ses divers tours au Viêt-nam, lors de permissions passées à Hong Kong, en Thaïlande ou même au Japon, il avait mangé de façon exquise dans les meilleurs restaurants. Il se souvenait encore de son repas au Furaha, à Hong Kong, dans le restaurant circulaire du dernier étage. Hélas ! il avait rarement retrouvé la même qualité à New York ou à San Francisco. Mais il n'avait pas voulu gâcher la joie si communicative d'Angela. Ils avaient choisi un restaurant spécialisé dans la cuisine du Sichuan, dans Bleecker Street. Depuis qu'il lui avait parlé d'émigrer, la gaieté d'Angela irradiait plus encore. Max ne s'était pas attendu qu'elle acceptât aussi facilement.

Elle parvenait à manger avec les baguettes, mais avec peine, et il ne jugea pas utile de lui démontrer la meilleure manière de le faire, ce qui aurait pu passer pour de la prétention. De plus, elle paraissait se régaler du porc à la sauce piquante. Un Sechuan extra !

A la table voisine, un couple de Blancs se disputait. Angela roula des yeux et fronça les sourcils, s'amusant malgré elle d'une conversation si banale qu'elle ressemblait à ce qu'on entendait tous les soirs dans les feuilletons de télévision. Soudain, elle demanda :

— Max, tu as connu beaucoup de Chinoises ?

— Des Chinoises ? Pourquoi des Chinoises ?

— Tu es allé en Asie, et certains affirment que les Chinoises sont les meilleures maîtresses. Seraient-elles plus sensuelles que les Japonaises ?

Max fouilla dans sa mémoire. Il repensa à des accouplement hâtifs à Saigon, Danang, Hong Kong, Bangkok, Tokyo, Okinawa. Il n'en avait rien retenu. Sinon une sensation de chaleur humaine et de bien-être après des mois passés à se battre et à tuer. Des dévidoirs de sentiments à bon marché : « Hey, you wanna fuck, good price, cheap, nice, you'll have good time, you see, come ![1] »

Il compara ces étreintes furtives et parfois violentes avec ce qu'il éprouvait aujourd'hui. Un monde de différences. Il haussa les épaules et choisit de taquiner Angela sur un chapitre qu'il avait peu l'habitude d'aborder :

1. « Hé, tu veux baiser ? Bon prix, chouette, tu passeras un bon moment, viens ! »

— Dis-moi, Angela, on dit aussi que les Italiens font les meilleurs amants. Est-ce vrai ?

Tout en disant cela, il pensa à Benedetto, ce mafioso qui était allé au quartier général de Lewis. Il devait être mort depuis longtemps. S'ils ne l'avaient pas abattu tout de suite, sans doute l'avaient-ils torturé afin de lui faire dire par qui il avait été envoyé.

Angela sourit et ne répondit pas à sa question. A la manière juive, elle en posa une autre :

— Dans quel pays aimerais-tu aller ?

— L'Italie, ça ne serait pas mal. Tu parles italien ?

— Aussi bien que le farsi. L'Italie, non mais tu blagues ?

— Bien sûr que je blague. Par contre, l'Australie ou l'Afrique du Sud ...

— Peut-être l'Afrique du Sud, oui. C'est un pays où il y a encore des possibilités. Je ne sais pas. Au fond, je n'y ai pas encore songé. J'aime l'Asie et j'aime l'Afrique. Je connais ces continents-là, plus l'Amérique et l'Europe, où je suis né, paraît-il.

— Quatre continents sur cinq, ce n'est déjà pas si mal. Tu me laisses quelques jours pour réfléchir. Je devrais demander un passeport et ... préparer mon père.

— Comment prendra-t-il la chose ? demanda Max, brusquement anxieux.

— Je ne sais pas. Mal, je suppose. Il n'a plus que moi au monde ...

Installé à une table non loin d'eux, John Liu les observait. Ils semblaient très amoureux et, vu d'une certaine façon, ce serait dommage de liquider la fille en même temps que Levinski. Mais il y avait bien longtemps que John avait appris à faire table rase de ses sentiments personnels. Il décida d'envoyer Wang vers Hsiao Chung, qui était resté en surveillance dans Prince Street. Il devrait leur donner des instructions, et cela le gênait d'être séparé de Chung. Il murmura à Wang quelques mots en dialecte fukien, qu'ils parlaient tous deux couramment en plus du cantonais et du mandarin. Wang se leva et sortit discrètement du restaurant.

Angela avait terminé son plat et demanda la carte afin de choisir un dessert. Elle prit un cocktail de fruits, tandis que Max se contentait d'une glace qu'il trouva franchement mauvaise. Dans la salle, il n'y avait quasiment que des Chinois mangeant avec la voracité sérieuse et l'appétit bruyant qui leur étaient coutumiers. A côté, les Blancs avaient fini de s'engueuler et mâchonnaient en silence. Leurs traits crispés et la manière avec laquelle ils évitaient de se regarder indiquaient que la crise était loin d'avoir atteint son paroxysme. Angela insista pour payer, concrétisant ainsi sa phrase favorite « la libération des femmes passe aussi par le portefeuille ». Après avoir vérifié le montant, elle laissa un pourboire, qu'elle jugea royal, de 75 cents.

John Liu sortit également et les suivit à distance. Il était inquiet car Wang n'avait pas encore eu le temps d'aller jusque chez Hsiao Chung et de revenir.

Il n'osa pas utiliser son talkie-walkie en pleine rue. Car il était un bon exécutant, rien de plus. Il n'avait jamais été habitué à prendre des initiatives. Il est vrai que la discipline stricte de la triade interdisait toute velléité en ce domaine. Ils étaient bien payés, bien protégés, mais en contrepartie ils devaient obéissance aveugle et respect total à la hiérarchie.

Il poussa un soupir de soulagement quand il vit le couple quitter Bleecker Street. Sans doute allaient-ils maintenant retourner à leur voiture ...

XXVI

Rufus Jones avait été très heureux de les voir. Il avait embrassé Angela et serré la main de Max, accompagnant son geste d'un regard qui dénotait l'émotion et le plaisir de constater leur bonheur. Dans la salle, Angela avait aperçu Jennifer, qui les avait invités à venir s'asseoir à sa table. Aussi, deux sets durant, Max et Angela n'eurent pas tellement l'occasion de se parler. Les deux amies étaient contentes de se revoir et surtout d'échanger leurs impressions de femmes nouvellement comblées. Rufus Jones, lui, était accompagné par son groupe habituel. Le public était exclusivement constitué d'inconditionnels du jazz, ce qui permettait à Rufus de jouer la musique qu'il aimait et sentait. A Max il dédia un « All the things you are » qu'il joua à la manière d'une ballade, avec uniquement un accompagnement de basse et dans un style post-bop nerveux, lyrique. La sonorité à la trompette était chaude, le vibrato large et émouvant.

Max se sentait heureux. A côté de lui, Angela bavardait toujours avec son amie. De temps en temps, il se tournait vers elle, admirait sa coiffure et le galbe de son corps. Quand il la détaillait ainsi, il la désirait plus que jamais. Pour la première fois de sa vie, il avait appris à donner et, par la même occasion, il avait découvert que ce don total de soi lui convenait. Il admirait d'autant plus Angela qu'elle était une des rares personnes à avoir deviné ce potentiel de générosité et d'amour. Plus que tout, cette preuve de confiance le touchait. Seule sa mère pouvait rivaliser dans ce domaine. Mais à elle, il préférait ne jamais penser.

A la fin du deuxième set, vers deux heures moins le quart du matin, Angela se tourna vers Max et lui demanda s'il désirait rentrer. La chaleur dans le club et les boissons alcoolisées l'avaient rendu un peu somnolent, et il accepta aisément. Devant la porte, ils saluèrent une dernière fois Rufus, qui les avait accompagnés. Ils étaient en train d'échanger les banalités d'usage lorsque Max fut bousculé par un homme qui entrait. Il se retournait déjà pour faire savoir à l'individu ce qu'il pensait de son attitude quand il reconnut Howard Hastings. Ils restèrent un moment à se regarder sans pouvoir prononcer un seul mot, ensuite ils se congratulèrent avec la générosité des hommes qui ont partagé les mêmes dangers.

Howard était un ex-Béret vert. Un jour, lors d'une opération ultra-secrète — mais ne l'étaient-elles pas toutes ? —, les SEALs furent chargés de libérer les Bérets verts encerclés dans leur propre camp, dans la province de Quang Tri, tout près du 17e parallèle, par un bataillon de forces nord-vietnamiennes. Après leur libération, malgré les raids incessants des B-52 qui déversaient du napalm aux abords du camp des Forces spéciales et malgré les attaques des hélicoptères de combat au potentiel de feu terrifiant de 6 000 balles à la minute, les Bérets verts et les SEALs furent à nouveau assiégés pendant quarante-huit heures, puis délivrés à leur tour par deux compagnies de marines aéroportées.

Howard et Max restaient muets. Ils avaient tellement de choses à se raconter depuis ces moments périlleux de 1968 qu'ils ne savaient par où commencer. Angela décida de rompre le silence :

— Max, peut-être pourrais-tu donner ton numéro de téléphone à ton ami, ou prendre le sien ? Entre-temps, je vais à la voiture. Je fais le tour du bloc et je viens te chercher. O.K. ?

— O.K. ! approuva Max distraitement.

Angela descendit les marches, se retourna en leur lançant un sourire complice, puis s'éloigna. Howard et Max l'avaient suivie du regard, tandis que Rufus Jones était retourné à l'intérieur du club rejoindre Jennifer et quelques amis.

— Belle fille ! dit Howard de façon laconique.

— Oui, c'est vrai, je n'ai jamais regretté de l'avoir rencontrée. O.K., donne-moi ton numéro de téléphone, je te passerai un coup de fil un de ces jours prochains !

Angela se sentait heureuse dans la nuit chaude et tranquille parce qu'il n'y avait plus tellement de monde dehors à cette heure, du moins dans le quartier. Elle se dirigea vers sa Toyota tout en se demandant quel pouvait être ce type que Max venait de rencontrer. A en juger d'après son gabarit, il devait être soldat ou mercenaire, lui aussi.

John Liu était resté dans l'unique voiture en compagnie de Wang, cet éternel taciturne. Il vit passer une fille, mais ne réagit pas. Hsiao Chung ne lui avait donné qu'un seul ordre : attendre à une cinquantaine de mètres derrière la voiture. Ensuite, quand Angela et Max reviendraient, il devrait regagner au plus vite la maison de Staten Island.

Angela introduisit la clé dans la serrure et ouvrit. Avant d'allumer le moteur, elle prit un petit miroir à main et arrangea quelque peu sa coiffure. La chaleur qui régnait dans le club avait eu pour effet d'aplatir ses cheveux, et elle avait horreur de ça. Aussi, elle prit sa brosse à cheveux et se recoiffa. Ensuite, elle remit le miroir et la brosse dans le sac, déposa celui-ci près du levier de vitesses et fit tourner la clé de contact d'un quart de tour ...

Quand John Chu entendit l'explosion, il sursauta car il ne les avait absolument pas vus revenir. Il alluma le moteur et démarra brutalement dans la direction opposée.

Au moment de la déflagration, Howard Hastings et Max Levinski eurent immédiatement leur mémoire tournée vers d'autres lieux, d'autres explosions. Soudain, Max eut un profond sentiment de frayeur, et la nausée lui serra le cœur. Il blêmit et dévala les marches. Il courut jusqu'à Prince Street vers l'endroit où Angela avait garé la Toyota. De loin, il comprit et s'arrêta. Tout en lui se glaça. Ses yeux n'exprimèrent plus qu'une horreur incommensurable, une incompréhension infinie, une haine de l'existence et des gens. Pour la toute première fois de sa vie, il se sentit perdu, désemparé. Plus encore que lorsqu'il avait appris la mort de sa mère en 1961, il ressentit une rage qui le prit à la gorge. Il n'était pas croyant, mais il abhorrait l'injustice. Si un dieu avait existé, Max aurait pris un M-16 et serait allé l'exécuter instantanément. Il tomba à genoux sur le trottoir et un sanglot lui déchira la poitrine.

Pourtant, homme d'action avant tout, il décida d'agir. Il quitta Prince Street et héla un taxi. Dans la voiture qui le ramenait à Brooklyn Heights, il essaya de mettre de l'ordre dans ses pensées. Désormais, sa vie n'avait plus de sens. Mais avant de la quitter, il ferait payer très cher ceux qui avaient commis ce meurtre insensé. Deux solutions : ou bien la Mafia avait donné l'ordre de l'éliminer, ou bien l'un des survivants du gang de Lewis était responsable. Donc, la première chose à faire était d'aller chez Rinaldi et de l'interroger. Lui seul pouvait lui donner la clé du drame.

Max fit stopper le taxi à cinq cents mètres de chez lui et pénétra dans le jardin par un chemin détourné, à travers des propriétés avoisinantes. Il fit le tour de la propriété mais ne releva aucune présence. Il pénétra dans la maison par l'arrière, cassant un carreau pour éviter d'actionner une éventuelle bombe en ouvrant la porte. Il fouilla systématiquement toutes les pièces, sans allumer et en prenant garde de ne pas poser les pieds n'importe où, de peur de trébucher sur un trip wire[1]. Quand il eut terminé le tour de toutes les pièces et qu'il se fut assuré de sa sécurité, il alluma. Il trouva rapidement son Smith & Wesson 38, prit des cartouches, arma également son fusil d'assaut personnel M-16 et décida d'emporter une lampe de poche. Dans un sac, il mit du linge de corps, son rasoir, sa brosse à dents et du dentifrice. Avant de quitter la maison, il prit aussi le chèque que Rinaldi lui avait donné mais qu'il n'avait pu encore encaisser, rassembla son argent liquide, une provision de chèques et ses cartes de crédit, et quitta la pièce en direction du garage.

Avant d'allumer, il tâta les murs et le sol, mais ne découvrit rien d'anormal. Quelque peu crispé, il alluma, s'attendant à sauter en l'air dès que la

1. Fil tendu au-dessus du sol, destiné à faire trébucher l'ennemi et à actionner ainsi une mine. Ce système a été très utilisé au Viêt-nam.

lumière jaillirait. Mais il n'en fut rien. Il plaça ses affaires dans le coffre et examina ensuite l'intérieur de la voiture, puis le châssis. Rien de suspect. Il libéra alors le levier d'ouverture du capot, puis ouvrit la portière du conducteur. Là aussi il attendait vaguement l'explosion, mais rien. En examinant le moteur, il constata avec soulagement qu'il n'avait pas été touché. Il s'installa et actionna le démarreur. Le moteur se mit à tourner normalement.

En route vers le New Jersey et la maison de Rinaldi, il avait l'esprit complètement ailleurs. Pourtant, ceux qui auraient pu l'observer juste après l'explosion de la Toyota et la mort d'Angela auraient été surpris par son impassibilité. Max n'était pas un démonstratif, et il ne laissait rien transparaître sur son visage.

Il ne s'était pas approché de la voiture d'Angela parce qu'il connaissait les innombrables visages de la mort et savait à quoi ressemblait un corps déchiqueté. Il avait trop aimé Angela pour accepter de la voir réduite en de pitoyables morceaux de chair. Dès que sa mort n'avait fait aucun doute, cela lui avait suffi. Une seule envie s'était cristallisée en lui, dans la partie de son cerveau non encore ébranlée par l'image de la rue jonchée de pièces calcinées de voiture, par les flammes qui subsistaient : tuer de ses propres mains ceux qui avaient osé lui arracher la seule valeur qui s'était présentée au cours des trente années de sa vie.

A aucun moment il n'avait pensé rester sur les lieux pour aider la police. Angela était morte par sa seule faute à lui. Et lui seul devait trouver la clé de la vengeance.

Une seule fois dans sa vie, il avait éprouvé la même incompréhension devant une mort absurde et avait senti naître en lui un désir fou de punir ceux qui, de près ou de loin, l'avaient provoquée. C'était lors de son premier tour au Viêt-nam. Il avait commis l'erreur de se lier d'amitié avec un type de son PBR, un ancien, Jay McGovern. SEAL comme lui, c'était un fils de fermier de l'Arkansas, un « All American boy » typique. Blond, beau garçon, sportif, patriote, enthousiaste. Pour lui, la guerre du Viêt-nam était une guerre sainte, une croisade, la lutte des forces du bien contre celles du mal. Chaque communiste tué représentait une victoire contre l'Empire du Mal.

Les anciens avaient bien recommandé à Max de ne pas trop s'attacher aux autres, mais un homme pouvait-il mener cette vie de dingue sans un peu d'amitié ? Et puis Jay symbolisait à l'époque une image de l'Amérique pas encore ternie. Ses solides racines lui faisaient croire fermement à certains principes essentiels : Dieu, la Constitution, le président des Etats-Unis, la famille. Tout cela était sacré pour lui. Tous les jours, s'il en trouvait le temps, il écrivait de longues lettres passionnées à ses parents et à Mary-Lou, sa fiancée. Sur leur PBR, Mary-Lou était plus connue que les Beatles ou les Rolling Stones. Tous avaient vu sa photo, admiré la beauté élégiaque de ses cheveux bouclés et blonds comme le blé mûr de l'Arkansas. Et tous avaient eu droit à la lecture des meilleurs passages des lettres qu'elle écrivait régulièrement à son Jay adoré.

Le beau rêve prit fin lors d'une sale nuit sans lune et pluvieuse. Jay avait encore vingt jours à tirer. Avec trois autres SEALs il venait d'effectuer une patrouille de « pénétration profonde ». Ils avaient posé leurs claymores, assisté au résultat — dix-sept ennemis tués — et semé les poursuivants. Pour rejoindre le PBR avant le lever du jour, ils avaient pris des risques, empruntant certaines pistes sur lesquelles ils ne se seraient jamais aventurés s'ils avaient été moins fatigués et moins euphoriques. C'est alors que Jay avait posé le pied sur un Bouncing Betty[1]. Il s'en était rendu compte parce qu'il tenta un plongeon latéral désespéré pour éviter la déflagration. Mais tout fut si rapide que la charge lui perfora le dos, le flanc gauche et les cuisses. Celui qui marchait juste derrière lui encaissa une partie des shrapnels dans la poitrine.

Jay n'avait pas été tué. Mais il était dans un état comateux, et la piqûre de morphine que Max lui administra n'améliora rien. Max et Roy Walker, les deux hommes valides, décidèrent de ramener au plus vite les blessés au PBR. Tandis que Roy portait Bill Saunders, Max portait Jay, qui mourut après quelques centaines de mètres.

Max sombra alors dans une déprime qui dura toute la semaine. Il ne parla à personne et se contenta de regarder droit devant lui et de boire à longueur de journée ou de nuit. Son commandant respecta sa douleur et ne l'envoya plus en mission. Ce n'était pas la première fois qu'une telle réaction se produisait chez un combattant. Mieux valait, en général, laisser agir le temps. Souvent, la plupart en sortaient pleins d'amertume et de dégoût, mais le cerveau intact. D'autres, hélas ! sombraient dans la folie.

Quand Max sortit enfin de cette période noire, il eut envie de « tuer du Viêt » plus et mieux qu'avant. Il prit alors deux décisions fondamentales : il ferait un second tour; il ne se lierait plus jamais d'amitié.

Max arrêta la voiture à quelques centaines de mètres de la maison de Rinaldi. Il prit le revolver et le plaça dans la ceinture de son pantalon. Les rares fois où il était venu ici, il avait réfléchi à tous les problèmes tactiques qu'une telle maison pouvait offrir et avait conclu que la meilleure approche se ferait par l'arrière. Il resta une dizaine de minutes dissimulé derrière un arbre, à observer les alentours. Ses différents tours au Viêt-nam lui avaient appris la patience. Il pouvait demeurer immobile pendant des heures s'il le fallait. Pour un objectif urbain, dix minutes suffisaient amplement. S'il y avait une garde nocturne extérieure, elle se manifesterait pendant ce laps de temps.

N'ayant rien constaté de troublant, Max décida d'y aller. Il procéda par bonds pour s'approcher de la maison, s'aidant des cachettes naturelles et du relief du terrain. En quelques enjambées rapides et silencieuses, il franchit les dix derniers mètres et se colla à l'un des murs. Il resta immobile, écoutant et triant les bruits de la nuit pendant cinq minutes. Puis il se mit en mouve-

1. Une mine antipersonnel, qui saute dès qu'on la touche et qui est programmée pour exploser à hauteur de la taille d'un homme.

ment, cherchant de la main une fenêtre ou une porte éventuellement ouverte. Il allait déboucher dans la cour arrière lorsqu'il s'arrêta net.

Un petit bruit venait de se manifester. Il tendit l'oreille, braquant tous ses sens. Il entendit de nouveau ce bruit irritant mais ne parvint pas à l'identifier. Il se mit à plat ventre et avança en s'aidant des coudes et sur la pointe des pieds. Il laissa à sa vision périphérique le soin de détailler la cour et brusquement il lui sembla apercevoir une masse sombre sur le sol. Et le bruit persistait. Pareil à la respiration d'un animal. Des gémissements ...

Il braqua sa lampe de poche dans la direction de la masse et prit le risque de l'allumer. Il devina un corps et éteignit immédiatement. Il roula sur lui-même d'environ cinq mètres vers la gauche, se redressa, marcha jusqu'au corps et ralluma la lampe, dont le faisceau révéla le visage du consigliere Rinaldi.

Max fit descendre la lumière sur tout le corps. Lorsqu'elle éclaira l'entre-cuisse, il faillit lâcher un cri. Il avait vu beaucoup d'horreurs dans sa vie, mais quand il vit le paquet de sang coagulé, il ressentit une profonde pitié pour cet homme plein de courage. Plus loin, la lampe fit apparaître un fil métallique et un nœud qui contenait encore de la chair sanguinolente. Max n'avait aucune idée du nom des responsables de cet acte infâme, une forme de torture digne de celles des temps anciens et des époques de barbarie.

Rinaldi vivait encore. Sa respiration était saccadée. Max lui tâta le pouls et le trouva faible et irrégulier. Il jugea que de toute manière Rinaldi n'en avait plus pour longtemps à vivre.

Il entra dans la maison. Il n'alluma pas mais il en fit le tour très rapidement, s'éclairant toujours de sa lampe de poche. Dans l'une des pièces, il vit le cadavre du chauffeur de Rinaldi. L'aspect cyanosé de son visage et sa langue bleuie qui passait entre les lèvres indiquaient qu'il avait été étranglé. Max retourna dans la cour arrière. Il réfléchissait aux nouveaux problèmes qui venaient de se présenter à lui. Mais ce qu'il avait vu ici le rendait perplexe. Rinaldi l'avait engagé pour tuer Lewis. Il l'avait fait, et le même jour on plaçait une bombe dans la voiture qu'on croyait être la sienne, on tuait également le consigliere et son garde du corps. Qui aurait pu avoir intérêt à faire disparaître tous ceux qui avaient trempé dans cette histoire ? La Famille, dont Rinaldi était le conseiller, ou bien les survivants du groupe de Lewis ? Y avait-il une alternative ? D'autres intérêts en jeu ?

Il revint dans la cour. Il s'agenouilla et posa la main sur le visage de Rinaldi. La bouche du consigliere s'ouvrit et il essaya de parler. Max tenta de l'y pousser :

— C'est Levinski ici. Qui a fait ça ?

Un court instant, le visage du consigliere sembla transfiguré. Ses traits, déformés par la douleur, se détendirent. Il tenta d'ouvrir les yeux mais il n'y parvint pas.

— Chi ... chi ... chin ... les Chinois ...

Max crut avoir mal compris et il voulut faire répéter les mots à Rinaldi. Mais il lui faisait pitié et il le laissa en paix, se contentant de lui prendre la main et de la serrer. L'état désespéré du mourant mettait Max dans l'embarras. Il ne pouvait pas appeler la police ni une ambulance. Il était clair que le consigliere agonisait, mais cela pouvait encore prendre pas mal de temps avant qu'il mourût. Que devait-il faire ? Précipiter la mort pour qu'il ne souffrît plus ? C'était facile à penser. Bien plus difficile à faire. Mais il se décida, la pitié l'emportant sur les devoirs moraux.

— Rinaldi, voulez-vous que j'abrège vos souffrances ? demanda-t-il.

Le consigliere se racla la gorge, ce qui à la rigueur aurait pu passer pour un consentement.

— Adieu, dit Max. Merci pour tout ce que vous avez fait. Je vous assure que vous aussi je vous vengerai ...

Un autre raclement de gorge lui fit comprendre que le consigliere l'avait entendu et l'avait compris.

Il y avait plusieurs façons de tuer un homme à mains nues. Mais toutes étaient douloureuses. Il aurait pu lui écraser le nez, lui défoncer la tempe ou l'étrangler. Ou encore lui broyer le larynx. Mais cela aurait fait mal, du moins pendant quelques secondes, et Rinaldi avait déjà assez souffert comme cela. Max avait son revolver, mais il n'avait pas pris de silencieux. De plus, il n'aurait pas souhaité employer son arme. Se décidant brusquement, du poing fermé, il frappa Rinaldi à la tempe, lui faisant perdre connaissance. D'un coup brusque du tranchant de la main droite, il le frappa ensuite en pleine gorge, écrasant le larynx et bloquant les voies respiratoires. Le cœur du consigliere cessa enfin de battre.

Max se leva et, lentement, il retourna vers sa voiture, complètement hébété.

En route vers Manhattan, il se sentait déprimé. Depuis cette vision de la voiture déchiquetée dans Prince Street, il ne pensait plus qu'à se venger. Et il avait cru trouver la solution en allant chez Rinaldi. Le supplice infligé au consigliere n'arrangeait pas les choses. Et cette mention de Chinois ? Pourquoi des Chinois auraient-ils voulu la mort de Rinaldi ? D'autre part, cet assassinat était-il lié à la bombe qui avait tué Angela ?

Il ne savait pas où aller. Retourner chez lui était trop dangereux. Loger à l'hôtel ? Il pensa plutôt à Charles Street, à l'appartement qu'il y avait occupé deux semaines durant. L'endroit serait-il encore sous surveillance policière ? Au fond, il ne devait pas y avoir de raison. Les flics auraient certainement conclu au meurtre de Lewis par les compagnons de l'Italien dont on avait retrouvé le corps à l'intérieur du bâtiment. Mais certains avaient dû en réchapper. Walker ? Habiterait-il encore à Charles Street ? Non, c'était impossible. Où donc pouvait-il être ?

Le fait de songer à Walker amena Max à se remémorer le personnage de Kenzaburo Kozawa. Kozawa ! De manière assez impulsive, il décida de se rendre chez le sensei. Il n'était pas encore sept heures du matin. Il attendrait huit heures.

Il entra dans un établissement de la 34e Rue Est et commanda un petit déjeuner américain. Pas tellement pour manger, mais pour mieux réfléchir. Il avait l'impression d'être complètement déboussolé et il se dit qu'il devait absolument se ressaisir avant de perdre pied définitivement. Il mangea sans appétit, de manière rigoureusement mécanique. De temps en temps, en un flash-back douloureux, le visage d'Angela réapparaissait dans sa mémoire, câlin, angélique, souriant. A chaque fois, ses mâchoires s'arrêtaient et il devait réprimer une envie éperdue de pleurer. La boule qui montait dans sa gorge et menaçait de le faire suffoquer le rendait impuissant et démuni face aux vagues de douleur qui tentaient de le submerger sous leur poids d'enfer et de misère humaine.

A huit heures précises, Max sonna à l'appartement de Kozawa. Quand le Japonais vint ouvrir et le vit, il sut pourquoi il venait chez lui, bien qu'il n'en laissât rien paraître. Ils se saluèrent à l'orientale, de la tête, tout en inclinant le torse. Ensuite, le sensei le fit entrer.

Kozawa était vêtu d'un kimono d'intérieur, sobre et seyant bien qu'il fût nu-pieds. Ils s'assirent. L'épouse du sensei était apparue et avait souri timidement. A la demande du maître, elle apporta du thé ainsi qu'une assiette de gâteaux de pâte de riz.

— Comment allez-vous, maître ? demanda Max, respectant les formes parce qu'il savait qu'il serait très impoli de plonger dans le vif du sujet sans passer par les questions sur le bien-être de l'hôte.

— Chaque jour, je regrette un peu plus le Japon, mais je n'ai pas à me plaindre. Et vous ?

— Bien ... bien ... et votre famille ?

— Touchons du bois ...

Ce qu'il fit, avant de poursuivre :

— Elle va très bien, et les affaires, même si elles pourraient être meilleures, ne sont pas franchement mauvaises non plus.

— Ah ! j'en suis heureux !

— Buvez, je vous en prie, et mangez de ces délicieux petits gâteaux. C'est mon épouse qui les a faits !

— Merci, vous avez de la chance d'avoir une telle épouse, sensei ! En disant cela, il dut se maîtriser pour ne pas laisser apparaître le violent sentiment de douleur qu'il éprouva.

Kozawa versa du thé. Ils burent, se regardèrent. Ils mangèrent des gâteaux, reprirent du thé, se regardèrent à nouveau. Puis Kozawa décida d'aller au fond des choses :

— Quel bon vent vous amène chez moi de si bonne heure ?

— Je passais dans le quartier et je me suis dit : « Pourquoi n'irais-je pas rendre une visite de courtoisie à mon sensei ? »

Kozawa le regarda et son visage n'exprima aucun sentiment particulier, bien qu'il ne fût pas dupe. Il ne donnait pas l'impression d'avoir 45 ans. Il possédait un physique que beaucoup de jeunes lui auraient envié. Il était mince, musclé et assez bel homme. Des Américains, il avait adopté les cheveux coiffés en brosse. Max ne l'avait jamais connu coiffé autrement. Son regard était dur, lucide, absolument sans concession, mais en même temps ses yeux portaient la vivacité d'un jeune homme. S'il admettait la dissimulation, dans un souci stratégique bien compréhensible, le mensonge lui faisait horreur.

C'est plutôt un vent inclément qui m'amène chez vous, sensei, dit Max, se décidant enfin à attaquer le sujet.

— Inclément ?

— Sensei, je vous connais depuis bientôt six ans maintenant. Je crois que nous pouvons nous parler franchement ?

— Oui, répondit Kozawa.

— Cette nuit, on a placé une bombe dans la voiture dans laquelle je devais me trouver. Le hasard m'a sauvé la vie, mais j'ai perdu une personne qui m'était très chère.

— C'est le karma, monsieur Levinski.

— Sensei, le karma, c'est très facile à dire, mais quand vous voyez, quand ...

Il s'arrêta de parler, lutta pour vaincre l'émotion et poursuivit :

— ... quand vous voyez celle que vous aimez réduite en morceaux, c'est un karma que je ne peux pas et que je ne veux pas accepter.

— Je comprends. En avez-vous parlé à la police ?

— Il y a certains problèmes que je préfère résoudre moi-même plutôt que de passer par la justice officielle. La justice des hommes est parfois de loin plus expéditive ...

— Je comprends. Que puis-je pour vous ?

— Sensei, ces derniers jours, quelqu'un ne vous aurait-il pas approché afin de demander des renseignements à mon sujet ? Je ne dis pas, évidemment, que ces renseignements auraient pu déboucher sur ce qui s'est passé ou que vous n'auriez pas eu raison de les donner, mais sait-on jamais ?

— Laissez-moi réfléchir, dit Kozawa.

Il fit semblant de se concentrer. Seule une longue pratique de l'art de la maîtrise de soi lui avait permis de cacher son émotion quand il avait appris qu'une bombe avait été placée dans la voiture de l'amie de Levinski. Pour lui, aucun doute : si, en l'espace de quarante-huit heures, deux personnes aussi distantes qu'un karatéka noir et un gangster chinois lui demandaient des renseignements au sujet de Levinski, cela voulait dire que, tôt ou tard, Levinski serait amené à payer. Qu'avait-il donc fait pour mériter une telle punition ? D'autant plus que, d'après les échos qu'il avait reçus, ces deux types trempaient dans le trafic d'héroïne. Levinski serait-il impliqué dans ce genre d'affaires ?

— Un certain Walker, ou peut-être des Chinois ?

Max avait décidé d'ajouter les Chinois car, si une personne était capable d'interpréter les derniers mots de Rinaldi, c'était Kozawa, et lui seul.

— Je dois réfléchir, monsieur Levinski. Tant de personnes viennent ici. Ne pourriez-vous pas repasser ? Ce soir, par exemple ?

— D'accord pour ce soir. A quelle heure ?

— Disons sept heures ?

— Sept heures, O.K. ! Sensei, j'attache beaucoup d'importance au nom des personnes qui auraient pris contact avec vous à mon sujet. Il y va de mon honneur. Pour vous, la notion de giri[1] est sacrée. Pour moi aussi. Je dois venger la femme qui a été tuée par ma faute. Mon karma, c'est cela : me faire l'instrument d'une volonté de vengeance. Sensei, vous mieux que quiconque comprendrez que pour moi il n'y a pas d'autre voie. Avant de mourir, je dois éliminer les personnes qui ont tué celle que j'aimais ...

Max se leva, inclina la tête, courbant légèrement la taille à la façon japonaise. Kozawa lui rendit son salut et l'accompagna à la porte. Il le regarda s'éloigner et resta songeur. C'était typique des Blancs de se laisser aller à parler de choses intimes sans aucune retenue. Mais Levinski avait raison : la notion de giri était sacrée et le sens de la justice ne l'était pas moins.

Kenzaburo Kozawa réfléchit quelques minutes, ensuite il se dirigea vers le téléphone, forma un numéro, prononça quelques phrases rapides en japonais et raccrocha. Son esprit était ailleurs. Il regarda l'heure. Bientôt, il serait temps pour lui de descendre au dojo, car le dimanche était un jour comme les autres pour ceux qui enseignaient les arts martiaux.

1. Dette d'honneur, devoir envers quelqu'un (mot japonais).

XXVII

Peter Chen admirait la beauté, l'aisance, la grâce de ses trois filles. Mei-li, Mei-wei et Mei-yü avaient respectivement 10, 8 et 6 ans. Les naissances s'étaient succédé de deux en deux ans à partir de 1965, avec la régularité du retour des saisons. Les trois fillettes étaient admirables, racées comme seules des Chinoises pouvaient l'être. Coiffées et habillées de façon presque identique, elles jouaient sur la plage avec le sérieux et l'attention que les enfants asiatiques mettent déjà dans leurs activités.

Peter s'estimait satisfait de sa progéniture. Après la naissance de Mei-yü, son épouse Chi-fin lui avait demandé s'il ne désirait pas d'autre enfant. Un fils, peut-être ? Peter l'aurait souhaité. Bien qu'il aimât ses filles à la folie, pour lui un couple ne pouvait pas se dire parfait, ni un mariage réussi sans héritier mâle. Non seulement c'était le fils à qui le flambeau était passé, mais il représentait un gage d'avenir heureux. Ils avaient essayé d'avoir un autre enfant, mais en vain. Cela avait provoqué une certaine crise et Chi-fin avait proposé le divorce car, aux yeux des familles respectives et des amis, l'absence d'héritier mâle aurait pu être considérée comme un déshonneur.

Peter avait longuement réfléchi au problème. Il se sentait heureux avec sa femme et il n'en aurait jamais désiré d'autre. Il avait donc décidé de préserver le mariage. Après tout, il se disait moderne et, quoiqu'il souffrît de la situation, il fut suffisamment fort et large d'esprit pour refuser l'attrait d'une maîtresse.

Des trois filles, la plus intelligente était sans conteste Mei-wei. La plus jolie était l'aînée, Mei-li. Bien qu'elle n'eût que dix ans, déjà, à certains moments, par certaines mimiques ou certains regards, on sentait poindre en elle la future femme. Quant à Mei-yü, elle souffrait de myopie et devait déjà porter des lunettes. Cela avait quelque peu découragé ses parents, qui pensaient avoir perdu quelque qualité génétique essentielle lors de leur croisement.

Chi-fin se prélassait au soleil, revêtue d'un modeste bikini. Dans cette tenue, on aurait pu la prendre pour une enfant. Elle sentit sur elle le regard de son mari et lui sourit. Peter repensa à leur nuit précédente et il sourit également. Ils ne s'étaient pas contentés de faire l'amour une seule fois. Il ne savait pas très bien ce qui l'avait pris, mais il avait été insatiable et l'avait entraînée dans sa fougue. Il aimait son corps, son intelligence discrète, leur façon de faire l'amour. Autant elle pouvait avoir l'air distingué dans la vie courante, autant dans un lit elle s'extériorisait avec la force d'un volcan. Peter sentit son pénis durcir et il fit un mouvement pour dissimuler la bosse qui poussa soudain sous le maillot ...

Les Chen avaient décidé de passer le dimanche sur la plage des Rockaways, une « péninsule » au sud de Jamaica Bay. Evidemment, en ce long week-end de fête nationale, ils n'avaient pas été les seuls à avoir eu cette idée. Mais la foule ne les dérangeait pas. Ils s'y sentaient même à l'aise. Ce qui gênait le plus Peter, c'était de voir des individus obèses, des corps déformés par la nourriture et l'alcool, la dégénérescence humaine, des détritus d'humanité. Ces Américains qui pensaient être les maîtres du monde n'étaient en fait qu'un amoncellement de tarés. Quand Peter comparait la grâce naturelle de son épouse et de ses filles aux formes de pachydermes de certains enfants surprotéinés ou aux monstres de laideur qu'étaient certaines femmes, il restait songeur.

— Papa, est-ce que tu as encore du thé, s'il te plaît ? demanda Mei-li.

Il la regarda tendrement, lui tendant le thermos de thé et une tasse propre. Il avait toujours insisté pour qu'ils ne parlent que le mandarin entre eux. C'était la langue de son père, la langue officielle de la Chine précommuniste, celle de Taiwan et des anticommunistes. Il avait également insisté pour que ses filles soient placées dans un internat et parlent l'anglais à la perfection. Il tenait à ce qu'elles fussent parfaites, à ce qu'elles eussent toutes les chances de leur côté dans la vie. Quand il regardait ainsi sa Mei-li, il retrouvait en elle l'essence d'une future Chi-fin, d'une femme qui rendrait un autre homme heureux et qui, elle-même, donnerait naissance à d'autres femmes. Le symbole de la chaîne sans fin ...

Peter ferma les yeux et essaya de se concentrer. Bientôt, il lui faudrait retourner en Asie. A Taiwan de toute façon, car c'était là sa base d'opération. Mais il devrait penser au futur approvisionnement en héroïne. Et là, il faudrait prévoir des problèmes. Car, maintenant que les filières lucratives du Viêt-nam et du Cambodge étaient épuisées, les trafiquants de drogue allaient devoir traiter directement avec les marchands du Triangle d'or. Ils se jetteraient sur le secteur tels des vautours affamés. Il y aurait des meurtres, des combats, des traîtrises. Chacun allait jouer son petit jeu darwinien dans ce coin de l'Asie, et seuls les plus forts sortiraient vainqueurs. Leur triade pourrait-elle résister à l'assaut des autres ? Quant à New York, il pensait avoir cerné le problème. Bientôt, également, il devrait agir. Approcher les leaders des autres triades de Chinatown et leur faire une offre. A moins de mettre sur pied son propre réseau de distribution, bien que l'idée de devoir traiter avec des Chinois ne l'intéressât pas vraiment. Il connaissait trop bien ses frères de race et il se méfiait de leur duplicité congénitale. D'ailleurs, les

Chinois n'avaient-ils pas toujours été les darwinistes les plus acharnés, avant même la naissance du naturaliste ?

Avant le repas du soir, Peter Chen alluma la télévision et tomba par hasard sur une station locale qui donnait les informations ayant trait au Grand New York. Brusquement, il sursauta car la caméra avait filmé une scène qui lui parut familière et il comprit quand il entendit le commentateur mentionner Prince Street. On parlait de la déflagration d'une bombe dans une voiture la nuit précédente. Il resta bouche bée et blêmit quand il crut comprendre qu'une seule personne, une femme de surcroît, avait été tuée. Il se leva d'un bond et, en quelques enjambées, il fut au quartier de ses gardes du corps.

— Où est Chung Hsiao Yu ? aboya-t-il en cantonais.

— Il est dans le jardin, il est allé voir les deux gardes externes, répondit prudemment l'un des hommes.

— Faites-le venir immédiatement ! hurla Chen.

Sans attendre de réponse, il fit demi-tour et retourna au salon. Le téléviseur continuait à écouler ses images, mais Peter Chen ne les voyait plus. Il était dans une rage folle.

Hsiao Chung arriva. Quand il vit le visage en colère de Chen, il comprit que le moment était plutôt délicat.

— Vous m'avez appelé ? dit-il.

— Oui !

Il s'approcha de Chung et le gifla du plat de la main.

— Tu m'avais dit que tu avais tué cet étranger ?

Il le gifla à nouveau.

— Non ?

De nouveau le plat de sa main balaya le visage de Hsiao Chung.

— Il a été tué. J'en suis sûr ...

— Tu mens ! hurla Chen, le giflant encore.

Chung semblait ne pas comprendre.

— Où est Liu ? tonna Chen.

— Il est à l'appartement de New York.

Peter Chen fut au téléphone en deux pas. Il décrocha, forma le numéro, demanda John Liu. A l'entendre hurler en cantonais dans le combiné, Hsiao Chung comprit qu'il avait commis une gaffe impardonnable. Il avait délégué des pouvoirs et des responsabilités à Liu, puis s'était basé sur sa version des faits sans en avoir contrôlé l'exactitude. Peter Chen flanqua le combiné de téléphone sur son support et revint vers Chung.

— Tu pars tout de suite rejoindre Liu, vous prenez quatre hommes avec vous, tout l'armement qu'il vous faut, et vous faites disparaître ce foutu gwailo. Qu'on n'en retrouve absolument aucune trace ! Et après cela, vous brûlerez sa maison ! Je ne veux pas que subsiste le moindre centimètre cube de poussière qui puisse faire penser à lui ! Tu es personnellement responsable de l'exécution de cet ordre. Si tu échoues cette fois-ci, tu sais ce qui t'attend !

Chung Hsiao Yu inclina légèrement la tête et sortit. Après son départ, Chen arpenta le salon, les nerfs à vif. Chi-fin réapparut mais, d'un signe de tête, il lui fit comprendre de ne pas le déranger. Sans vouloir se l'avouer, il sentait naître en lui le pressentiment d'un destin funeste. Il n'était pas plus superstitieux que d'autres Chinois, mais le fait que ce Levinski ait pu échapper à la mort par miracle l'angoissait. « De toute façon, se raisonna-t-il, je ne dois pas me laisser aller à un mouvement de panique. »

Il allait devoir réfléchir posément, appréhender chaque donnée du problème, en extraire les composantes, agir sur celles-ci afin d'annihiler leurs effets nocifs et destructifs. Il décida de convoquer John Chu. Plus il pensait à ce problème, plus il se disait qu'il avait dû commettre une erreur à un certain niveau. Mais il ne parvenait pas à mettre le doigt sur cet endroit précis.

Il était près de neuf heures. Chen n'avait toujours pas mangé quand, enfin, il trouva la faille. Une double faille, d'ailleurs. Ils avaient omis de tuer le consigliere de la Mafia, d'une part. D'autre part, cet instructeur japonais en arts martiaux avait été questionné par l'un des hommes de Yang afin de savoir s'il ne connaissait pas le nom et l'adresse du gwailo que Walker pensait avoir vu dans les environs de Charles Street avant le meurtre de Lewis. Deux points faibles. Deux points potentiels d'explosion. Par eux, tout homme un tant soit peu avisé pouvait remonter la filière, remonter jusqu'à cette maison même. Au sujet du consigliere, il était fort peu probable qu'il eût survécu plus de quelques heures. En ce qui concernait le Japonais, c'était plus grave.

Mais surtout l'Américain avait échappé à la mort. Aurait-il dû retourner chez lui avec la femme qui avait été tuée ? Savait-il seulement qu'elle était morte ? Et s'il l'apprenait, quelle serait sa réaction ? Y verrait-il un lien entre la tuerie de Charles Street et cet attentat à la bombe ? Chercherait-il à la venger ?

La porte du salon s'ouvrit et Chu entra. En toutes circonstances, John Chu restait imperturbable. Il aurait pu être un panneau publicitaire destiné à représenter le Chinois comme Hollywood aimait le montrer. Mais cet aspect impassible, impavide, cachait une volonté de fer, une froide détermination. Si John Chu ne parvenait pas à faire exécuter un ordre, quitte à devoir l'exécuter lui-même, c'est qu'il y avait réellement une impossibilité matérielle.

Ils s'assirent et se mirent à discuter, de façon rapide, leurs têtes rapprochées et leurs mains accentuant certains mots.

Hsiao Chung avait quitté la demeure de Chen en proie à une colère et à une peur indescriptibles. D'une part, il était fâché contre Liu d'avoir raté le travail qui lui avait été assigné. D'autre part, pour la première fois de sa vie, il en voulait à Chen de l'avoir traité ainsi, comme du fumier. Tout en faisant route vers Manhattan, il se posa la question : « que faire de ma vie ? »

Il avait vingt-cinq ans. Il était né à Taipeh en 1950, fruit des entrailles de la nouvelle île chère au Kouo-min-tang. Bien que Han de souche, de nom et d'âme, Chung n'avait jamais connu la Chine continentale. Tout ce qu'il en savait, il l'avait appris par ses parents, les livres et les films. Comme tant d'autres, il rêvait d'y aller un jour. Il était entré dans la triade Nan Pao-hu à l'âge de dix-huit ans, et cela allait bientôt faire huit ans qu'il travaillait pour Chen.

Le trafic, en cette fin de week-end, était fort dense, surtout en direction de Brooklyn, ce qui énerva Chung. Encore une fois il se demanda ce qu'il allait bien pouvoir faire de sa vie. S'il ratait cette fois-ci, il serait liquidé par l'un ou l'autre des membres de la triade. Cela ne faisait aucun doute. Pourtant, il aimait vivre et il se sentait trop jeune pour mourir. De plus, la vie en Amérique lui plaisait. Bien qu'il y séjournât de façon illégale, avec de faux papiers de sécurité sociale et un permis de conduire falsifié, il avait appris à aimer ce pays. Evidemment, il risquait sa vie à chaque instant, mais au moins il avait la satisfaction de vivre intensément. De plus, il gagnait pas mal d'argent et quand il déciderait de se marier, il pourrait retourner à Taipeh et choisir une femme d'un niveau social de loin supérieur à celui auquel il aurait pu prétendre s'il était resté dans l'île. Le pouvoir de l'argent ! Le pouvoir, invisible, d'un membre d'une triade puissante.

C'est en empruntant le Brooklyn Battery Tunnel, vers Manhattan, qu'il eut l'idée de s'arrêter à Chinatown, qui était d'ailleurs sur son chemin. Il pourrait facilement justifier par un retard dû au trafic la demi-heure que cela prendrait. L'idée lui était venue d'un seul coup. Cristalline comme de l'eau de source. Merveilleuse dans ses implications et ses promesses. Apparemment irréalisable, et pourtant possible. Possible à celui qui voudrait. Qui oserait rêver ...

Hsiao Chung avait toujours eu en lui un ferment de gagnant. Il désirait réussir, s'imposer aux autres. Au fond, il était déjà le reflet d'une nouvelle génération chinoise, moins attachée aux vertus du sang, de la filiation ou du devoir. Il avait son propre sens du devoir, dont il était le centre, le pilier et la force. Au fond, bien qu'il ne se le fût jamais avoué, il n'avait qu'une seule allégeance. Il était son propre vassal et maître. L'honneur ne comptait que quand il avait été passé par le tamis de sa propre sensibilité, de ses intérêts personnels.

Il trouva une place dans Canal Street. Il ferma les portières et, de manière nonchalante, les mains dans les poches, Chinois parmi d'autres Chinois, il se dirigea vers Chinatown, se perdant bientôt au sein d'une foule exubérante et bigarrée.

XXVIII

Quand Max Levinski arriva chez Kozawa à sept heures du soir, il était relativement reposé. En fin de compte, il avait décidé de prendre une chambre d'hôtel sous un faux nom. Ce qui n'était pas un problème quand on était Américain et que l'on payait cash. Il avait dormi une bonne partie de la journée. Avant de sortir le soir, il avait pris une douche revigorante et s'était soigneusement rasé.

Kenzaburo Kozawa le fit entrer. Max était nerveux. La première fois, il avait cherché à provoquer une réaction chez le sensei en venant chez lui à l'improviste, mais au fond il ne savait pas du tout si Kozawa pouvait détenir un quelconque indice, un nom, une adresse. Et s'il ne savait rien ? Que resterait-il pour venger la mort d'Angela ?

L'épouse du sensei était entrée dans la pièce, lui avait souri, était ressortie, ensuite elle était réapparue portant du thé et des gâteaux de riz. Le sensei et lui-même s'étaient assis comme le matin, face à face. Ils se regardèrent. Comme à l'accoutumée, le visage de Kozawa reflétait un calme intérieur profond, hors du temps. Max eut envie d'en venir au fait, mais il se ravisa. Les formes étaient et demeuraient indispensables, essentielles, dans un tel environnement.

— Sensei, vous allez bien ? Avez-vous passé une bonne journée ?

— Je vais bien, merci, et ma journée a été bonne, merci. Et vous ?

— Je me suis reposé, j'ai repris des forces et j'espère être à la hauteur de la lourde tâche qui m'attend.

— C'est bien ! répondit le sensei laconiquement.

Dans l'après-midi, Kozawa avait décidé d'interroger les astres par le biais de cette immémoriale science divinatoire qu'est le Yi-king. Bien que très souvent les étrangers eussent opposé les peuples chinois et japonais et qu'une réelle haine eût séparé ceux-ci, pour les sages l'unicité des deux cultures était de loin l'aspect le plus positif à retenir, au-delà des différences qui pouvaient se manifester. Leurs racines étaient communes, de même l'origine du langage, de la religion et de leurs superstitions. En consultant les hexagrammes, Kozawa avait pu constater que le destin serait propice à Max Levinski. L'augure lui était favorable. En conséquence, le sensei avait décidé de transmettre à son disciple les renseignements en sa possession. Si telle était la volonté des astres, ce gaijin en deviendrait leur instrument privilégié.

Kozawa se leva, sortit de la pièce, y revint bientôt, tenant une assez large enveloppe à la main. Il la remit à Levinski qui l'accepta, en murmurant : « Domo arigato gozaimasu[1] ! »

— Monsieur Levinski, voilà ce que vous attendiez. Tout y est. Le nom de la personne qui a fait demander des renseignements à votre sujet, ses adresses, sa fonction et d'autres détails qui vous intéresseront. Mais ne l'ouvrez pas ici ! Faites ce que vous avez à faire selon votre cœur, votre âme et votre sens du giri. Agissez comme vous l'entendez, en tenant compte uniquement de ce qui gouverne votre vie, en fonction de vos propres concepts du bien et du mal. Adieu, mon ami, que votre karma vous protège !

Max se leva, ému, et salua à son tour le sensei. Il savait qu'il le voyait sans doute pour la dernière fois et il en ressentait une certaine tristesse. Kenzaburo Kozawa était un homme bon, simple, intègre. En sortant de chez lui, il se demanda s'ils se retrouveraient un jour dans une vie future.

Arrivé dans la 34e Rue, Max constata qu'il avait faim. Il regarda l'heure : dix-neuf heures vingt-cinq. Quoi qu'il envisageât, il ne pourrait rien faire avant la nuit. Sur le trottoir opposé, il aperçut un restaurant de hamburgers. Il décida brusquement de traverser la rue et d'y entrer. Il constata qu'il n'avait plus rien ingurgité depuis le matin. D'autre part, un fond de dérision le conduisit à penser qu'il valait toujours mieux mourir le ventre plein. Il entra, commanda un steak saignant et une salade fraîche, ainsi qu'un grand coca-cola. Il avait horreur de boire de l'alcool avant le combat.

Il ouvrit l'enveloppe et en tira quelques feuillets. Le nom chinois et l'adresse ne lui dirent rien, sinon qu'il s'agissait d'une maison située dans une rue près de Grasmere, à Staten Island. Il connaissait vaguement le quartier. Une autre adresse, un bureau, indiquait la 3e Avenue, entre la 64e et la 65e Rue. Mais ce qui l'intéressa le plus, ce fut le texte suivant, écrit à la main en lettres majuscules, comme le faisaient certaines personnes étrangères pour être bien comprises.

Il fut interrompu par la serveuse qui lui apportait sa commande. Posant les feuillets sur le côté, il se mit à manger de fort bon appétit tout en restant songeur. Comment Kozawa avait-il obtenu ces renseignements ? Etait-il un yakuza, comme certains le prétendaient ? Avait-il ses entrées auprès des triades de Chinatown ? Il était un être à la fois énigmatique et sublime. Pourquoi lui avait-il donné ces renseignements ? Qu'espérait-il ? Car il devait savoir qu'avec de tels documents en sa possession, Max serait cette nuit même à Staten Island et qu'à l'aube tout serait terminé, dans un sens ou dans l'autre. Le prénom d'Angela et son visage se profilèrent dans la mémoire de Max, ce qui stoppa net son repas. Il ressentit une douleur qui lui inonda les sens. Il dut lutter pour rester maître de son corps et de ses pensées, pour gar-

1. « Merci ! » Tout simplement ...

der son calme. Il n'avait même pas téléphoné au père d'Angela. Et, de plus, avec un peu de malchance, il raterait l'enterrement.

Il remit les papiers dans l'enveloppe, se leva sans même terminer son plat et paya. Il venait de décider de se rendre à Charles Street, si toutefois l'appartement était encore accessible. Certaines des armes qui y traînaient seraient intéressantes pour un combat de nuit rapproché. Il doutait que l'appartement fût sous surveillance de la police. Qui aurait pu penser que l'un des endroits de la rue avait servi de refuge à l'assassin de Lewis ? Pour Max, une seule inconnue : Rinaldi avait-il eu le temps de donner l'ordre de la faire vider avant d'être torturé ?

Il retrouva sa voiture garée dans la 32e Rue. Il démarra en direction de l'Avenue of the Americas, qu'il emprunta vers Greenwich Village, à la hauteur de la 14e Rue, où il tourna à droite. Il arriva dans Charles Street et la parcourut jusqu'au bout. Il n'avait aperçu aucune voiture suspecte ni aucun individu qui aurait pu ressembler à un policier en civil (bien que les policiers en civil, ces temps-ci, eussent vraiment l'allure de n'importe qui ...). Il se gara dans West Street et revint à pied vers le bloc qui comprenait l'ancien quartier général d'Alfred Lewis. Il ne vit aucun signe qui eût pu faire penser à une surveillance. Il pénétra nonchalamment dans la maison, monta à l'étage, s'arrêta devant la porte et demeura quelques minutes à écouter. Quand il fut sûr qu'il n'y avait personne, il força la serrure aussi silencieusement que possible. Il sentit un déclic indiquant que le pêne venait de céder et, d'un mouvement brusque, il ouvrit le battant. D'un regard circulaire, il constata que personne n'était venu. Il referma la porte, se rendit à la fenêtre et regarda au-dehors. Il ne vit rien de particulier dans la rue, hormis les homos habituels. Le hangar semblait ne pas avoir souffert du massacre, les clients continuaient à s'y presser en masse. Il ferma le store, alluma et revit avec plaisir les armes qu'il comptait prendre avec lui pour le raid contre la demeure de Chen à Staten Island. Méthodiquement, il entreprit de les démonter, de les nettoyer, de les remonter. Ensuite il sélectionna les chargeurs, les armes d'appoint et les autres pièces d'équipement dont il pourrait avoir besoin.

Quand il eut tout préparé et tout placé dans le sac, il s'assit sur le lit, face à la fenêtre. Il commença sa longue attente, se concentrant sur ce qu'il avait à faire, sériant les problèmes et cherchant une solution pour chacun d'eux, tout en tenant compte des contingences matérielles, des impératifs de temps et de lieu, des éventualités et des positions de repli possibles.

Il envisageait l'avenir calmement et avec foi en ses moyens. Mais ce qu'il en devinait lui semblait effrayant, avait l'aspect d'un monstre de la préhistoire qui serait sorti de son antre et serait devenu maître de ses sens, de son cerveau, le guidant pas à pas dans un monde devenu à la fois enfer et paradis, un monde étrangement silencieux, sombre, froid ...

XXIX

Au bruit que fit la porte du dojo, Kenzaburo Kozawa s'éveilla. Immédiatement, il fut conscient et prêt à agir. Il réveilla son épouse Katsuko, lui donna l'ordre de s'enfermer dans la salle de bains, de ne pas y allumer la lumière et de n'en bouger en aucun cas. Très rapidement, en marchant sur le tranchant des pieds pour ne faire aucun bruit, il se dirigea vers le living-room. Sans allumer la lumière, il dégaina son sabre de combat, se ravisa et le déposa, après l'avoir rengainé, sur l'un des fauteuils. Il se dirigea vers une armoire massive, ouvrit un tiroir et en retira une boîte rectangulaire dont il défit le couvercle. Saisissant la boîte d'une main, il reprit son sabre et alla se poster sur le côté de la porte du salon, celle qui donnait sur le palier, tout en prenant soin de se placer contre le mur vers lequel le battant se rabattrait quand la porte s'ouvrirait.

Il ne s'agissait pas d'une surprise. Il s'en doutait. Il attendait tranquillement, réglant sa respiration sur un rythme intérieur qui exigeait un calme et une concentration absolus. Il n'avait pas peur. La peur de mourir n'existait pas pour un combattant tel que lui, pas pour un Japonais en tout cas. Combattre le vide par le vide, l'amour par l'amour, la haine et la violence par la haine et la violence. Devenir le miroir de l'ennemi, le refléter jusque dans les nuances, jusqu'à l'instant décisif. Combattre et vaincre. Et, s'il fallait mourir, c'était le karma. Le tout était d'y être mentalement prêt.

Ou bien John Chu devenait vieux et bête, ou bien il ne tenait pas les Japonais en très haute estime. Car pour supprimer Kozawa, il n'aurait pu faire plus mauvais choix. Liu et Chung étaient accaparés par la mission essentielle de retrouver et de liquider ce gwailo de Levinski. En dehors de l'appartement de la 3e Avenue et de la maison de Staten Island, il y avait encore le dépôt d'Hoboken à surveiller, de même que la réception et l'hébergement des innombrables « courriers » qui continuaient à apporter leurs paquets d'héroïne, par toutes les voies possibles. Une cinquantaine d'hommes en tout, ce n'était pas énorme, d'autant plus qu'il fallait bien leur accorder du temps libre. En outre, si leurs familles étaient venues en Amérique en leur compagnie, il fallait les autoriser à passer quelques soirées et quelques nuits chez eux.

Tenant compte de tous ces impératifs de stratégie et de calendrier, Chu avait délégué la mission à Yu Li-hua, surnommé « l'étrangleur ». Yu avait choisi deux de ses proches pour l'accompagner, David Chu et Frand Hsü. Quand John Chu les avait convoqués pour leur expliquer le travail, ils avaient tout d'abord pensé ne pas emporter d'armes à feu. Mais John avait tout de même attiré leur attention sur le fait que Kozawa était un maître en arts martiaux. Ce qui les avait fait sourire.

Yu Li-hua avait dix-neuf ans. Comme ses deux compagnons, il était né à Taiwan, mais contrairement à eux, il préférait être connu par son nom chinois complet plutôt que par le prénom américanisé que portaient tous les enfants chinois de Taiwan. S'il avait acquis une certaine notoriété au sein de leur société secrète, il le devait surtout à la manière implacable, dénuée de tout sentiment humain, qu'il avait de tuer. Yu adorait procéder par étranglement lent, afin que sa victime pût ressentir ses derniers moments sur Terre. Il aurait pu tuer rapidement en employant l'une ou l'autre des méthodes enseignées par le karaté, mais il avait toujours considéré que c'était là une manière un peu trop facile de mourir. Si quelqu'un devait disparaître, il fallait une raison, et pour le faire comprendre à la victime, une méthode rapide d'élimination n'était certainement pas la bonne solution. Au cours de sa courte carrière, il avait appris à apprécier les contorsions désespérées d'un corps qu'il serrait contre lui tout en l'étranglant progressivement. Il avait appris à aimer le dernier spasme, le brusque relâchement des sphincters de l'urètre et de l'anus, les odeurs qui accompagnent la mort. Des psychiatres auraient pu lui expliquer que son comportement n'était pas tout à fait normal, d'autant plus qu'il en retirait une certaine jouissance sexuelle et que pour lui, étrangler devenait non seulement une nécessité mais un acte de foi, un plaisir dont il se grisait. Qu'aurait-il pu répondre s'il avait été questionné sur ce sujet ? Que tuer par étranglement progressif lui apportait un rush de loin plus intense qu'un shoot à l'héroïne ?

Quand ils en avaient discuté, une impulsion première avait été de se rendre chez le Japonais à mains nues. Après tout, Kozawa avait dépassé la quarantaine : qu'est-ce qu'il pouvait encore valoir pour les combats ? Sans aucun doute, ils le découvriraient sur sa femme en train de pomper comme un chien en chaleur, car il était bien connu que les Japonais ne pensaient qu'à ça, qu'ils étaient des incontinents sexuels perpétuels. Yu Li-hua avait même pensé étrangler Kozawa pendant qu'il faisait l'amour avec sa femme. Cela lui aurait donné sa dernière jouissance, et quelle jouissance ! Sa femme aurait même peut-être connu l'orgasme de sa vie ...

Hsü, un peu plus réaliste que les autres, ou peut-être simplement plus intelligent, avait suggéré d'emporter quelques armes. Qui pouvait prévoir ? Après quelques invectives en mandarin et une discussion particulièrement animée, Yu s'était laissé convaincre : ils emporteraient chacun un calibre 38.

Hsü avait insisté pour emporter une arme automatique, un Uzi ou un Ingram, mais Yu l'avait traité de lâche et d'eunuque. Ce qui avait coupé court à toute velléité de rétorquer. Frank Hsü s'était d'ailleurs juré de montrer à cet imbécile de Yu, qui se prenait vraiment pour une nouvelle divinité ou un avatar de Kuan Yü, le dieu de la Guerre, qu'il n'était pas un lâche.

Entrer dans le dojo n'avait pas été difficile, bien que David Chu eût fait un peu trop de bruit en fracturant la porte. Yu Li-hua était un meneur d'hommes. C'est lui qui avait choisi le moment, car il s'était dit qu'à deux heures du matin le Jap devait dormir comme une souche ou bien forniquer comme un bouc. Il avait pris les devants et il entreprit de chercher l'escalier qui menait à l'appartement. Ensuite, il appela les autres de manière discrète et ils se mirent à monter, cherchant à ne faire aucun bruit. Sur le palier, Yu toucha le bras de David qui s'approcha de la porte, et, à tâtons, en chercha la serrure. L'ayant trouvée, il y introduisit sa pointe à glace, la manœuvra. Un déclic sec lui fit comprendre que le pêne venait d'être libéré.

Dans le salon, Kozawa les avait entendus venir. Il s'était accroupi, avait déposé la boîte et le sabre à terre. La première à sa droite, et le second à plat sur le sol, lame vers la gauche. De la boîte, il avait retiré cinq shuriken[1] en forme d'étoiles, non empoisonnés, et il les avait mis à portée de sa main droite. Il ignorait le nombre des assaillants mais, à son avis, ils ne devaient pas être plus de quatre. Il ne les craignait pas. Déjà, à leur façon de s'introduire dans la maison, il avait jugé qu'ils n'étaient que de vulgaires amateurs. Des jeunes probablement. Mais même de vulgaires amateurs pouvaient quelquefois être dangereux.

La clenche tourna et la porte s'ouvrit lentement. Le battant vint vers Kozawa, mais les assaillants avaient dû le retenir car la porte resta entrouverte. Kozawa avait fermé les yeux dès qu'il avait perçu le bruit caractéristique de la clenche. De la main gauche, il avait saisi son katana, l'ongle de son pouce touchant le tsuba[2], la lame tournée vers la porte. De la main droite, il avait saisi un shuriken et déjà son bras se trouvait prêt au lancer.

Yu Li-hua pénétra le premier dans l'appartement, fit quelques pas et, d'un geste de la main gauche, sans même se retourner, indiqua aux autres de le suivre. Si Yu avait été un tant soit peu doué, il aurait dû s'arrêter afin que ses yeux s'habituent à l'obscurité. De même, il aurait dû regarder derrière la porte, afin de voir si personne ne s'y trouvait caché. Mais il était jeune et impétueux, et il se sentait invincible.

Kozawa avait ouvert les yeux et aperçut le premier assaillant, qui était entré d'une façon stupide dans l'appartement, sans même se retourner.

---

1. Armes des ninja. Objets en fer de formes diverses, le plus souvent empoisonnés aux pointes ou aux extrémités. Armes létales quand elles sont lancées avec force et dextérité.
2. Garde d'un sabre (mot japonais).

« Baka[1] », pensa-t-il. Dans la main droite, le type tenait un revolver. A sa façon de marcher, sur le bord extérieur des pieds, Kozawa identifia un karatéka.

David Chu entra à la suite de Yu Li-hua. Il n'avait pas peur. Il admirait la bravoure, l'expertise et l'intelligence de Li-hua, et il l'aurait suivi en enfer s'il l'avait ordonné. Lui aussi pénétra dans le salon sans regarder autour de lui ni inspecter les abords de la porte. Quant à Frank Hsü, qui suivait David à moins de deux mètres, il n'avait d'admiration pour personne. Il se méfiait de tout le monde et, en ce moment, il crevait de peur. Brusquement, la réalité de leur attaque contre un maître en arts martiaux s'imposa à lui avec la force impitoyable d'un ta feng[2], et il faillit se retrouver submergé par l'impact de ces flots d'angoisse. Dans sa panique, sa main gauche chercha l'interrupteur et, ayant perdu complètement les pédales et ne réfléchissant plus à ce qu'il faisait ni à la portée de ses gestes, ses doigts actionnèrent le bouton. La lumière jaillit, nue et criarde, baignant la pièce d'un sérum de vérité qui figea les trois Chinois dans une immobilité totale, absolue, la surprise annihilant en eux toute possibilité de réaction rapide.

Le seul qui resta maître de lui et qui réagit de manière adéquate fut Kozawa. Son bras droit lança un shuriken en direction de l'homme le plus éloigné, et avant même que l'objet eût atteint son objectif, la main de Kozawa enserrait un autre shuriken et le lançait vers l'agresseur qui se trouvait au milieu de la pièce.

Sans avoir pu réagir, Yu et Chu ressentirent presque simultanément une douleur atroce dans la nuque, qui les projeta au sol et leur fit perdre connaissance. Ils tombèrent comme des poupées soufflées par un vent trop violent.

Frank Hsü avait vu les deux corps tomber à terre, une sorte d'engin bizarre planté dans leur nuque, et il hurla, de toutes ses forces, ses pieds et ses genoux pivotant déjà vers la gauche. La fuite s'était inscrite dans ses muscles avant la pensée. Il n'avait pas encore entièrement réussi son demi-tour quand il remarqua un mouvement sur sa droite.

Kozawa avait empoigné son katana à deux mains, l'avait relevé au-dessus de la tête et ramené en arrière. Quand il vit Hsü, déjà son katana avait amorcé un mouvement descendant irréversible. La lame en fer forgé, fabriquée par un maître des forges de Nagoya, toucha la tête de Frank Hsü et poursuivit son chemin, la sectionnant en deux parties et s'arrêtant à hauteur de la clavicule. Le sang jaillissant de la tête éclaboussa Kozawa. D'un bond, le sensei enjamba le corps, qui se replia sur lui-même, et il fut sur le palier, le katana brandi en position d'attaque. Mais il ne vit personne.

Il revint dans le salon. Les deux hommes à terre gémissaient encore, mais il ne s'en soucia pas. Il pénétra dans la chambre, appela Katsuko et lui donna l'ordre de s'habiller. De retour dans le living, il s'approcha des deux Chinois. D'un coup de pied, il les retourna et constata qu'ils agonisaient. Il déposa

1. « Imbécile ».
2. Typhon (mot mandarin).

son katana et il se dirigea vers le téléphone. De mémoire, il forma un numéro, attendit assez longtemps avant qu'on ne décrochât et, dès qu'il entendit la voix de son interlocuteur, lui parla assez longuement en japonais. Lorsqu'il eut terminé, il retourna dans la chambre à coucher pour s'habiller lorsque Katsuko lui fit remarquer qu'il était barbouillé de sang. Une douche s'imposait ...

Quand il ressortit de la chambre, vêtu de noir, un peu à la façon d'un ninja[1], Yu Li-hua venait de mourir, tandis que David Chu continuait d'agoniser. Le sensei regarda l'heure. Deux heures et demie. Il se fit la réflexion que ce serait une longue nuit et, un instant, il pensa à Max Levinski. Pour lui également, ce serait une très longue nuit ...

Vers trois heures moins vingt, David Chu mourut lui aussi. Peu de temps après, on sonna à la porte du dojo et Kozawa descendit l'escalier, lentement. Il ouvrit, salua ses visiteurs à la japonaise et leur demanda de l'attendre. Il n'en avait que pour quelques instants : certaines choses à prendre, puis il les rejoindrait à la voiture.

Deux des hommes, également vêtus de vêtements japonais sombres mais seyants, restèrent sur le trottoir. Deux autres, munis de sacs en plastique, regagnèrent l'appartement avec Kozawa. Le sensei prit son katana et le rengaina de manière rituelle, après avoir soigneusement lavé la lame. Les deux Japonais commencèrent à s'occuper des corps, les plaçant dans les body bags et nettoyant sommairement l'appartement.

Avant de sortir, Kenzaburo Kozawa regarda Katsuko, longuement et tendrement. Il ne lui dit rien, mais leurs yeux se parlèrent. Elle sut que ce qu'il avait à faire devait être fait et que rien, ni parole ni supplique, ne parviendrait à le détourner de la voie qu'il avait choisie, celle qui était devenue inévitable dès l'instant où ces bakayaro de Chinois avaient essayé de le tuer. En silence, elle pria pour son salut.

---

1. Combattant de l'invisible, membre d'une secte de meurtriers et de mercenaires d'élite qui pratiquent toutes les formes de combat, loyales et déloyales, dans le but, souvent rétribué, de tuer l'adversaire.

XXX

Chiang Chi-fin avait mis les enfants au lit de bonne heure. Elle-même ne s'était couchée que vers minuit et attendait encore que Peter vînt la rejoindre. Chen avait été d'une fébrilité extrême tout au long de la soirée. Il était resté presque en permanence à côté du téléphone. Après avoir parlé avec Chung et Chu et leur avoir donné ses ordres, il n'avait pu tenir en place. Une espèce de démon intérieur l'avait animé. Il avait marché dans le salon, allumé la télévision, l'avait regardée seulement quelques instants avant de l'éteindre. Il s'était dirigé vers le téléphone mais avait stoppé son mouvement à mi-chemin. Puis il avait rallumé la télévision, essayé toutes les chaînes et l'avait éteinte de nouveau. Plusieurs fois aussi, au cours de cette soirée tendue, il était sorti du salon et il avait hurlé de façon plutôt vulgaire vers les gardes ou vers quiconque était dans les parages à ces moments-là.

Certes, il n'avait pas peur. Avec deux gardes à l'extérieur et trois à l'intérieur, plus John Chu, qu'avait-il à craindre ? Non, il était nerveux parce qu'il pensait avoir oublié un petit détail. Mais un détail qui pouvait prendre soudain une ampleur démesurée. Le pire, c'était qu'il ne parvenait pas à mettre le doigt dessus. Il avait beau passer en revue tous les événements qui s'étaient produits depuis l'attaque contre le quartier général d'Alfred Lewis, il ne trouvait rien, hormis bien sûr les deux grosses bavures qui avaient été révélées aujourd'hui et allaient être effacées au cours de la soirée.

Quelques hommes étaient partis pour le New Jersey afin de déterminer si Rinaldi vivait encore. Kozawa serait éliminé cette nuit même par un team de trois hommes, et Levinski le serait dès qu'il se pointerait chez lui. Tout était donc en ordre. Et pourtant ... Chen ressentait une impression étrange, apparentée à une angoisse diffuse. Mourir ? La mort ne l'effrayait pas. Perdre son pouvoir, perdre son ascendant sur les autres ? Cela lui faisait peur et mal, tout à la fois. Devenir un homme commun parmi des milliards d'autres. Un homme sans visage, sans nom. Un inconnu. Quand il ruminait cette idée, il éprouvait une vision d'enfer.

Vers deux heures et demie du matin, il alla dormir. Il n'avait eu aucune réponse, ni de Hsiao Chung ni de Yu Li-hua. Quant aux trois hommes qu'il avait envoyés au New Jersey, ils avaient téléphoné de l'entrepôt de Hoboken que le consigliere était bien mort et qu'il n'avait pas encore été découvert, pas même par la police. Conformément aux instructions, le corps et celui du garde avaient été expédiés vers l'usine de nourriture d'animaux.

Quand il entra dans la chambre, la lumière était encore allumée et Chi-fin le regarda de ses grands yeux ovales, doux et amoureux. Brusquement, il eut envie d'elle. Il se déshabilla en hâte et entra dans le lit. Leur étreinte fut brève mais passionnée. Peter s'endormit rapidement. Avant d'éteindre la lampe de chevet, Chi-fin le regarda longuement. Elle lui caressa les cheveux, qui étaient légèrement moites, ensuite elle éteignit la lumière. Contre elle, elle sentait le corps ferme, chaud, de l'homme qu'elle aimait, du père de ses enfants.

Max était arrivé un peu avant trois heures. Il était passé en voiture à deux reprises devant la propriété de Chen et avait fini par se garer dans une rue transversale, à cinq cents mètres de la demeure du Chinois. La maison se trouvait en retrait par rapport à l'avenue, à une vingtaine de mètres de l'entrée du jardin. La vaste propriété était entourée d'une haie à hauteur d'homme, et le jardin était long d'environ soixante mètres. A gauche et à droite de la maison se trouvaient d'autres demeures, mais dans aucune d'elles il n'y avait la moindre lumière. Le quartier paraissait endormi.

Max sortit, se dirigea vers le coffre de la voiture et prit le pistolet-mitrailleur MAC-10, qui était muni d'une courroie. Il le plaça en sautoir, sous son pull. Il couvrit à une allure rapide les quelques centaines de mètres qui le séparaient de la maison et, sans hésiter un seul instant, pénétra dans le jardin de la propriété attenante, sur la gauche quand on regardait celle de Chen. Il empoigna le pistolet-mitrailleur, l'arma et le tint en position de tir.

Dès qu'il eut pénétré dans la propriété voisine, il se colla contre la haie. Il se dissimula du mieux qu'il le put et il entreprit de marcher courbé, tout en cherchant un endroit par lequel il pourrait éventuellement pénétrer chez Chen. Il atteignit assez rapidement le fond du jardin et s'arrêta. Derrière les propriétés, il semblait y avoir un terrain abandonné. Max quitta l'ombre protectrice de la haie et y pénétra. La haie de la propriété de Chen semblait également former une barrière naturelle. Max s'en rapprocha de nouveau et continua sa marche. Il avait compté à peu près une quinzaine de pas quand il aperçut une ouverture. Il s'accroupit, déposa le pistolet-mitrailleur et, des deux mains, s'efforça de tâter et de deviner la taille de l'ouverture. Elle lui sembla suffisante pour passer. Il allait avancer quand il pensa à la présence possible de caméras thermiques. Il faillit jurer à haute voix. Il s'en voulut de ne pas y avoir pensé plus tôt. Il ramassa le P-M. MAC-10, se releva et, rapidement, rebroussa chemin, retraçant ses pas en direction de l'avenue, marchant dans l'ombre protectrice de la haie. Avant de retourner à la voiture, il replaça le MAC-10 sous un pull en V.

Arrivé à hauteur du véhicule, il prit le sac dans le coffre, referma celui-ci et repartit vers la propriété voisine, tenant le sac à la main gauche mais gardant la main droite libre afin de pouvoir saisir le pistolet-mitrailleur et tirer si cela s'avérait nécessaire.

Il avait réussi à revenir sans encombre à l'ouverture. Il prit les lunettes à vision nocturne et les ajusta. Il plaça le MAC-10 en sautoir sur la poitrine et glissa trois chargeurs de 50 cartouches chacun dans la ceinture de son pantalon, sur la gauche car le pistolet-mitrailleur lui servirait d'arme d'appoint. Il avait décidé de se servir de l'Ingram M-11 et, outre le chargeur de 32 cartouches déjà enclenché, il prit trois autres chargeurs de réserve qu'il mit dans la ceinture de son pantalon, du côté droit cette fois. Il décida également de prendre quatre grenades et de les placer dans les poches de sa chemise. Cela devait donner une poitrine à la Jane Maynsfield, mais il n'en était plus à son aspect physique. Ce qui comptait maintenant, c'était la puissance de feu, l'impact soudain et la surprise. Surtout la surprise.

Il passa la tête par le trou de la haie et vérifia si, sur la façade arrière de la maison, aucune caméra normale ou thermique n'avait été installée. Il n'en aperçut pas. Il resta près de dix minutes à attendre. Pendant ce laps de temps, il remarqua deux gardes chinois armés de fusils d'assaut Armalite AR-18 qui s'étaient croisés à l'arrière de la demeure et qui avaient bavardé quelques minutes. Leur attitude relax, débonnaire, indiquait à suffisance qu'il s'agissait là de combattants de piètre qualité. Ce qui était de bon augure pour la suite.

Jason Chang s'ennuyait. Il en avait marre de ces gardes incessantes. Quand il était devenu membre de la triade Nan Pao-Hu, il avait cru en un avenir brillant. Evidemment, il devrait d'abord faire ses preuves. Mais voilà au moins deux ans qu'il était de garde. Uniquement de garde, comme s'il ne savait faire que cela ! Une fois ici, une fois à l'entrepôt, une autre fois à l'appartement de la 3e Avenue. Il se disait qu'on avait peu confiance en lui et en ses capacités. Pourtant il avait eu les meilleures recommandations quand il avait été présenté à Chen Lin-hsü.

Il regarda l'heure : quatre heures moins vingt. Bientôt, l'aube poindrait et il pourrait aller se coucher, rejoindre son minuscule appartement sans conditionnement d'air dans le Bronx. Il venait de croiser son partenaire de garde, Yang, et il se dirigeait vers l'avant de la maison quand brusquement il entendit un bruit derrière lui. Surpris, il se retourna et il eut juste le temps d'apercevoir un homme assez grand, portant une espèce de masque sur la tête. Il pensa à un homme-grenouille. Mais il n'eut ni le temps ni l'envie d'en rire ...

Max avait tiré une rafale d'une fraction de seconde qui cracha quatre balles. L'une, de calibre 380, atteignit Chang au ventre, perfora l'estomac et s'arrêta dans la colonne vertébrale. Les trois autres pénétrèrent dans la poitrine, la dernière traversant le cœur et occasionnant une hémorragie fulgurante. Quand le corps de Chang heurta le sol, il avait cessé de vivre.

Max se colla au mur de la maison, s'accroupit et attendit que l'autre garde apparût. Il entendit les pas qui se rapprochaient. Son doigt se crispa sur la gâchette et, quand il vit apparaître l'homme, il tira une très courte rafale. Le corps du Chinois fut projeté vers l'arrière. Lui aussi avait déjà cessé de vivre quand Max s'approcha. Il distingua cinq points d'impact, dont un au visage. A la ceinture, il remarqua un talkie-walkie. Il en pressa le signal d'appel. Ensuite, il courut vers la façade et alla se poster à la droite de la porte d'entrée, à plat ventre. Logiquement, les gardes à l'intérieur de la maison devraient réagir quand ils entendraient l'appel, même si personne ne répondait. Au bout d'une minute environ — il rit intérieurement quand il constata la lenteur de la réaction à l'appel —, deux hommes armés sortirent de la maison. Il attendit une fraction de seconde mais, comme personne ne les suivait, il tira une rafale prolongée, de trois secondes. Son chargeur fut rapidement vide. Il le libéra et en enclencha un autre. Les deux Chinois avaient été touchés dans le dos, chacun ayant encaissé une dizaine de balles de calibre 380. Ils étaient morts avant d'avoir pu réaliser ce qui leur arrivait.

Max s'approcha de la porte d'entrée restée ouverte, et il écouta pendant quelques minutes. En vain. Il entra mais ne vit personne, ce qui lui parut bizarre. En face de lui, l'escalier montait à l'étage, et sur la droite il y avait un long couloir avec une série de portes.

Il se décida à monter. Si Chen était présent, logiquement sa chambre à coucher devait se trouver à l'étage. Gravissant les marches en avançant sur le bord extérieur des pieds comme on le lui avait enseigné à la Special Warfare School, il se rapprocha insensiblement de sa proie.

Brusquement, il perçut un mouvement derrière lui. Il se retourna et d'instinct il tira au jugé. La rafale lâcha huit balles. Certaines atteignirent le dernier garde qui venait de monter de la cave, inquiet de l'absence de ses camarades. Cependant, aucune balle ne l'avait touché à un centre vital, si bien qu'il eut le temps de crier avant que Max ne lâche une seconde rafale, plus courte cette fois, mais nettement mieux ajustée. Trois projectiles quittèrent l'Ingram M-11 et formèrent un étrange triangle sanglant sur la poitrine du Chinois qui, soudain, cessa de hurler, réalisant avec ahurissement qu'il venait d'être frappé à mort. Les autres balles de la première rafale avaient également fait du bruit et du dégât, brisé une fenêtre et fracassé un très beau vase de Chine.

A l'étage, le hurlement et le bruit de vitre brisée avaient réveillé Peter Chen et sa femme, ainsi que John Chu, qui dormait dans l'une des chambres attenantes à celle du leader de la triade. John Chu avait un pistolet-mitrailleur Uzi dans la chambre, chargé et en parfait état de fonctionnement. D'un bond il fut debout, complètement éveillé, l'esprit clair. Il saisit l'Uzi, l'arma et il ouvrit la porte. Quant à Peter Chen, il avait donné l'ordre à Chi-fin de se cacher sous le lit. Il mit son caleçon, ouvrit la porte du couloir et sortit de la chambre.

Chen allait questionner Chu et lui donner l'ordre d'aller voir ce qui s'était passé quand Max apparut sur le palier du premier étage, tel un diable grandeur nature sorti tout droit d'une boîte magique. Le voyant, Chu voulut tirer, mais Chen était dans sa ligne de tir. Max n'hésita pas. Il fit feu à deux reprises. Deux courtes rafales. La première atteignit Peter Chen et le fit tomber. Horrifié à la vue de son leader touché, Chu hésita une fraction de seconde. La seconde rafale le projeta contre le mur du couloir. Max s'approcha des deux Chinois et mécaniquement, comme s'il était à l'exercice ou en instruction, il éjecta le chargeur de son Ingram et le remplaça.

A terre, Chen vivait encore. Son visage ressemblait à celui de la photo que Kozawa avait jointe au dossier. Max constata avec plaisir que ses blessures étaient mortelles. Il hésita un court instant, ensuite il braqua le canon du pistolet-rafaleur Ingram et le rapprocha du visage du Chinois. Avec la joie cynique d'un tortionnaire, il pressa la détente.

Une rafale de deux secondes libéra seize balles qui atteignirent Chen en pleine face et firent éclater celle-ci comme une citrouille trop mûre. Du sang gicla, tandis que le visage perdait son aspect humain et se transformait en bouillie informe. Max vit que le sang avait taché ses chaussures et le bas de son pantalon. Il se détourna du corps et s'approcha de l'autre Chinois, qui avait cessé de vivre. Il ouvrit les portes l'une après l'autre. Dans l'une des pièces, il découvrit une Chinoise assez jolie, blottie sous le lit. Elle était nue et elle tremblait de peur. Il la laissa en vie. Dans une autre chambre, il aperçut les trois filles de Chen, qui avaient été mentionnées dans le rapport remis par Kozawa. Elles dormaient tranquillement. Il les regarda avec une certaine tendresse. Ensuite il sortit et referma la porte, sans bruit, afin de ne pas les réveiller.

Il descendit l'escalier. Il avait survécu, mais il n'en ressentait aucune joie. Sa dette d'honneur avait été payée, Angela avait été vengée. Mais que lui restait-il désormais ?

En bas, il fouilla chaque pièce, plus par souci du travail bien fait que pour une raison stratégique. Il ne vit personne. L'attention un rien relâchée par une victoire aussi facilement acquise, il sortit de la maison et soudain il ressentit une douleur à la cuisse gauche. Son corps fut projeté vers l'arrière et il poussa un cri.

Il se redressa, s'adossa au mur, déposa l'Ingram et prit le pistolet-mitrailleur MAC-10, qu'il braqua en position de tir vers l'entrée de la maison. De la main gauche, il prit les chargeurs de cinquante cartouches pour le MAC-10 et il les déposa au sol, à portée de main. Une chose était certaine : il vendrait chèrement sa peau, jusqu'au dernier souffle. Avec près de deux cents cartouches à sa disposition et quatre grenades, il avait de quoi soutenir un beau petit siège. A condition qu'il puisse résister à la douleur, car sa cuisse le faisait souffrir atrocement. Bientôt, il entendit des pas et des voix asiatiques excitées. « Quels petits cons d'amateurs ! pensa-t-il. Ils auraient pu me tuer s'ils avaient à peine mieux ajusté leur tir ! »

Ils entrèrent dans la maison. A trois et en même temps. « Agglutinés comme des foutus marines ! », songea Max. D'où sortaient-ils ? Il n'en savait strictement rien et il s'en fichait éperdument. Ils étaient là, armés, et c'est la seule chose qui comptait. Il pressa la gâchette et lâcha une rafale assez longue, de trois secondes, le silencieux ralentissant assez fortement le tempo de tir. Ne sachant pas combien de balles avaient pu être tirées, Max déposa le MAC-10 et reprit l'Ingram, le tenant braqué vers l'entrée, prêt à l'emploi. Mais ce ne fut pas nécessaire. Sa première rafale avait atteint les trois hommes, les mettant hors d'état de nuire. Pour plus de sécurité, il lâcha dans le tas une charge du pistolet-rafaleur. Les corps dansèrent leur jeu de mort, mais seul le silence en fut l'écho.

Il changea le chargeur du MAC-10, prit les grenades dans les poches de sa chemise et les déposa sur le sol devant lui. N'entendant plus aucun bruit, il déposa également le pistolet-mitrailleur MAC-10, enleva les lunettes à vision nocturne et entreprit de tâter méthodiquement sa cuisse. L'artère fémorale n'avait pas dû être atteinte, mais il se demandait si le fémur n'avait pas été brisé par l'impact de la balle. Il défit sa ceinture et fit un garrot. Puis il regarda l'heure. Quatre heures moins dix. C'est fou ce que le temps passait vite dans des moments pareils ! Vu son état, il n'était plus question pour lui de rejoindre sa voiture. Ni d'appeler la police ou une ambulance. Une sorte de somnolence s'empara de lui et, peu à peu, il sombra dans le sommeil. Il perdit connaissance trois minutes après avoir placé le garrot.

A l'étage, Chi-fin, rendue folle de douleur à la vue du corps de son mari, avait formé le numéro d'appel de l'appartement de la 3e Avenue. Chung Hsiao-yu avait décroché et, d'une voix calme, après avoir entendu ses explications, avait promis de venir à Staten Island dès que possible.

Après avoir reposé le téléphone, Chiang Chi-fin s'était rendue dans la chambre de ses filles et s'était enfermée à clé avec elles, espérant que Chung et ses hommes arriveraient rapidement.

XXXI

Kozawa, Hashida et Fukuda s'étaient arrêtés à une soixantaine de mètres de la maison. Avant de sortir de la voiture, ils enfilèrent chacun une cagoule noire, prirent leurs armes et coururent vers l'entrée de la propriété.

La barrière était restée ouverte et ils entrèrent dans le jardin, se plaçant automatiquement en éventail. Ils n'étaient que trois, mais leur irruption soudaine et presque silencieuse glaça le sang des cinq hommes qui surveillaient l'entrée de la maison de Chen.

Appelé de Staten Island par Li Pao-yu, Yun Wei-yang, principal responsable de la cache d'héroïne stockée, n'avait pas hésité. Il avait immédiatement appelé l'un de ses adjoints qui vivait à Chinatown et il lui avait donné l'ordre de se rendre tout de suite à la propriété de Chen. Cinq hommes avaient donc pris place à bord d'une spacieuse voiture, et le chauffeur avait réussi l'exploit, en brûlant une série de feux rouges, d'arriver sur les lieux en vingt minutes. Dans le jardin, ils avaient aperçu les corps de certains de leurs camarades de la triade, mais ne sachant où en était la situation avec ce Blanc que Li Pao-yu avait mentionné, et ne l'apercevant pas, ils n'avaient pas osé pénétrer dans la maison. A leurs appels par talkie-walkie, personne ne répondait et, de plus, ils crurent apercevoir des corps sur le seuil.

Tel un typhon, Kenzaburo Kozawa et ses deux amis se jetèrent sur les cinq Chinois qui étaient plus ou moins dissimulés autour de la porte d'entrée. Kozawa vit l'un d'eux se retourner et entreprendre de se lever, tandis que son bras droit saisissait l'Armalite. Mais déjà le tranchant de la lame du katana, par un mouvement légèrement latéral, était entré dans le cou de l'homme et lui avait sectionné la tête. S'arrêtant et redressant le sabre en position d'attaque, Kozawa perçut un léger mouvement sur sa droite. Il pivota sur lui-même, faisant un tour complet tout en tenant le sabre à deux mains et horizontalement. Un choc soudain lui fit comprendre que la lame avait trouvé une autre victime.

L'un des Chinois avait eu le temps de saisir son fusil d'assaut et de tirer, au jugé, touchant au ventre Toshio Fukuda, l'un des compagnons du sensei. Le Chinois n'eut même pas le temps de savourer son triomphe car sa tête fut détachée du tronc d'un coup de lame horizontal et roula par terre, alors que son corps, debout, tenait encore l'Armalite à deux mains et laissait gicler le sang en flots rougeâtres continus. Yukio Hashida, lui, s'était rapidement débarrassé du dernier ennemi vivant, lui transperçant le ventre tout en prenant soin de bien retourner la lame à l'intérieur, afin que la victime n'eût aucune chance de pouvoir jouir un jour d'une pension ...

Kozawa entra dans la maison de Chen. Il distingua quelques corps dans l'entrée. Il les enjamba, ensuite il aperçut Levinski, blessé et probablement évanoui, les vêtements souillés de sang. Il s'agenouilla près de lui, déposa son katana à terre, lui prit le bras et lui tâta le pouls. Un peu rapide mais ferme, bien marqué. Kozawa défit le garrot. Reprenant son katana et le tenant en position d'attaque, il monta à l'étage. Quand il vit les deux corps dans le couloir à l'étage, il comprit que le mercenaire blanc avait accompli sa mission, fidèle à sa dette d'honneur, à son giri. Sa compagne avait été vengée. Il redescendit, sortit de la maison et parla en japonais à Yukio, qui était agenouillé près de Toshio et s'occupait de sa blessure. Yukio ôta sa cagoule et sortit de la propriété après avoir ouvert complètement la barrière. Il revint dans le jardin au volant de leur voiture. A deux, ils chargèrent Toshio Fukuda et Levinski à l'arrière. Toshio gémissait doucement, tandis que Levinski était toujours évanoui. La blessure du Japonais semblait assez sérieuse. Il aurait besoin de soins assez rapidement.

Kozawa entra de nouveau dans la maison, alluma l'électricité, chercha le salon, aperçut le téléphone. Il forma un numéro à New York. En fin de compte, au-delà des différences ethniques et culturelles, il avait décidé de prendre contact avec son ami chinois, Wong Yau Kew, leader de l'une des triades les plus importantes de Chinatown. Quand il l'obtint, il lui parla rapidement en anglais. Après avoir raccroché, il sortit de la maison et, avec Hashida au volant de la puissante Ford, ils démarrèrent en direction de Chinatown, vers une clinique clandestine que Wong Yau Kew leur avait indiquée.

ÉPILOGUE

Max était installé dans une chaise longue, face à la mer. Sans l'avoir cherché, il était revenu à ses racines, car la base de San Diego se trouvait à une soixantaine de kilomètres de là.

Un lourd soleil d'août illuminait la mer. Souvent, quand la lecture commençait à lui peser, Max regardait cette masse tantôt plombée de colère, tantôt bleutée de joie. Une étendue à laquelle sa mouvance donnait l'impression d'une vraie vie animale. Il se demandait si parmi cette infinité de gouttes agglomérées, l'ombre d'Angela, sa trace, son souvenir, auraient pu trouver un écho.

A lui qui avait réappris à vivre, ces moments de creux, de faiblesse donnaient l'envie de se lancer à corps perdu dans une action physique, la plus violente possible. C'est dans ces moments-là qu'il examinait sa cuisse et enrageait de devoir vivre ainsi, dans une semi-immobilité.

Sa blessure avait été nette. La fracture de la diaphyse fémorale ne l'avait pas trop handicapé, du moins au début. Mais son traitement était loin d'être terminé, et la kinésithérapie était devenue le moyen pour lui de ne plus cristalliser ses pensées sur le passé.

D'ailleurs, il n'avait plus de passé. Celui-ci s'était éteint dès le moment où il avait perdu connaissance dans la maison de Chen.

Transporté sur la côte ouest, assisté d'un couple de Chinois qui n'étaient ni gardes ni infirmiers mais en qui on devinait facilement des personnes chargées d'une mission importante, il aurait eu bien tort de se plaindre. De plus, la villa qui avait été mise à sa disposition était d'un luxe discret, calme. Tout ce qu'il souhaitait obtenir lui était fourni sans aucune question.

Il ne se sentait pas prisonnier. Il savait que s'il vivait dans cette villa, sous un nom d'emprunt, c'était avant tout pour sa sécurité. Malgré tout, il avait un sentiment d'isolement profond, pareil à celui qu'éprouverait un sportif forcé de prendre sa retraite dix ans trop tôt.

Miss Yang, qu'il soupçonnait d'être une karatéka accomplie, comme son comparse Chu — tous deux devaient aussi être des maîtres du pistolet-mitrailleur, à voir les Uzi qu'ils gardaient à longueur de journée à portée de main ! —, vint lui annoncer une visite. Max lui demanda de conduire les personnes au patio.

Tel un acteur, Kenzaburo Kozawa fit son entrée, suivi d'un Asiatique nettement plus âgé. Max le regarda et pensa qu'il devait s'agir d'un Chinois. Il avait le visage rondelet et jovial des gens de sa race.

Max fit mine de se lever, grimaçant légèrement, mais Kozawa lui demanda de rester assis. Le Chinois donna un ordre à Miss Yang, qui revint aussitôt avec deux chaises longues. Elle les installa précautionneusement face à celle de Max.

— Monsieur Levinski, dit Kozawa, je vous présente monsieur Wong Yau Kew. Il est ... hum ! disons l'éminence grise de Chinatown à New York. C'est un ami de longue date.

Le Chinois fixa Max, mais son visage n'exprima qu'un sourire de politesse.

— Enchanté ! monsieur Wong, répondit Max.

— Heureux de vous rencontrer, monsieur Levinski.

— Comment allez-vous ? demanda Kozawa.

— Bien. Je n'ai pas encore eu l'occasion de vous remercier. Je crois que vous avez dû me sauver la vie, et c'est certainement à vous que je dois tout ceci.

Max agrémenta sa phrase d'un geste qui englobait le patio, les chaises longues et la villa.

Miss Yang vint demander au Chinois s'il désirait boire quelque chose. Elle disparut dans la villa et revint rapidement, avec un plateau, une bouteille de whisky, trois verres et des glaçons. Elle versa la boisson, sans y ajouter de glace, et tendit les verres, au Chinois tout d'abord, à Kozawa ensuite et à Max en dernier lieu. « Raciste ! », pensa Max. Kozawa reprit :

— Monsieur Levinski, vous vous trompez, c'est à monsieur Wong que vous devez tout cela !

— Ah ! fit Max, regardant Wong droit dans les yeux.

Le Chinois toussa, comme pour s'éclaircir la gorge.

— Monsieur Levinski, dit-il, vous nous avez beaucoup aidé en éliminant Chen Lin-hsü, je veux dire Peter Chen. Notre organisation connaissait l'existence de cette triade, mais nous n'avions pas encore décidé d'agir. Quand, cette nuit-là, vous vous êtes attaqué à sa maison, deux faits importants se sont produits. Tout d'abord, trois Chinois de la triade de Chen ont tenté de tuer notre ami Kozawa. D'autre part, l'un des adjoints de Chen, Chung Hsiao Yu, venait de prendre contact avec nous en nous offrant de divulguer le nom de l'endroit où se trouvait stockée une tonne d'héroïne pure n°4, que détenait cette triade. Quand monsieur Kozawa est arrivé à la maison de Chen, vous étiez sur le point d'être tué par des Chinois. Monsieur Kozawa a déploré la mort de l'un de ses amis intimes au cours de cette action. Quand il a vu vos blessures et celle de son ami, il a pensé à prendre contact avec moi. Heureusement, car une intervention rapide dans notre clinique de Chinatown a permis de sauver votre jambe.

— Je vous en suis très reconnaissant, monsieur Wong, répondit Max très sincèrement. Quant à vous, sensei, je ne pourrai jamais suffisamment exprimer ma gratitude pour ce que vous avez fait. Et je regrette que vous ayez perdu l'un de vos amis.

Les deux Asiatiques inclinèrent la tête, indiquant par là qu'ils acceptaient ces marques de remerciement. Wong Yau Kew poursuivit :

— Monsieur Levinski, afin d'éviter certains désagréments nous avons nettoyé la maison de Chen de fond en comble. Nous nous sommes occupés de votre voiture et nous avons même réussi à retrouver votre appartement de Charles Street. Toute trace de votre séjour ou de votre passage dans l'un de ces lieux a été éliminée. Et, en signe de reconnaissance ...

Wong se leva, s'approcha de lui et mit la main droite dans la poche intérieure de son veston. Max eut peur, l'espace d'un instant, qu'il ne sorte un calibre 38 et lui pulvérise le cerveau, la dernière trace de cette affaire ayant ainsi été effacée. Mais au lieu de cela Wong extirpa un chèque bancaire et le lui tendit.

Max lut la somme et leva les yeux vers le Chinois. Son visage exprimait la stupéfaction.

— Un million de dollars ? dit Max, d'une voix éteinte.

— C'est la moindre des choses, monsieur Levinski. Savez-vous ce que rapporte une tonne d'héroïne pure ?

En lui, Max sentit une déchirure. Il aurait eu envie de se faire sauter la cervelle, tant la vue de ce chiffre le rendit fou. Alors que, maintenant, il avait des moyens, Angela, elle, n'était plus de ce monde. Et s'il obtenait cette somme fabuleuse, c'était également Angela qui en avait été la raison. Sans sa mort, il n'aurait pas tué Chen, et Wong ne se serait pas enrichi un peu plus ...

Pourtant, il savait qu'il ne se suiciderait pas. Malheureusement. Déjà, lors de son court séjour à la clinique clandestine, son instinct de survie avait été le plus fort. Bien plus que son découragement, que ce vide qu'il sentait en lui. Désormais, il était trop tard pour se supprimer. Peu à peu, il reprenait goût à la vie.

Après le départ de Kozawa et de Wong, Max resta pensif, regardant l'océan et le jeu des vagues. Le monde était bizarre, souvent injuste, quelquefois plein de surprises. Il n'avait que trente ans et il se sentait vieux, comme s'il portait sur les épaules le poids de tous les morts du siècle.

Un léger bruit le fit sursauter. Il tourna la tête et vit une Chinoise jeune, grande, jolie, les cheveux d'un noir de jais brillant, coiffés avec une frange qui cachait entièrement le front.

— Oui ? dit Max.

— Monsieur Wong m'a dit de rester et de m'occuper de vous. Mon nom est Monica.

Elle inclina légèrement la tête en guise de salut. Max la regarda et lui sourit. Elle parut surprise, mais elle lui rendit son sourire.

Pour la première fois depuis la journée infernale du 5 juillet, Max sentit une ébauche d'envie sexuelle monter en lui. La fille lui avait tourné le dos et s'éloignait. Max la regarda, admirant ses petites fesses de Chinoise racée, le galbe de son corps, ses cheveux qui tombaient dans le dos.

Il se détourna et contempla la mer. Il eut l'impression de la voir pour la première fois.